BARBEY D'A

LES DIABOLIQUES

Chronologie et préface
par
Jean-Pierre SEGUIN

Bibliographie mise à jour en 2013
par
Maud SCHMITT

GF Flammarion

© 1967, Flammarion, Paris ;
édition mise à jour en 2013.
ISBN : 978-2-0813-0948-7

LES DIABOLIQUES

CHRONOLOGIE AUREVILLYENNE

1756 : Anoblissement de Vincent Barbey, avocat au bailliage de Valognes, issu d'une famille dont la présence à Saint-Sauveur-le-Vicomte (Manche) est attestée dès la fin du XIVe siècle.

1808 : 2 novembre, naissance de Jules Barbey à Saint-Sauveur, chez son oncle, le chevalier Lefebvre de Montressel, ancien officier et, peut-être, ancien chouan. Ses parents sont Marie-André-Théophile Barbey et Ernestine-Eulalie-Théodose Ango, issue d'une famille de bonne bourgeoisie installée à Caen au XVIe siècle. La Révolution a grandement troublé l'existence des deux familles, très attachées à la monarchie. Jules Barbey aura trois frères : Léon (1809), Edouard (1810) et Ernest (1811).

1816 : Le père et l'oncle de Jules tentent vainement d'obtenir pour lui une place dans une école militaire.

1818 à 1825 : Barbey est à Valognes, chez son oncle Pontas du Méril, médecin, membre de l'Assemblée provinciale avant la Révolution, puis maire de Valognes sous l'Empire et sous la Restauration. C'est un libéral et un athée. L'un de ses fils, Edelestand, qui fera œuvre de poète et d'érudit, exerce une grande influence sur son cousin. En 1823, celui-ci compose une élégie : *Aux héros des Thermopyles*, dédiée à Casimir Delavigne.

1827 : Barbey entre au collège Stanislas, à Paris, en classe de rhétorique. Il s'y lie d'amitié avec Maurice de Guérin.

1829 : Barbey est bachelier. A la mort de son oncle, Jean-François-Frédéric Barbey d'Aurevilly, il refuse, par opposition à sa famille, de reprendre la dénomination de d'Aurevilly. En novembre, il s'inscrit à la Faculté de droit, à Caen. Son frère Léon fait ses études dans la même ville.

1830 à 1833 : A Caen, Barbey devient l'ami intime du libraire Trebutien. Il est républicain, tandis que Léon milite dans les rangs des légitimistes. Il lit beaucoup ; Byron surtout le passionne. Il écrit deux nouvelles : *Le Cachet d'onyx*, en 1830, et *Léa*, en 1832. Il noue avec sa cousine, Louise Cautru des Costils, mariée en 1830 à Alfred du Méril, une intrigue qui le marquera profondément. Il achève ses études de droit le 22 juillet 1833.

1833 à 1836 : Barbey rompt avec sa famille et va vivre à Paris. Il a hérité de son oncle Lefebvre de Montressel, mort en 1819, une rente de 1 200 francs. Il a pour amis Victor Fleury, Amédée Renée, le Normand Gaudin de Villaine et Maurice de Guérin. Il fréquente quelques salons et mène la vie dissipée que retracent ses deux premiers *Memoranda* (1836-1838). Mais aussi, il lit énormément et il travaille : il publie ses premiers articles dans la *Revue critique de la philosophie, des sciences et de la littérature*, qu'il a fondée avec Edelestand du Méril et Trebutien, en 1834. La même année, il a fini d'écrire une nouvelle, *La Bague d'Annibal*. En 1835, il compose un roman, *Germaine ou la Pitié*, publié en 1883 sous le titre de *Ce qui ne meurt pas*, et un poème en prose, *Amaïdée*.

1836 : Léon d'Aurevilly entre au séminaire. Son frère désapprouve une décision qu'il ne comprend pas. Lui-même commence à écrire *Madame de Gesvres (L'Amour impossible)*. Débuts de son amitié avec un dandy fameux, Roger de Beauvoir. En octobre, séjour à Saint-Sauveur, où il ne reviendra que vingt ans plus tard.

1837 : Première brouille avec Trebutien ; elle ne prendra fin qu'en 1841.

1838 : Collaboration au *Nouvelliste*, le journal de Thiers. Rencontre avec Eugénie de Guérin. Barbey est très influencé par la lecture des œuvres de Joseph de Maistre et de Stendhal.

1840 : Il achève *L'Amour impossible*. Il est en relations avec George Sand, à propos de la publication du *Centaure* de Maurice de Guérin, mort en 1839. Il cesse ses relations avec Eugénie de Guérin et se brouille avec ses deux belles-sœurs, les baronnes Almaury et Amédée de Maistre, également jalouses.

1841 : Publication de *L'Amour impossible*. Barbey se réconcilie avec Trebutien. Vers la même époque, liaison avec une mystérieuse Vellini, qui aurait été le prototype de l'héroïne d'*Une vieille maîtresse*.

1842 : *Le Globe* publie *La Bague d'Annibal*. Barbey rencontre Sainte-Beuve. Leurs rapports seront toujours difficiles et deviendront franchement mauvais après 1862.

1843 : Barbey est envoyé à Dieppe par *Le Globe*, pour « brasser » une élection. Il écrit dans *Le Moniteur de la mode* et travaille à une biographie du fameux dandy Brummell. Trebutien édite à 50 exemplaires *La Bague d'Annibal*, qui n'est connue que dans les salons.

1844 : Rencontres avec Hugo, qui tente de pousser Barbey au *Journal des Débats*. Trebutien édite, confidentiellement, le petit traité *Du dandysme et de G. Brummell*.

1845 : En juillet, Barbey achève la première partie d'*Une vieille maîtresse* et aborde la seconde partie. Il est critique de la mode au *Constitutionnel*. Vers cette époque, il lit les œuvres de Balzac et conçoit une vive admiration à leur égard.

1846-1847 : Barbey est las des excès de sa vie de « ribaud ». Sous l'influence de Raymond Brucker, un converti, il revient lui-même au catholicisme. Il ne pratique pas encore, mais il est l'un des « treize » qui fondent la « Société catholique », destinée à rénover l'art religieux. La Société monte un magasin rue de

Tournon, et lance, en avril 1847, la *Revue du monde catholique*. Barbey s'y fait le champion du conservatisme. En août, il revoit son frère, missionnaire eudiste.

1848 : Barbey préside une séance du « Club des ouvriers de la Fraternité » et songe à se présenter à la députation. Ces préoccupations restent sans lendemain. La *Revue du monde catholique* cesse de paraître en mai. Rencontre avec Paul de Saint-Victor.

1849 : Le 18 janvier, Barbey a achevé d'écrire la seconde partie d'*Une vieille maîtresse*. Il projette de composer une série de romans « chouans » et « normands », qu'il réunirait sous le titre général d'*Ouest*. Il rédige aussi *Le Dessous de cartes d'une partie de whist*, la première des *Diaboliques*, mais la *Revue des Deux Mondes* refuse de publier l'un et l'autre texte. En revanche, à la fin de décembre, *L'Opinion publique* donne le premier chapitre des *Prophètes du passé*.

1850 : Barbey publie, dans *La Mode*, *Le Dessous de cartes* et des articles où il se montre ultra-royaliste et violent à l'excès. Il écrit *l'Ensorcelée*.

1851 : Cadot édite *Une vieille maîtresse*. Chez Mme de Maistre, Barbey est présenté à la baronne de Bouglon, trente ans, veuve d'officier. Pendant quinze ans au moins, elle sera son « Ange blanc ». Lui rêvera d'un impossible mariage. Très vite exclu de *L'Univers* par Louis Veuillot, avec qui il ne s'entendra jamais, il collabore à *L'Assemblée nationale*.

1852 : *L'Ensorcelée* paraît en feuilleton dans *l'Assemblée nationale*. Barbey commence à travailler au *Chevalier Des Touches*. Dans *Le Public*, il fait campagne en faveur du rétablissement de l'Empire, qui lui semble être le seul régime possible, pour l'instant. Il entre au *Pays*, journal bonapartiste, en qualité de critique des livres nouveaux. En septembre, il confie à Trebutien que son mariage avec Mme de Bouglon est « arrêté ».

1854 : Barbey prépare avec Trebutien l'édition des œuvres des Guérin. Il recueille les *Pensées et Maximes* de Balzac et noue avec Baudelaire des relations d'amitié. Cadot publie *L'Ensorcelée*.

1855 : Barbey travaille au *Château des Soufflets (Un prêtre marié)*. Publication des *Reliquiae* d'Eugénie de Guérin.

1856 : Barbey se réconcilie avec ses parents et retourne à Saint-Sauveur le 1er septembre, mettant fin à vingt années de séparation. Il se rend ensuite à Caen, pour y rencontrer Trebutien, devenu bibliothécaire de la ville.

1857 : Dans *Le Pays*, Barbey défend Balzac, malmené par un critique de la *Revue des Deux Mondes*. Il prend aussi parti pour Baudelaire, en démêlés avec la justice à propos des *Fleurs du mal*. *Le Pays* refuse d'insérer son article. Il se détache peu à peu de l'Empire.

1858 : Barbey participe à la fondation du *Réveil*, de Granier de Cassagnac. Mort de sa mère. Trebutien rompt définitivement avec lui. Voyage dans le Midi, en compagnie de Mme de Bouglon.

1860 : Après avoir tant de fois changé de logis, Barbey s'installe, pour y demeurer jusqu'à sa mort, au 25, rue Rousselet, dans un « tourne-bride de sous-lieutenant ». Il publie le premier volume de son œuvre critique, rassemblée sous le titre *les Œuvres et les Hommes*.

1861 : Début d'une longue amitié avec Hector de Saint-Maur, poète et journaliste, « prieur » d'une « Congrégation de Saint-Maur » où se réunissaient, entre autres, Arsène Houssaye, Cham, Labiche, Lhéritier, la vicomtesse de Saint-Mars (comtesse Dash, en littérature) et les deux Dumas. Barbey, repris par ses vieilles habitudes de « ribaud », et qui recommence à boire avec excès, fréquente beaucoup ce milieu, où l'on mène joyeuse vie.

1862 : Alcide Dusolier écrit sur Barbey le premier ouvrage de critique qui lui ait été consacré. Dans *Le Pays*, Barbey attaque *Les Misérables* de Victor Hugo.

1863 : Barbey entre au *Figaro*. Il y écrit contre Buloz, directeur de la *Revue des Deux Mondes*, de manière si violente que, traduit en justice, il est condamné à une amende. Dans *Le Nain Jaune*, il s'attaque à l'Académie. Il se déprend insensiblement de Mme de Bouglon.

1864 : Edition du *Chevalier Des Touches*. Barbey travaille au *Prêtre marié*. Il éprouve de sérieuses difficultés d'argent. Amitié avec Jules Vallès.

1865 : Faure édite *Un prêtre marié*.

1866 : Barbey est chargé de la critique théâtrale au *Nain Jaune*. Dans le même journal, il accable les « Parnassiens ». Il travaille aux *Ricochets de conversation (Les Diaboliques)*.

1867 : Première rencontre avec Léon Bloy, qui va devenir un disciple. *La Situation* publie le texte du *Plus bel amour de Don Juan*.

1868 : Barbey entre à *L'Eclair*, à *La Veilleuse*, au *Constitutionnel* et au *Dix Décembre*. Son père meurt le 16 mars. La maison de famille doit être vendue.

1869 : Collaboration au *Gaulois* et au *Parlement* (critique théâtrale).

1870 : Mort de Trebutien. Barbey prend du service dans la Garde nationale.

1871 : Séjour à Saint-Sauveur, puis à Valognes. Mort d'Edelestand du Méril. Barbey hérite d'une rente de 2 000 francs. Il écrit deux des *Diaboliques : Le Bonheur dans le crime* et *A un dîner d'athées*. A Paris, chez Léon Cladel, rencontre avec Coppée et commencement d'une longue amitié.

1872 : Barbey loue à Valognes un appartement, dans l'hôtel Grandval. Il y viendra passer plusieurs mois chaque année jusqu'en 1887. Il s'y lie avec le violoniste Armand Royer.

1874 : 1er mai, rédaction de la préface définitive des *Diaboliques*, publiées en novembre par Dentu. L'œuvre fait l'objet de poursuites; la police saisit les épreuves et 480 exemplaires en feuilles. Des interventions d'amis comme Arsène Houssaye et Gambetta permettent d'éviter un procès. Edmond de Goncourt inscrit Barbey sur la liste de l'Académie des Dix.

1876 : Mort de Léon d'Aurevilly. Amitié avec Paul Féval et Paul Bourget.

1879 : Chez les Coppée, Barbey fait la connaissance de Louise Read. A 35 ans, celle-ci a renoncé à tout avenir personnel. Elle va se dévouer inlassablement pour Barbey et travailler à sa gloire. Barbey collabore à *Paris-Journal* (critique théâtrale).

1880 : Barbey écrit au *Triboulet* et reprend le texte de *Germaine*, composé entre 1833 et 1835. Amitié avec Rollinat.

1881-1882 : Barbey écrit *Une histoire sans nom*, que publie le *Gil Blas*.

1883 : Le *Gil Blas* publie *Ce qui ne meurt pas (Germaine)*. Bourget préface deux *Memoranda*, celui de Caen (1856) et celui de Port-Vendres (1858). Relations de Barbey avec Jean Lorrain et Péladan.

1884 : Publication dans *L'Artiste* de poèmes, *Les Rythmes oubliés*. Barbey dément la nouvelle de sa candidature à l'Académie. Malade du foie, il continue à fréquenter les salons, ceux de la baronne de Poilly, des Daudet et des Hayem en particulier. On y apprécie beaucoup ses dons de « causeur ». Il patronne la jeune actrice Marthe Brandès, qui fait ses débuts.

1886-1887 : Edition, chez Lemerre, d'une courte nouvelle, *Une page d'histoire*. Barbey rédige trois testaments, en faveur de Raymond de Bouglon et de Louise Read. Il écrit encore quelques articles, notamment dans *La Revue indépendante* et au *Figaro*. La publication de *les Œuvres et les Hommes* se poursuit, grâce à Louise Read; il en paraît deux volumes en 1886. Le premier volume du *Théâtre contemporain* sort en 1887. Amitié avec Octave Mirbeau.

1888 : En avril, Barbey est très malade. Il n'en travaille
pas moins à l'édition de son œuvre critique et reprend
le texte d'*Amaïdée*, écrit en 1835. Querelles autour
de Barbey, entre Louise Read et Mme de Bouglon
et les amis de l'une et de l'autre.

1889 : Le 20 avril, Barbey souffre d'une grave hémor-
ragie ; il meurt le 23 avril.

1926 : Le 23 avril, retour des restes de Barbey à Saint-
Sauveur-le-Vicomte.

PRÉFACE

Le 11 janvier 1850, dans une lettre adressée à son ami de Caen, Trebutien, Barbey écrit : « Buloz, qui frappait sa poitrine de n'avoir pas publié *Brummell* [*Du dandysme*], quand des gens comme *Chasles*, *Sainte-Beuve* et *Labitte* lui en eurent dit leur avis, Buloz me renvoie de son côté une Nouvelle avec laquelle je tourne les têtes quand je la lis (RICOCHETS DE CONVERSATION : *Le Dessous de cartes d'une partie de whist*), prétendant qu'il a les nerfs et les préjugés de son public à ménager. »

C'est la première fois que Barbey parle d'une des nouvelles qui devaient se trouver réunies, quatorze ans plus tard, sous le titre de *Les Diaboliques*. Le texte du *Dessous de cartes* commença à paraître dans *La Mode* du 5 mai 1850. Barbey se plaignit à Trebutien d'avoir dû consentir à ce qu'il fût « étêté, absurdement coupé, *guillotiné* ». Il ajoutait cependant, dans la même lettre, datée du 4 mai : « Mon intention est de donner deux ou trois Nouvelles intitulées comme cette première, *Ricochets de Conversation*, avec des sous-titres différents... J'aurais envie de faire un petit volume, comme notre *Brummel*, de ces *Ricochets*. Nous l'imprimerions à Caen et *Cadot* nous l'éditerait à Paris... *Vellini* [*Une vieille maîtresse*] aurait paru alors et protégerait les *Ricochets*. »

Ainsi, Barbey, qui enrage de n'avoir pas encore pu, à quarante-deux ans, forcer les « Portes de la Publicité », toujours prompt à s'enflammer pour tout projet qui lui apporterait enfin la gloire, ajoute celui-là à beaucoup d'autres et, déjà, croit à son succès. Brûlant les étapes, il écrit le 27 mai, à Trebutien, qui semble prêt à collaborer : « Mon cher ami, je suis heureux, mais heureux à trente-six carats d'émotion, de vous voir accueillir comme vous l'avez fait mon idée d'être édité encore une fois par vous... Le volume aurait pour titre général *Ricochets de conversation* et contiendrait six Nouvelles, toutes dédiées et portant en tête leurs dédicaces. J'écris ces Nouvelles en ce moment, car je suis l'homme de plusieurs *lièvres* et mes cartons sont aussi pleins de choses commencées que ceux de *Léonard de Vinci*... Frais et profits, nous partagerons tout. Vous ferez imprimer là-bas, et moi je ferai vendre ici par *Cadot* ou Lévy. Pour que tout fût au mieux, il faudrait que le volume fût prêt au commencement de 1851.... Quand vous voudrez de la copie, vous me le direz et je vous en adresserai. »

Oui, mais Trebutien, quoique habitué aux excès de son ami, trouve un peu fortes les audaces du *Dessous de cartes*. Il s'inquiète aussi des réactions d'Edelestand du Méril, cousin germain de Barbey et le seul parent avec qui celui-ci ait gardé des rapports suivis. Car Edelestand accuse son cousin d'avoir fait étalage de confidences recueillies dans sa famille même, sans prendre la précaution de brouiller assez les pistes. Aussi Trebutien fait-il maintenant un pas en arrière et Barbey, tout en se défendant avec fougue d'avoir été immoral et indiscret, comprend très bien que son projet se trouve au moins ajourné : « si vous êtes un jour l'Editeur de mes *Ricochets de Conversation...* », écrit-il à Trebutien le 17 juin 1850. En fait, c'est Cadot qui, en octobre 1854, publie le texte du *Dessous de cartes*, à la fin de celui de *L'Ensorcelée*.

Entre-temps, Barbey, s'il avait commencé à penser à d'autres nouvelles, n'en avait sans doute, au mieux, écrit que le canevas. En 1850 en effet, il est occupé à rédiger *L'Ensorcelée*, la première des *Chroniques Chouannes* qu'il voudrait réunir sous le titre général de *L'Ouest*. L'année suivante paraissent *Une vieille maîtresse* et *Les Prophètes du passé*. Barbey, d'autre part, fait la connaissance de la baronne de Bouglon, une jeune veuve dont il devient éperdument amoureux; il lui accorde beaucoup de temps. En 1852, il commence à travailler au *Chevalier des Touches* et se consacre au journalisme, écrivant pour *Le Public*, puis pour *Le Pays*. En 1854, année où Cadot publie *L'Ensorcelée* et Trebutien des *Poésies*, il prépare l'édition des œuvres des Guérin. En 1855, il commence la rédaction d'*Un prêtre marié*... C'est la période la plus féconde de sa vie, celle où, en effet, en pleine possession de son talent et impatient à l'extrême, il passe d'un « lièvre » à un autre et accumule notes et manuscrits, ne sachant plus très bien lui-même où il en est.

Aussi ne doit-on accueillir qu'avec beaucoup de réserves ce qu'il écrit à Trebutien à propos de l'état d'achèvement de ces manuscrits. Et quand toute correspondance cessera entre les deux hommes, qui se brouilleront définitivement en décembre 1858, il deviendra très difficile d'établir la chronologie des activités littéraires de Barbey. Des *Diaboliques* surtout, on ne sait rien avant décembre 1866, date à laquelle on lit dans le cahier de notes intitulé *Disjecta membra :* « Le volume de nouvelles que je prépare portera le titre *Les Diaboliques* [Barbey avait d'abord écrit : *Ricochets de conversation*, mots qu'il barre par la suite] et sera composé comme il suit :

Titres des nouvelles.

1. Le Rideau cramoisi. 2. Le Dessous de cartes d'une partie de whist (déjà publié). 3. Le Plus bel amour de don Juan. 4. Entre adultères (à faire) . 5. Les deux vieux hommes d'Etat de l'amour (à faire). 6. Le Bonheur dans le crime. 7. L'Honneur des femmes [*La Vengeance d'une femme ?*]. 8. Madame Henri III (à faire). 9. L'Avorteur (à faire). 10. Valognes [*A un dîner d'athées ?*] (à faire).

Ce texte laisse à croire que cinq des six nouvelles qui figureront dans l'édition des *Diaboliques* en 1874 seraient déjà composées en décembre 1866. En réalité, elles n'avaient certainement pas encore reçu leur forme définitive, car, si *Le plus bel amour de don Juan* paraît en feuilleton dans *La Situation* en 1867, on sait par une lettre écrite de Valognes à Arnold Mortier en 1868 que, le soir, Barbey « s'occupe » des *Diaboliques* et lit saint Chrysostome. Le manuscrit autographe du recueil porte d'ailleurs la mention « Paris-Valognes, 1866-1872 » et l'on a toutes les raisons de croire en effet que c'est à cette époque-là que les six nouvelles furent soit écrites, soit remises au net. On doit aussi, semble-t-il, donner, quant au lieu, la prédominance à Valognes sur Paris. En effet, Barbey avait conservé un souvenir très fidèle et très fort de cette petite ville où il avait passé plusieurs années de sa jeunesse et dont il connaissait les histoires secrètes. Ce n'est pas par hasard si les 3e, 4e et 5e *Diaboliques* ont pour cadre cette étrange cité déchue où Barbey revient en 1856, en 1864, en 1868 et surtout après mars 1871, pour des séjours de plus en plus longs, qu'il passe en compagnie de quelques amis et des « spectres » de son enfance.

Quoi qu'il en soit, le 28 mai 1873, Barbey, dont Lemerre vient de rééditer *L'Ensorcelée*, écrit de Paris à une amie, Elysabeth Bouillet : « Quant à mes affaires particulières, elles vont triomphalement bien. Je n'ai pas le temps de vous en parler en détail. Ma vie est un éclair. Les *Diaboliques* sont vendues. Les 6 premières [à cette époque, il songeait donc encore à une suite] doivent paraître en Octobre, — un volume. C'est Dentu qui est l'éditeur. » En fait, l'imprimeur de Dentu, Jacob, à Orléans, ne commence à composer qu'à ce moment-là. Barbey corrige les épreuves avec le soin qu'il y apporte toujours, voulant, écrit-il à Dentu le 17 octobre, que ses *Diaboliques* « fussent d'une extrême pureté typographique », et il ajoute cette boutade : « Elles n'en auront pas d'autre, mais qu'elles aient du moins celle-là! » Le 8 mars 1874, il confie à Elysabeth Bouillet : « je touche à la fin de l'impression des *Diaboliques*, qui paraîtront avec les roses. » Eh bien, non, pas encore, puisque le bon à tirer n'est donné qu'en août et, le 3 de ce mois, Barbey mande à Hector de Saint-Maur : « je pars jeudi pour

Valognes... je reviendrai pour le *lancé* de mes *Diaboliques* vers la fin de septembre. » En réalité, l'ouvrage n'est enregistré au Dépôt légal que le 15 novembre, le lendemain de sa mise en vente.

Comme toujours, Barbey croit au succès. Il a pour une fois raison, mais la Renommée capricieuse, enfin ébranlée, ayant dépassé les espérances de l'écrivain, va les ruiner en partie. *Un prêtre marié*, en 1865, avait été la première œuvre qui eût suscité quelques critiques, quatre exactement, et de qualité, sinon toutes favorables. *Les Diaboliques*, elles, avant même d'avoir paru, sont annoncées dans la presse : dans *Paris-Journal* du 29 octobre et dans *Le Gaulois* du 6 novembre. E. Moriac, le signataire du second article, prophétise : *Les Diaboliques* sont « appelées à un très grand succès de curiosité, d'étonnement, et même de froissement ». Froissement, c'était peu dire. Dans *Le Charivari* du 24 novembre 1874, Paul Girard réagit en ces termes :

« ... l'écœurement nous a fait tomber le livre des mains.

« Hein! Si c'était un libre-penseur qui eût écrit ces monstruosités! quel déchaînement!

« Mais, je le répète, M. Barbey d'Aurevilly se pique de vivre dans l'intimité de la sacristie.

« M. Barbey d'Aurevilly est de ceux à qui M. Louis Veuillot donne l'accolade.

« — Et les ordre-moralistes, ainsi que les confits en dévotion, se garderont bien de souffler mot.

« Que dites-vous des *bons livres* qu'enfante un des champions du trône et de l'autel ? »

On n'en peut plus douter, après la découverte faite aux Archives de la Seine par M. Pierre Boisard du dossier judiciaire, ce numéro du *Charivari*, qui ouvre le dossier, fut à l'origine des poursuites engagées contre Barbey, affaire qui vaut la peine d'être rapportée un peu en détail, maintenant qu'elle est bien connue.

Le 5 décembre 1874, le juge Ragon, chargé d'instruire contre Barbey, envoie le commissaire de police chargé du quartier du Palais-Royal faire une descente chez Dentu. Le commissaire doit se borner à constater que depuis quatre jours les exemplaires reçus par l'éditeur ont été tous vendus. Il n'en trouve pas non plus chez neuf libraires voisins. Il procède alors à la traditionnelle enquête de moralité sur l'auteur. Son rapport, rédigé en des termes savoureux, est, dans l'ensemble, exact et favorable. Barbey, rentré de Valognes en toute hâte, n'en doit pas moins comparaître devant le juge Ragon, le 15 décembre. Accusé « d'outrage à la morale publique et aux bonnes mœurs, et de complicité », il répond à un questionnaire précis dans lequel sont énumérés tous les passages incriminés. Sa défense se situe surtout sur un plan général. Elle est fort bien résumée par la réponse à l'une des questions :

« Je m'indigne à cette pensée qu'on peut me soupçonner d'avoir jamais manqué à la morale publique. Le but de ma vie est d'apporter à la société le contingent de bonnes choses dont tout honnête homme doit être pourvu en ce monde. Le but de mon œuvre a été de moraliser mes semblables en leur donnant l'horreur du vice. L'immoralité, quand elle est cauteleuse, pénètre dans les masses, elles la rejettent au contraire, quand elle est terrible. Il est certaines œuvres où se produit une réelle confusion entre le mal et le bien, et cela, parce que les teintes pâles qui les entourent ne permettent pas de les discerner. Le mal que j'ai peint dans mon œuvre, au contraire, je lui ai donné exprès un relief d'autant plus énergique que je voulais qu'on ne pût les confondre, et qu'il puisse servir pour tous d'épouvantail et d'horreur. Je comptais être arrivé à ce résultat : que se passe-t-il, en effet, dans les dénouements de mes histoires ? Y voit-on jamais le vice ennobli, récompensé et même caressé ? Nullement. Mes héros sont, ou avilis par le crime, ou repoussés par la société qui ne pardonne jamais les fautes. Comment avec de tels programmes et de pareils dénouements pourrais-je attenter à la morale publique ? Je suis le premier dans mes jugements à flétrir ceux que je fais mauvais : j'ai donc voulu, par la vivacité de mes peintures, *cabrer les âmes devant le vice au lieu de les y entraîner.* Mon caractère, ma vie, mon passé répondent de moi. J'ai pu être coloriste, mais sciemment immoral, jamais. »

Barbey garde tout au long de la comparution ce ton digne et ferme, exempt de toute provocation. Dentu, appelé le lendemain, biaise; il assure qu'absorbé par la maladie de sa mère, il avait dû négliger un peu ses affaires. Il avait fait pleine confiance à la réputation de moralité de l'auteur et n'avait pas lu le manuscrit. A la première nouvelle du bruit fait autour du livre, il en avait arrêté la vente et retiré les exemplaires de la montre. Il a laissé chez le brocheur ceux qui se trouvaient encore en feuilles, au nombre de 496, dit-il. En fait, le 18 décembre, il en dépose 480 au commissariat de police du Palais-Royal. Entre-temps, perquisition avait été faite chez Jacob, à Orléans. On n'y avait saisi que les épreuves corrigées, avec le bon à tirer et une correspondance entre les trois accusés, qui sont restés dans le dossier.

Barbey n'avait pas tardé à se défendre. Apprenant à Valognes la nouvelle de la saisie, il avait écrit à Dentu : « tâchons du moins d'éviter le procès. Combinons tous nos efforts pour cela, et s'il faut agir avant mon arrivée, agissez dans ce sens. » Le temps n'est plus où, comme en 1847, 1854 et 1855, il se faisait presque une gloire d'être enfermé pendant quelques jours, pour indiscipline, dans la Maison d'arrêt de la Garde nationale. En 1863 déjà, il avait durement ressenti la condamnation à une amende pour des attaques jugées trop violentes et trop personnelles lancées contre Buloz, dans Le Figaro. En 1874, il a soixante-six ans. La perspective d'un procès l'effraie plus que ne le laissaient supposer ses attitudes désinvoltes et un peu provocantes de la veille, à l'encontre du « gros bataillon des imbéciles », entendez par là ceux qu'effarouchaient Les Diaboliques.

En 1857, Barbey, courageusement, avait pris la plume pour défendre Baudelaire; sur qui pouvait-il compter lui-même, en 1874 ? Ni sur la plupart de ses confrères, Hugo, Flaubert et Zola par exemple, étrillés par lui de belle manière, ni sur les gens du parti catholique, qui avaient de bonnes raisons de tenir en défiance ce rallié turbulent, ni sur les libres penseurs, bien entendu, ni sur les monarchistes enfin, qui l'avaient vu sympathiser un moment avec l'Empire avant de n'y plus croire. A cette heure, Barbey payait le prix de ses originalités, de sa fierté, de ses sarcasmes aussi, de ces fameux « mots » qui lui avaient fait tant d'ennemis, déclarés ou secrets. On comprend qu'il ait reculé devant l'éventualité d'un procès public.

Il agit donc et fit agir en secret. Deux députés normands, l'un républicain et l'autre bonapartiste, parlèrent en sa faveur au Garde des sceaux, Tailhand, qui reçut aussi la visite de Gambetta, lequel manda à Barbey : « Il m'a promis de vous juger en artiste et de haut... soyez bien persuadé que je renouvellerai mes instances et vous tiendrai au courant. Vous êtes de ceux que la politique elle-même ne peut faire oublier et je serai toujours prêt à vous le prouver. » Dans le même.temps, Barbey trouvait dans la presse un appui inattendu. *Verax* (il est possible que ce fût là le pseudonyme du duc d'Aumale), qui, dans *Le Gaulois* du 13 décembre, avait parlé de « drames maladifs » et surtout d'« imprudent artificier », revient sur son propos dans *Paris-Journal* du 17 décembre, pour bien marquer que s'il n'approuve pas la morale des *Diaboliques*, il ne croit ni au bien-fondé, ni à l'efficacité d'un procès mettant en cause la liberté de l'écrivain.

Pendant ce temps, le juge Ragon est pris d'un dernier scrupule. Le 26 décembre 1874, il écrit au procureur de la République à Orléans, en lui demandant de faire préciser par l'imprimeur Jacob si celui-ci emploie des femmes dans son atelier, car « cette circonstance pourrait avoir une certaine gravité dans le cas où elles auraient été chargées de s'occuper des épreuves. » Bien entendu, Jacob utilise de la main-d'œuvre féminine, mais elle n'a pas été chargée, dit-il, de ce travail et Jacob ajoute : « Au surplus, si l'on se rendait bien compte de ce qu'est une imprimerie, on serait bientôt convaincu qu'un ouvrier qui a pris part à l'impression d'un ouvrage ne sait pas ce qu'il contient. Ainsi, un compositeur serait bien embarrassé de dire ce que contiennent les feuilles qui lui sont données à imprimer. »

Le péril semble donc conjuré pour Barbey, qui, le

16 janvier 1875, écrit à Armand Royer, un ami de Valognes : « Mon procès est fini avant d'avoir commencé. » En fait, il lui faut attendre le 22 janvier pour en recevoir l'assurance du juge Ragon, devant qui il comparaît une dernière fois avec Dentu. Et il doit alors payer le prix de la paix recouvrée. « Je prends devant vous, dit-il au juge, l'engagement de m'opposer à ce qu'à l'avenir des exemplaires de mon ouvrage... soient mis en vente, et je m'engage également à ce que défense soit faite à tous éditeurs et libraires d'imprimer jamais nouvelle édition dudit ouvrage. » — « M. Barbey d'Aurevilly a tremblé comme un gamin, devait écrire Zola. Il a plié les épaules sous les remontrances et a consenti à un marché indigne d'un écrivain... Cela est une mauvaise action, je le dis hautement... lorsqu'on a écrit une page, on affirme et on défend cette page partout, surtout devant la police et la magistrature. L'acte de M. Barbey d'Aurevilly a éclaboussé les lettres. » Ce jugement, excessif, est également injuste. Il s'explique par le tempérament de Zola, qui, en effet, lui eût commandé de ne pas céder, et par le fait qu'à cinq reprises, Barbey avait éreinté son jeune confrère, dans *Le Nain Jaune* et dans *Le Constitutionnel*. Il était compréhensible que Zola, en retour, mît en parallèle les violences, elles aussi excessives, du causeur ou du critique et la prudence de sa conduite devant la Justice ; mais cette prudence n'avait pas exclu la dignité.

Quoi qu'il en soit, l' « affaire » des *Diaboliques* étant terminée, Barbey, rassuré, n'en garde pas moins au fond du cœur beaucoup d'amertume. Il s'en ouvre dans une note rédigée sans doute au mois de février 1875 : « Il y a tout à l'heure deux grands mois qu'un pauvre volume de Nouvelles intitulé, pour que les Anges n'y touchassent pas — par précaution —, *Les Diaboliques*, a mis à mes trousses tous les diables de la vertu. Car il y en a, à ce qu'il paraît... Incriminé pour ce fait, espionné, poursuivi, interrogé, j'ai à plusieurs reprises goûté des juges et je n'ai pas trouvé que ce fût bon. »

Oui vraiment, Barbey ne trouve pas bon que la Publicité dont il rêvait en 1850, quand il avait la première idée du recueil, ait pris cette forme. Lorsqu'il dresse un bilan matériel, dans une lettre à Elysabeth Bouillet datée du 20 mars 1875, il n'en tire aucun réconfort : « Comme l'édition de mon livre était épuisée *même avant d'être saisie*, on a vendu des exemplaires *sous le manteau* à un prix fou. Chaque exemplaire faisait prime à *soixante — quatre-vingts —* et cent francs. Ils sont, tout à l'heure, tous à cent francs ! Malheureusement ce n'est pas moi qui profite de cette furie de curiosité : ce sont ces chiens de libraires. Mais, plus tard, je ferai une édition à Bruxelles qui me vengera du tort énorme que pécuniairement le procès m'a fait. J'évalue cela, ma chère amie, à une perte de 10 000 francs, *au minimum.* »

Cependant, en mars 1883, Lemerre réédite *Les Diaboliques*. Barbey écrivait à Louise Read à ce propos, le 11 octobre 1882 : « *Mademoiselle ma chargée d'affaires*, voulez-vous vous charger de dire à Lemerre que s'il réimprime *Les Diaboliques*, je veux faire une préface (à la Beaumarchais), et cela non pas seulement pour faire claquer mon fouet de roulier normand sur le dos des imbéciles et des pervers qui m'ont persécuté, mais dans l'intérêt de l'avenir et des éventualités, si nous en avons contre nous. Je veux faire pour moi avant le procès, si nous devions en avoir un, ce que j'ai fait pour Baudelaire, *après* le sien. »

En fait, la nouvelle édition de Lemerre passe inaperçue, si l'on excepte un article d'Hippolyte Fournier, dans *La Patrie*. *Les Diaboliques* ne devaient atteindre le grand public qu'après la mort de Barbey et surtout après 1954, lorsqu'elles tombèrent dans le domaine public. Elles ont eu une trentaine d'éditions, presque autant qu'au total les trois autres romans qui viennent ensuite, dans l'ordre du succès : *Une vieille maîtresse*, *L'Ensorcelée* et *Le Chevalier des Touches*. Le cinéma et la télévision ont consacré ce succès : en 1952, Yves Allégret s'est servi du *Plus bel amour de don Juan* pour le sketch de *La Luxure*, dans *Les Sept péchés capitaux ;* en 1953, Alexandre Astruc a porté à l'écran, avec un infini talent, *Le Rideau cramoisi ;* le 11 mai 1966, enfin, l'O.R.T.F. présentait *Le Bonheur dans le crime*.

A propos des *Diaboliques*, il n'est pas possible, tant Barbey lui-même y a insisté, de ne pas s'interroger aussitôt sur les sources. Dès mai 1850, à la première idée qu'il a du recueil, il écrit à Trebutien : « Tous les personnages de ces *Nouvelles* sont réels et à Paris, on les nomme quand je les lis dans quelque salon », et encore, le 27 mai : « Tous les personnages de ces *Nouvelles* seront assez *reconnaissables* pour qu'on les nomme, ce qui aiguisera les amours-propres et les curiosités. » — « Les Histoires sont vraies. Rien d'inventé. Tout vu », lit-on dans la première préface, de décembre 1870 et dans celle du 1er mai 1874 : « Ces histoires sont malheureusement vraies. Rien n'en a été inventé. On n'a pas nommé les personnages : voilà tout ! »

Lorsque paraît *Le Dessous de cartes*, en mai 1850, Edelestand du Méril, le cousin de Barbey, y trouve, sous le nom de la comtesse du Tremblay de Stasseville, le portrait de Mme Poerier de Franqueville, qu'il a aimée dans sa jeunesse, et Barbey devait en effet avoir commis, dans cette nouvelle au moins, des indiscrétions assez grosses et précises, puisqu'en 1908 — cinquante-huit ans plus tard ! — le savant Léopold Delisle, originaire de Valognes, déclina, à cause d'elles, l'honneur de faire partie du comité patronnant les fêtes qui commémoraient le centenaire de la naissance de Barbey.

Après les contemporains, les biographes et les critiques se sont souvent et longuement intéressés à un problème rendu piquant par le côté scandaleux des histoires. Barbey leur avait préparé des appâts voyants : dans le *Dîner d'athées*, il a mis en scène plusieurs personnages réels sous leurs noms véritables : le chevalier de Mesnilgrand, le conventionnel Le Carpentier et le docteur Blény. D'autres personnages, dont il a modifié les noms, ont semblé avoir été par quelque endroit si fidèlement peints que l'on a cru pouvoir les identifier : ainsi, la mère de l'héroïne du *Plus bel amour de don Juan* serait la baronne Almaury de Maistre, avec qui Barbey aurait été, d'après lui, « au sommet de l'intimité »; le docteur Torty, le narrateur du *Bonheur dans le crime*, aurait pour prototype le docteur Pontas du Méril, oncle de Barbey; la baronne de Mascranny, du *Dessous de cartes*, serait la baronne Almaury de Maistre, encore, dont la fille, Valentine, est représentée par la Sibylle de la même nouvelle, et le chevalier de Tharsis, toujours dans le même récit, serait le chevalier Lefebvre de Montressel, parrain du romancier.

Quant aux aventures prêtées aux héros des nouvelles, Barbey en a pris aussi des éléments dans la réalité. Pour ne parler que du *Bonheur dans le crime*, l'épisode du Jardin des Plantes se trouve déjà, dans ses grandes lignes, dans une lettre à Trebutien du 18 février 1854, où Barbey rapporte une anecdote que lui a contée son ami le vicomte d'Yzarn-Freissinet. Quant à l'histoire des deux amants, voici ce qu'il en dit lui-même au juge Ragon, en 1874 : « Cette nouvelle est... une histoire de mon pays, que m'a contée mon père. Ceux qui en avaient été les héros passaient pour avoir été parfaitement heureux. » Au cours du même interrogatoire, il déclare, à propos du cruel châtiment de la Pudica dans le *Dîner d'athées*, qu'il s'agit d'un épisode qui « s'est passé dans sa province, autrefois ».

Les critiques, avons-nous dit, ont poussé loin les recherches à ce propos, avec un bonheur inégal. Les meilleurs d'entre eux avouent que cette quête, intéressante, ne mène jamais bien loin; quelques touches de réalité, atteintes çà et là, s'estompent, puis s'effacent vite, car l'imagination de l'écrivain a eu tôt fait de dépasser cette réalité. Dans *Le Dessous de cartes*, par exemple, confie-t-il à Trebutien, le 16 juin 1850, il ne s'est servi que de « points de souvenir », entre lesquels il a « tissé une trame de suppositions pathétiques ». Il y revient le 6 juin 1851, écrivant : « J'ai pris mon bien où il se trouvait. Des figures m'ont frappé : je les ai peintes, mais je n'ai pas dit : Voilà les noms de ces portraits! Le Roman! mais c'est de l'histoire, toujours, plus ou moins, des faits souvenus, agrandis, modifiés,

arrangés selon l'imagination, mais restant dans la
Vérité de la Nature. » Dans ce sens, Barbey peut
écrire, dans une lettre du 7 décembre 1853 : « je n'ai
abusé d'aucune confidence », et il ajoute même ceci,
qui semble contredire absolument ce qu'il déclarait
par ailleurs : « Toutes mes situations sont inventées. »

La même observation doit être faite à propos des
sources littéraires. Dans le texte des *Diaboliques*,
Barbey cite, au hasard des circonstances, Fenimore Cooper, Nodier, Le Tasse, l'abbé Prévost,
Walter Scott, Richardson, Milton... Il est évident que
ce grand liseur n'a pas pu manquer d'emprunter à tel
ou tel de ses devanciers ou contemporains, à Balzac,
notamment. MM. Bornecque et Petit ont là comme
sur tant d'autres points fort bien exposé ce que l'on
en peut savoir. On se bornera à ajouter deux pièces
à leur dossier : deux « confidences » faites par le romancier au juge Ragon. A propos du *Plus bel amour de
don Juan*, d'abord, il dit : « Je n'ai fait que paraphraser
une idée que Chateaubriand met dans la bouche
d'Atala : « Tu m'as créé un enfant avec un baiser »
et, à propos du *Dîner d'athées :* « Cette histoire est
racontée tout au long dans les mémoires de la princesse Palatine... Seulement, jusqu'au bout de l'histoire,
Mr de Charolais est badin; moi, je suis plus moral que
lui, car je fais tuer le major Ydow. »

La plus incontestable des sources de Barbey dans
ses *Diaboliques*, c'est encore lui-même. Don Juan porte
intentionnellement les prénoms du romancier, mais
qui connaît tant soit peu son personnage n'avait pas
besoin de ce détail pour le mettre sur la piste. Aucun
doute : dans ces cadres qui lui sont familiers, dans les
milieux de son enfance ou de son âge mûr, en compagnie de gens qu'il a connus, c'est Barbey qui se cache,
sous des masques divers, d'hommes ou de femmes, qui
cherche son propre personnage et surtout le rêve. Il
est le vicomte de Brassard, cet homme d'âge mûr,
beau encore, de cette beauté que conserve le dandy,
qui, par fierté, « *ne se rend pas* », sachant demeurer
lui-même au milieu des autres. Il se voit en don Juan,
bien sûr, Sardanapale mondain maître de toutes ces

femmes magnifiques et détaché de toutes. Mais il
parle aussi par la bouche du docteur Torty, petit
médecin de province voltairien et cynique. Car Torty
est de la famille de ceux qui portent en eux la marque
et le souffle de la Force, cette vertu — pas au sens
chrétien, cela est sûr — que Barbey a toute sa vie
vénérée et cultivée. Plus qu'aucun autre de ses romans
sans doute, *Les Diaboliques* sont l'expression, le chant
de Barbey lui-même; dans une sorte de rêve éveillé,
une revanche sur la réalité d'une vie au fond manquée,
là reconstruite, dans l'excès, dans la boue et le sang,
mais aussi avec la tranquillité étonnante de celui qui,
ballotté par le réel, commande très sûrement ses songes.
Julien Gracq a vu très juste quand il écrit : « *Les
Diaboliques* ne *passent* vraiment comme elles doivent
passer — mais alors merveilleusement — que
rehaussées, avivées, enluminées par la présence
comme en surimpression — oui, la présence réelle,
énorme et continuelle, de leur auteur. »

Les Diaboliques. Pourquoi, et comment ?
On l'a déjà noté, Barbey, à peine eut-il la première
idée du recueil, lui donna pour titre *Ricochets de
conversation*. Le mot de *Diaboliques* n'apparaît, et en
surcharge du premier titre, que sur une note datée de
décembre 1866. Pendant longtemps donc, Barbey a
pensé que le style de la conversation, adopté dans
presque tout le recueil, lui conférait son unité sur le
plan de la technique et même, dans une certaine
mesure, son sens.
Toute sa vie amoureux de la conversation, « cette
fille expirante des aristocraties oisives et des monarchies absolues... la dernière gloire de l'esprit français,
forcée d'émigrer devant les mœurs utilitaires et occupées
de notre temps », écrit-il dans *Le Dessous de cartes*,
étincelant causeur lui-même, Barbey a cru que l'écrit
garderait les échos du parlé. « Peut-être tout le mérite
de son histoire était-il dans sa manière de la raconter »,
suggère le narrateur du *Dessous de cartes*. Barbey, lui,

a choisi de « raconter » ses *Diaboliques* en plaçant le
lecteur dans la situation de celui qui *entend* une histoire, qu'elle soit dite en confidence dans une voiture
ou dialoguée par plusieurs personnes au cours d'un
dîner ou dans une réunion mondaine, « partie de volant »
alors, où chacun « allonge son coup de raquette ».
Il a voulu que le lecteur y participe en quelque sorte,
grâce aux notations portées sur les mimiques, les
timbres des voix et leurs nuances, sur les silences même.

Présentée de cette manière, l'histoire prend une couleur différente de celle qu'elle aurait si elle était un
simple récit. « L'émotion que Barbey d'Aurevilly sou-
haite éveiller chez le lecteur, écrit Julien Gracq, il ne
cherche pas à la provoquer directement : elle doit se
communiquer à lui déjà amplifiée, réfractée, agrandie,
jouée comme au théâtre par les mouvements communi-
catifs d'un auditoire supposé sous le charme, et
rendu à chaque instant idéalement présent par l'art
du conteur. »

« Jouée », c'est bien le mot. Dans *Les Diaboliques*,
Barbey utilise la conversation comme un lien souple,
sinueux, passant d'un bout à l'autre, entremêlé dans
le récit, tantôt le freinant et tantôt le faisant rebondir,
le poussant vers son terme sans heurts, par ondes suc-
cessives et inégales. C'est, sans conteste, un des grands
mérites de l'œuvre que cet usage, fait avec rigueur et
avec art, de la causerie, aliment et moteur d'un *sus-
pense* subtilement dosé, progressant de telle manière
qu'après chaque phase, des vibrations demeurent et
s'ajoutent les unes aux autres, s'amplifient en une
savante orchestration. Il est significatif que Barbey ait
parfois, dans ses notes, employé, à propos de ses nouvelles, les mots de *Sonates de la conversation* ou de
Sonates à quatre mains, plus expressifs encore que ceux
de *Ricochets.*

Cependant, Barbey a choisi pour titre *Les Diaboliques*.
Il prétend s'expliquer là-dessus dans ses deux préfaces :
« moraliste chrétien », mais avant tout « observateur »,

c'est le diable qu'il a trouvé dans des histoires vraies dont les héroïnes constituent un « petit musée » de monstres bien réels. Il n'y peut rien si l' « étude à la Cuvier » *(Le Dessous de cartes)* à laquelle il s'est livré a eu pour résultat de faire apparaître un « fantastique de la réalité », qui est encore au-dessous de cette réalité qui sourd « à travers les surfaces sociales, les précautions, les peurs et les hypocrisies », dévoilant un « enfer social » *(La Vengeance d'une femme)* si étendu et si profond que l'on peut se demander si le monde tout entier n'est pas « l'œuvre du Diable, devenu fou ? » *(A un dîner d'athées)*. Et dans le texte même, chaque fois qu'il en a l'occasion, c'est-à-dire souvent, Barbey ne manque pas de souligner que ses héros sont de « grands favoris du Diable » *(A un dîner d'athées)*.

Les « explications » de Barbey, très insuffisantes et ses affirmations sont plutôt pour le lecteur des incitations à se faire lui-même son opinion sur la nature, le sens et la portée du diabolisme dans le recueil. « C'est à se tordre de rire », écrivait Flaubert à George Sand, le 2 décembre 1874, mais Zola employait, entre autres, les mots « ordures » et « monstruosité » et Huysmans celui de « satanique ». Proust enfin, englobant dans son analyse toute l'œuvre romanesque de Barbey, parlait des « malédictions ». Donc, *Les Diaboliques*, c'est vite dit et ce titre « sonore, peut-être trop », de l'aveu même de son inventeur, appelle quelques commentaires.

La première remarque que l'on peut faire à propos du satanisme de Barbey, plus ou moins perceptible dans toute son œuvre, c'est qu'il s'inscrit dans une mode littéraire. Byron et Baudelaire surtout ont influencé fortement l'auteur des *Diaboliques*. Et l'on se souvient de ce qu'écrivait le second : « L'art moderne a une tendance essentiellement démoniaque ». Barbey cite aussi dans sa première préface les *Mémoires du Diable* de Frédéric Soulié, mais pour dire qu'il ne se soucie pas, lui, de sacrifier « à des inventions, à des complications, à des recherches, à des raffinements, à tout le *tremblement* du mélodrame moderne, qui se fourre partout, même dans le roman ».

En fait, à notre avis, Barbey n'a pas toujours su éviter les dangers qu'il dénonce. Il y a dans son recueil de l'outrance et du mauvais goût dans les situations, comme il s'en trouve aussi, avec de la préciosité, dans le style. Etait-il nécessaire, dans le *Dîner d'athées*, de développer et de faire commenter l'aventure de Joséphine Tesson, et surtout de montrer les amants furieux « se souffletant tour à tour le visage avec le cœur mort de leur enfant » ? Dans *La Vengeance d'une femme*, que pèse l'épisode, horrible certes, mais mélodramatique, même s'il a un fondement réel, du supplice d'Esteban, comparé à la sourde, silencieuse et profonde horreur de la vengeance de l'héroïne, aggravée par l'impénitence finale ?

Malheureusement, ce sont ces passages-là, et quelques autres, et des touches un peu voyantes d'un érotisme à fleur de peau et, çà et là, des crudités de langage telles qu'en ont en effet des officiers, ou des médecins, ou des filles, ou bien encore, des images de la passion comme celle-ci : « Il n'y a pas de figures pour exprimer le plaisir qui jaillissait de cette pêche humaine, rougissant sous le regard le moins appuyé comme si vous l'aviez mordue. Imaginez ce que c'était quand, au lieu du regard, on mettait la lèvre ou la dent de la passion dans cette chaire émue et sanguine... », c'est tout cela que, parfois, on a pris pour l'expression du diabolisme de Barbey. Et en effet, à ne considérer que cela, on serait tenté d'approuver Flaubert quand il dit « se tordre de rire ».

Pour quelques situations ridicules, ou d'un satanisme facile, voire puéril, qui heurtent le goût du lecteur, et le choquent, et l'irritent, il en est assez d'autres qui ne prêtent pas du tout à rire. On a déjà parlé de la vengeance, atroce, de la duchesse d'Arcos. A quoi bon insister sur ce qu'il y a de vraiment atroce aussi dans le meurtre froidement et longuement perpétré de la comtesse de Savigny. Et le cri de haine et de malédiction que celle-ci jette dans le secret de la confidence, avant de mourir, glace-t-il moins que celui, plus spectaculaire, de la Rosalba ?

Les véritables marques du diable, et les plus pro-

fondes, dans les nouvelles, ne sont pas celles auxquelles on prend garde tout de suite; elles se trouvent
pourtant partout, secrètes, mais brûlantes, dans l'âme
de ces personnages rongés, en proie à leurs idées fixes.
Ce sont, par exemple, ces traits de caractère et de
comportement menaçants par leur omniprésence et
par leur fréquence : l'indifférence, la hauteur, l'ironie,
l'impertinence, l'insolence, le sarcasme, le mépris, l'audace froide. C'est surtout le silence, d'Alberte, de
la Rosalba, de Hauteclaire et de la comtesse de Savigny, de Marmor de Karkoël et de la comtesse du Tremblay, de la duchesse d'Arcos, enfin. Dans la passion,
dans le crime et dans la vengeance, ces gens-là se
taisent. Bien plus qu'une défense, leur silence,
qui ne recèle nulle peur, est pour eux un moyen, et
une arme. Il leur permet, — là est, certainement,
l'essentiel, — de cultiver en un recueillement impie
leur péché voulu, obsédant, aimé et d'y trouver, à
défaut de l'absolu du bien, celui du mal, l'enfer,
comparable au ciel par ses exigences et même par ses
jouissances. « L'enfer, c'est le ciel en creux », écrit
Barbey dans *Le Dessous de cartes*, et il ajoute : « le
mot *diabolique*, ou *divin*, appliqué à l'intensité des
jouissances, exprime la même chose, c'est-à-dire des
sensations qui vont jusqu'au surnaturel. »
    Le bonheur des damnés! Voilà un point sur lequel
Barbey ne se fait pas faute d'insister : « On croirait
volontiers », lit-on dans *Le Rideau cramoisi*, « qu'un
jour les damnés pourraient se trouver fraîchement et
suavement dans les brasiers de leur enfer, comme les
poissons dans leur eau!... » Hauteclaire et le comte de
Savigny sont restés « immuablement beaux malgré le
temps, immuablement heureux malgré leur crime »
et, si on lui parle des enfants qu'elle n'a pas eus,
Hauteclaire répond « impérieusement » que : « les
enfants... sont bons pour les femmes malheureuses! ».
— « Je suis convaincu, dit le narrateur du *Dessous de
cartes*, que pour certaines âmes il y a le bonheur de
l'imposture » et, un peu plus loin, il évoque « les jouissances solitaires de l'hypocrisie ». S'agit-il du plaisir,
mis en parallèle avec l'amour : « Il y a dans ce qu'on

appelle le plaisir, avec trop de mépris peut-être, écrit Barbey dans *La Vengeance d'une femme*, des abîmes tout aussi profonds que dans l'amour. » Et ce sont aussi des abîmes de bonheur. Mesnilgrand en fait la confidence aux convives du *Dîner d'athées* : pour lui, avec la Rosalba, « la bourbe fut un paradis ».

Il y a plus. On peut se demander si Barbey, en dépit de ses prétentions affichées au titre de « moraliste chrétien », ne considère pas qu'à un certain degré d'intensité, la passion et le péché sont « pour certaines âmes » des sortes de vertus. Le culte de la Force, héritage byronien qui l'a marqué pour toute sa vie, semble l'entraîner à penser ainsi, dans *Les Diaboliques*. « Fortiter », écrit-il en tête de *La Vengeance d'une femme*, et la duchesse d'Arcos s'écrie : « L'adultère, fi donc ! Est-ce que nous pensions que nous pouvions être adultères ? Le cœur battait si haut dans nos poitrines, nous vivions dans une atmosphère de sentiments si transcendants et si élevés, que nous ne sentions en nous rien des mauvais désirs et des sensualités des amours vulgaires. Nous vivions en plein azur du ciel. » Et, plus loin, s'agissant cette fois de la vengeance, Barbey écrit : « l'intensité dans les sentiments, poussée à ce point, est sublime ». Il est vrai qu'il ajoute aussitôt : « Seulement, c'est le sublime de l'enfer », mais à ce degré, que veulent dire exactement les mots ; quelle est la différence entre ciel et enfer et lequel des deux faut-il choisir, si l'on a l'âme vraiment « forte » ? — « Si la passion pouvait jamais être basse », lit-on dans *Le Rideau cramoisi*. Quand on voit où ils peuvent mener, ces petits mots-là laissent à penser.

Comme l'on est loin du sadisme et de l'érotisme faciles et superficiels de certains passages ! Le diabolisme vrai et profond du recueil, à peine entrevu, les fait oublier. On oublie aussi, comme l'a fait le romancier, les sources, anecdotiques ou littéraires, intéressantes certes, mais qui, à ce degré de transposition, de sublimation, cessent d'être significatives. Il paraît même assez vain de rechercher si dans Barbey des tendances à un certain diabolisme et à un certain sadisme ont été fixées, creusées et plus précisément orientées vers la femme par un premier grand amour maté par la société, puis détruit par le temps.

De tous ces feux, réels ou imaginaires, extérieurs ou intimes, il traîne des fumées dans *Les Diaboliques*. Mais l'incendie qu'allume Barbey est si fort qu'on n'en voit vraiment que les flammes. Ce feu d'enfer est-il plus « suave », en sa morsure, que les délices promises du ciel ? Chaque lecteur en décidera pour son compte personnel.

Jean-Pierre SEGUIN.

BIBLIOGRAPHIE

Éditions de référence

Les Diaboliques, Paris, E. Dentu, 1874.
Les Diaboliques, Paris, A. Lemerre, 1882.
Les Diaboliques, éd. Jacques-Henri Bornecque, Paris, Classiques Garnier, 1963.
Œuvres romanesques complètes, t. II, éd. Jacques Petit, Gallimard, « Bibliothèque de la Pléiade », 1966.
Romans, éd. Philippe Sellier, Robert Laffont, « Bouquins », 1981.
Les Diaboliques, éd. Pierre Glaudes, LGF, 1999 ; rééd. « Les classiques de poche », 2008.
Romans, éd. Judith Lyon-Caen, Gallimard, « Quarto », 2013.

Ouvrages et articles sur Barbey d'Aurevilly

« Barbey d'Aurevilly », série annuelle de la *Revue des lettres modernes*, sous la direction de Jacques Petit puis de Philippe Berthier, Paris, Lettres modernes Minard, 1966-2012.
BERTHIER, Philippe, *Barbey d'Aurevilly et l'imagination*, Genève, Droz, 1978.
–, *Barbey d'Aurevilly cent ans après (1889-1989)*, Genève, Droz, 1990.
–, *Barbey d'Aurevilly et la modernité*, Paris, Honoré Champion, 2010.
CANU, Jean, *Barbey d'Aurevilly*, Robert Laffont, 1945.

COLLA, Pierre, *L'Univers tragique de Barbey d'Aurevilly*, Waterloo, La Renaissance du livre, 1965.

GLAUDES, Pierre, *Esthétique de Barbey d'Aurevilly*, Classiques Garnier, 2009.

–, « Barbey d'Aurevilly, le roman et la question morale », *Les Moralistes modernes*, URL : http://www.fabula.org/colloques/document1305.php.

HOFER, Hermann, *Barbey d'Aurevilly : romancier*, Berne, A. Francke, 1974.

PETIT, Jacques, *Barbey d'Aurevilly critique*, Paris, Les Belles Lettres, 1963.

YARROW, Philip John, *La Pensée politique et religieuse de Barbey d'Aurevilly*, Genève, Droz, 1961.

Ouvrages et articles sur Les Diaboliques

AURAIX-JONCHIÈRE, Pascale, *Les Diaboliques de Barbey d'Aurevilly*, Gallimard, « Foliothèque », 1999.

AVRANE, Patrick, *Barbey d'Aurevilly. L'Ensorcelée. Les Diaboliques. La Chose sans nom*, Paris, SEDES, 1988.

BELLEMIN-NOËL, Jean, *Diaboliques au divan*, Toulouse, Éditions Ombres, « Soupçons », 1991.

BERTHIER, Philippe, *L'Ensorcelée, Les Diaboliques de Barbey d'Aurevilly, une écriture du désir*, Paris, Honoré Champion, 1987.

–, « *Les Diaboliques* à table », in *Barbey d'Aurevilly. L'Ensorcelée. Les Diaboliques. La Chose sans nom*, Paris, SEDES, 1988.

CHAUGIGNAN, Christophe, « *Les Diaboliques* : rhétorique et message moral », *Revue des lettres modernes*, série Barbey d'Aurevilly, nᵒ 20, « Intertextualités », Pascale Auraix-Jonchière (dir.), Paris, Lettres modernes Minard, 2012.

PETIT, Jacques, *Essai de lecture des Diaboliques de Barbey d'Aurevilly*, Paris, Lettres modernes Minard, « Situation », nᵒ 31, 1974.

– (dir.), *Revue des lettres modernes*, série Barbey d'Aurevilly, nᵒ 9, « L'histoire des *Diaboliques* », Paris, Lettres modernes Minard, 1974 ; voir notamment Hirschi Andrée, « 1874, le "procès" des *Diaboliques* ».

PHILIPPOT, Didier, « *Les Diaboliques*, histoires tragiques de notre temps », in Philippe Berthier (dir.), *Barbey d'Aurevilly cent ans après (1889-1989)*, Genève, Droz, 1990.

LES DIABOLIQUES

LES SIX PREMIÈRES

A qui dédier cela ? ...

J. B. d'A.

PREMIÈRE PRÉFACE
AUX *DIABOLIQUES*

Voici (sauf modifications ultérieures) la Préface de mes Diaboliques.

Pourquoi les Diaboliques ?
Est-ce pour les histoires qui sont ici ?
Ou pour les femmes de ces histoires ?
Qui sait ?
Les Histoires sont vraies. Rien d'inventé. Tout vu. Tout touché du coude ou du doigt. Il y aura certainement des têtes vives, montées par ce titre de Diaboliques, *qui ne les trouveront pas aussi* diaboliques *qu'elles ont l'air de s'en vanter. Elles s'attendaient à des inventions, à des complications, à des recherches, à des raffinements, à tout le* tremblement *du mélodrame moderne, qui se fourre partout, même dans le roman : quelque chose comme les* Mémoires du Diable *qui n'ont donné à leur auteur qu'une peine du Diable. Mais les* Diaboliques *ne sont point des diableries, ce sont des diaboliques : des histoires réelles de ce temps civilisé et si divin que, quand on s'avise de les écrire, il semble que ce soit le Diable qui ait dicté... Le Diable est comme Dieu. Le manichéisme qui est la souche de toutes les grandes hérésies du Moyen Age, le manichéisme n'est pas si bête ! Malebranche disait que Dieu se reconnaissait à l'emploi* DES MOYENS LES PLUS SIMPLES. *Le Diable aussi.*

Quant aux femmes de ces histoires, pourquoi ne seraient-elles pas les diaboliques ? N'ont-elles pas assez de diabolisme en leur personne pour mériter ce doux nom-là ?... Diabolique, il n'y en a pas une seule ici qui ne le soit à quelque degré. *Il n'y en a pas une seule à qui on puisse dire le mot de « mon ange » sans exagérer. Comme le Diable qui était un ange aussi, mais qui a culbuté, si elles sont des anges encore, c'est la tête en bas, le reste... en haut! Pas une ici qui soit pure, vertueuse, innocente. Monstres même à part, elles présentent un effectif de bons sentiments et de moralité bien peu considérable. Elles pourraient donc s'appeler* Diaboliques *sans l'avoir volé. On a voulu faire un petit Musée de ces Dames, en attendant qu'on fasse le Musée, encore plus petit, des Dames qui leur font pendant et contraste dans la société, car toutes choses sont doubles. L'Art a deux lobes, comme le cerveau. La Nature ressemble à ces femmes qui ont un œil bleu et un œil noir. Voici l'œil noir, dessiné à l'encre... de la* PETITE VERTU. *Oh! de la plus petite qu'on ait pu trouver!*

On donnera peut-être l'œil bleu, plus tard, si on trouve du bleu assez pur. Mais y en a-t-il?

En ce cas-là, après les DIABOLIQUES viendraient les CELESTES.

Fin de 1870. Décembre.
J. B. d'A.

PRÉFACE
DE LA PREMIÈRE ÉDITION

Voici les six premières !

Si le public y mord, et les trouve à son goût, on publiera prochainement les six autres; car elles sont douze, — comme une douzaine de pêches, — ces pêcheresses !

Bien entendu qu'avec leur titre de Diaboliques, *elles n'ont pas la prétention d'être un livre de prières ou d'Imitation chrétienne... Elles ont pourtant été écrites par un moraliste chrétien, mais qui se pique d'observation vraie, quoique très hardie, et qui croit — c'est sa poétique, à lui — que les peintres puissants peuvent tout peindre et que leur peinture est toujours assez morale quand elle est tragique et qu'elle donne l'horreur des choses qu'elle retrace. Il n'y a d'immoral que les Impassibles et les Ricaneurs. Or, l'auteur de ceci, qui croit au Diable et à ses influences dans le monde, n'en rit pas, et il ne les raconte aux âmes pures que pour les en épouvanter.*

Quand on aura lu ces Diaboliques, *je ne crois pas qu'il y ait personne en disposition de les recommencer en fait, et toute la moralité d'un livre est là...*

Cela dit pour l'honneur de la chose, une autre question. Pourquoi l'auteur a-t-il donné à ces petites tragédies de plain-pied ce nom bien sonore — peut-être trop — de Diaboliques ?... *Est-ce pour les histoires elles-mêmes qui sont ici ? ou pour les femmes de ces histoires ?...*

Ces histoires sont malheureusement vraies. Rien n'en a été inventé. On n'en a pas nommé les personnages :

voilà tout! On les a masqués, et on a démarqué leur linge. « *L'alphabet m'appartient* », *disait Casanova, quand on lui reprochait de ne pas porter son nom. L'alphabet des romanciers, c'est la vie de tous ceux qui eurent des passions et des aventures, et il ne s'agit que de combiner, avec la discrétion d'un art profond, les lettres de cet alphabet-là. D'ailleurs, malgré le vif de ces histoires à précautions nécessaires, il y aura certainement des têtes vives, montées par ce titre de* Diaboliques, *qui ne les trouveront pas aussi* diaboliques *qu'elles ont l'air de s'en vanter. Elles s'attendront à des inventions, à des complications, à des recherches, à des raffinements, à tout le* tremblement *du mélodrame moderne, qui se fourre partout, même dans le roman. Elles se tromperont, ces âmes charmantes!... Les* Diaboliques *ne sont pas des diableries : ce sont des* Diaboliques, — *des histoires réelles de ce temps de progrès et d'une civilisation si délicieuse et si* divine, *que, quand on s'avise de les écrire, il semble toujours que ce soit le Diable qui ait dicté!... Le Diable est comme Dieu. Le Manichéisme, qui fut la source des grandes hérésies du Moyen Age, le Manichéisme n'est pas si bête. Malebranche disait que Dieu se reconnaissait* à l'emploi des moyens les plus simples. *Le Diable aussi.*

Quant aux femmes de ces histoires, pourquoi ne seraient-elles pas les DIABOLIQUES ? *N'ont-elles pas assez de diabolisme en leur personne pour mériter ce doux nom ? Diaboliques! il n'y en a pas une seule ici qui ne le soit à quelque degré. Il n'y en a pas une seule à qui on puisse dire sérieusement le mot de* « Mon ange! » *sans exagérer. Comme le Diable, qui était un ange aussi, mais qui a culbuté, — si elles sont des anges, c'est comme lui, — la tête en bas, le... reste en haut! Pas une ici qui soit pure, vertueuse, innocente. Monstres même à part, elles présentent un effectif de bons sentiments et de moralité bien peu considérable. Elles pourraient donc s'appeler aussi* « les Diaboliques », *sans l'avoir volé... On a voulu faire un petit musée de ces dames, — en attendant qu'on fasse le musée, encore plus petit, des dames qui leur font pendant et contraste dans la société, car toutes choses sont doubles! L'art a deux lobes, comme le cerveau. La nature ressemble à ces femmes qui ont un œil bleu et un œil noir. Voici l'œil noir dessiné à l'encre — à l'encre de la* petite vertu.

On donnera peut-être l'œil bleu plus tard.

Après les DIABOLIQUES, *les* CÉLESTES... *si on trouve du bleu assez pur...*

Mais y en a-t-il ?

Jules BARBEY D'AUREVILLY.

Paris, 1er mai 1874.

LE RIDEAU CRAMOISI

Really.

Il y a terriblement d'années, je m'en allais chasser
le gibier d'eau dans les marais de l'Ouest, — et
comme il n'y avait pas alors de chemins de fer dans
le pays où il me fallait voyager, je prenais la diligence
de *** qui passait à la patte d'oie du château de Rueil
et qui, pour le moment, n'avait dans son coupé qu'une
seule personne. Cette personne, très remarquable à
tous égards, et que je connaissais pour l'avoir beaucoup rencontrée dans le monde, était un homme que
je vous demanderai la permission d'appeler le vicomte
de Brassard. Précaution probablement inutile! Les
quelques centaines de personnes qui se nomment le
monde à Paris sont bien capables de mettre ici son
nom véritable... Il était environ cinq heures du soir.
Le soleil éclairait de ses feux alentis une route pou-
dreuse, bordée de peupliers et de prairies, sur laquelle
nous nous élançâmes au galop de quatre vigoureux
chevaux dont nous voyions les croupes musclées se
soulever lourdement à chaque coup de fouet du postillon, — du postillon, image de la vie, qui fait toujours
trop claquer son fouet au départ!

Le vicomte de Brassard était à cet instant de l'existence où l'on ne fait plus guère claquer le sien... Mais
c'est un de ces tempéraments dignes d'être Anglais
(il a été élevé en Angleterre), qui blessés à mort, n'en
conviendraient jamais et mourraient en soutenant
qu'ils vivent. On a dans le monde, et même dans les

livres, l'habitude de se moquer des prétentions à la
jeunesse de ceux qui ont dépassé cet âge heureux de
l'inexpérience et de la sottise, et on a raison, quand la
forme de ces prétentions est ridicule; mais quand elle
ne l'est pas, — quand, au contraire, elle est imposante
comme la fierté qui ne veut pas déchoir et qui l'ins-
pire, je ne dis pas que cela n'est point insensé, puisque
cela est inutile, mais c'est beau comme tant de choses
insensées!... Si le sentiment de la Garde qui *meurt et
ne se rend pas* est héroïque à Waterloo, il ne l'est pas
moins en face de la vieillesse, qui n'a pas, elle, la poésie
des baïonnettes pour nous frapper. Or, pour des têtes
construites d'une certaine façon militaire, ne jamais se
rendre est, à propos de tout, toujours *toute la question*,
comme à Waterloo!

Le vicomte de Brassard, qui ne s'est pas rendu (il vit
encore, et je dirai comment, plus tard, car il vaut la
peine de le savoir), le vicomte de Brassard était donc,
à la minute où je montais dans la diligence de ***, ce
que le monde, féroce comme une jeune femme, appelle
malhonnêtement « un vieux beau ». Il est vrai que pour
qui ne se paie pas de mots ou de chiffres dans cette
question d'âge, où l'on n'a jamais que celui qu'on
paraît avoir, le vicomte de Brassard pouvait
passer pour « un beau » tout court. Du moins, à cette
époque, la marquise de V..., qui se connaissait en
jeunes gens et qui en aurait tondu une douzaine,
comme Dalila tondit Samson, portait avec assez de
faste, sur un fond bleu, dans un bracelet très large, en
damier, or et noir, un bout de moustache du vicomte
que le diable avait encore plus roussie que le temps...
Seulement, vieux ou non, ne mettez sous cette expression de « beau », que le monde a faite, rien du frivole,
du mince et de l'exigu qu'il y met, car vous n'auriez
pas la notion juste de mon vicomte de Brassard, chez
qui, esprit, manières, physionomie, tout était large,
étoffé, opulent, plein de lenteur patricienne, comme il
convenait au plus magnifique dandy que j'aie connu,
moi qui ai vu Brummel devenir fou, et d'Orsay mourir!

C'était, en effet, un dandy que le vicomte de Brassard. S'il l'eût été moins, il serait devenu certainement

maréchal de France. Il avait été dès sa jeunesse un des plus brillants officiers de la fin du premier Empire. J'ai ouï dire, bien des fois, à ses camarades de régiment, qu'il se distinguait par une bravoure à la Murat, compliquée de Marmont. Avec cela, — et avec une tête très carrée et très froide, quand le tambour ne battait pas, — il aurait pu, en très peu de temps, s'élancer aux premiers rangs de la hiérarchie militaire, mais le dandysme!... Si vous combinez le dandysme avec les qualités qui font l'officier : le sentiment de la discipline, la régularité dans le service, etc., etc., vous verrez ce qui restera de l'officier dans la combinaison et s'il ne saute pas comme une poudrière! Pour qu'à vingt instants de sa vie l'officier de Brassard n'eût pas sauté, c'est que, comme tous les dandys, il était heureux. Mazarin l'aurait employé, — ses nièces aussi, mais pour une autre raison : il était superbe.

Il avait eu cette beauté nécessaire au soldat plus qu'à personne, car il n'y a pas de jeunesse sans la beauté, et l'armée, c'est la jeunesse de la France! Cette beauté, du reste, qui ne séduit pas que les femmes, mais les circonstances elles-mêmes, — ces coquines, — n'avait pas été la seule protection qui se fût étendue sur la tête du capitaine de Brassard. Il était, je crois, de race normande, de la race de Guillaume le Conquérant, et il avait, dit-on, beaucoup conquis... Après l'abdication de l'Empereur, il était naturellement passé aux Bourbons, et, pendant les Cent-Jours, surnaturellement leur était demeuré fidèle. Aussi, quand les Bourbons furent revenus, la seconde fois, le vicomte fut-il armé chevalier de Saint-Louis de la propre main de Charles X (alors Monsieur). Pendant tout le temps de la Restauration, le beau de Brassard ne montait pas une seule fois la garde aux Tuileries, que la duchesse d'Angoulême ne lui adressât, en passant, quelques mots gracieux. Elle, chez qui le malheur avait tué la grâce, savait en retrouver pour lui. Le ministre, voyant cette faveur, aurait tout fait pour l'avancement de l'homme que Madame distinguait ainsi; mais, avec la meilleure volonté du monde, que faire pour cet enragé dandy qui — un jour de revue — avait mis l'épée à

la main, sur le front de bandière de son régiment,
contre son inspecteur général, pour une observation
de service?... C'était assez que de lui sauver le conseil de
guerre. Ce mépris insouciant de la discipline, le vicomte
de Brassard l'avait porté partout. Excepté en campagne, où l'officier se retrouvait tout entier, il ne s'était
jamais astreint aux obligations militaires, Maintes fois,
on l'avait vu, par exemple, au risque de se faire mettre
à des arrêts infiniment prolongés, quitter furtivement
sa garnison pour aller s'amuser dans une ville voisine
et n'y revenir que les jours de parade ou de revue,
averti par quelque soldat qui l'aimait, car si ses chefs
ne se souciaient pas d'avoir sous leurs ordres un
homme dont la nature répugnait à toute espèce de discipline et de routine, ses soldats, en revanche, l'adoraient.. Il était excellent pour eux. Il n'en exigeait rien
que d'être très braves, très pointilleux et très coquets,
réalisant enfin le type de l'ancien soldat français, dont la
Permission de dix heures et trois à quatre vieilles chan-
sons, qui sont des chefs-d'œuvre, nous ont conservé
une si exacte et si charmante image. Il les poussait
peut-être un peu trop au duel, mais il prétendait que
c'était là le meilleur moyen qu'il connût de développer
en eux l'esprit militaire. « Je ne suis pas un gouvernement, disait-il, et je n'ai point de décorations à leur
donner quand ils se battent bravement entre eux; mais
les décorations dont je suis le grand-maître (il était fort
riche de sa fortune personnelle), ce sont des gants, des
buffleteries de rechange, et tout ce qui peut les pom-
ponner, sans que l'ordonnance s'y oppose. » Aussi, la
compagnie qu'il commandait effaçait-elle, par la beauté
de la tenue, toutes les autres compagnies de grenadiers
des régiments de la Garde, si brillante déjà. C'est ainsi
qu'il exaltait à outrance la personnalité du soldat, toujours prête, en France, à la fatuité et à la coquetterie,
ces deux provocations permanentes, l'une par le ton
qu'elle prend, l'autre par l'envie qu'elle excite. On
comprendra, après cela, que les autres compagnies de
son régiment fussent jalouses de la sienne. On se serait
battu pour entrer dans celle-là, et battu encore pour
n'en pas sortir.

Telle avait été, sous la Restauration, la position tout
exceptionnelle du capitaine vicomte de Brassard. Et
comme il n'y avait pas alors, tous les matins, comme
sous l'Empire, la ressource de l'héroïsme en action qui
fait tout pardonner, personne n'aurait certainement
pu prévoir ou deviner combien de temps aurait duré
cette martingale d'insubordination qui étonnait ses
camarades, et qu'il jouait contre ses chefs avec la
même audace qu'il aurait joué sa vie s'il fût allé au feu,
lorsque la révolution de 1830 leur ôta, s'ils l'avaient, le
souci, et à lui, l'imprudent capitaine, l'humiliation
d'une destitution qui le menaçait chaque jour davantage. Blessé grièvement aux Trois Jours, il avait dédai-
gné de prendre du service sous la nouvelle dynastie des
d'Orléans qu'il méprisait. Quand la révolution de
Juillet les fit maîtres d'un pays qu'ils n'ont pas su
garder, elle avait trouvé le capitaine dans son lit,
malade d'une blessure qu'il s'était faite au pied en
dansant — comme il aurait chargé — au dernier bal de
la duchesse de Berry. Mais au premier roulement de
tambour, il ne s'en était pas moins levé pour rejoindre
sa compagnie, et comme il ne lui avait pas été possible
de mettre des bottes, à cause de sa blessure, il s'en
était allé à l'émeute comme s'il s'en serait allé au
bal, en chaussons vernis et en bas de soie, et
c'est ainsi qu'il avait pris la tête de ses grenadiers sur
la place de la Bastille, chargé qu'il était de balayer dans
toute sa longueur le boulevard. Paris, où les barricades
n'étaient pas dressées encore, avait un aspect sinistre et
redoutable. Il était désert. Le soleil y tombait d'aplomb,
comme une première pluie de feu qu'une autre devait
suivre, puisque toutes ces fenêtres, masquées de leurs
persiennes, allaient, tout à l'heure, cracher la mort... Le
capitaine de Brassard rangea ses soldats sur deux lignes,
le long et le plus près possible des maisons, de manière
que chaque file de soldats ne fût exposée qu'aux coups
de fusil qui lui venaient d'en face, — et lui, plus dandy
que jamais, prit le milieu de chaussée. Ajusté des deux
côtés par des milliers de fusils, de pistolets et de cara-
bines, depuis la Bastille jusqu'à la rue de Richelieu, il
n'avait pas été atteint, malgré la largeur d'une poitrine

dont il était peut-être un peu trop fier, car le capitaine
de Brassard *poitrinait* au feu, comme une belle femme,
au bal, qui veut mettre sa gorge en valeur, quand, arrivé
devant Frascati, à l'angle de la rue de Richelieu, et au
moment où il commandait à sa troupe de se masser
derrière lui pour emporter la première barricade qu'il
trouva dressée sur son chemin, il reçut une balle dans
sa magnifique poitrine, deux fois provocatrice, et par
sa largeur, et par les longs brandebourgs d'argent qui
y étincelaient d'une épaule à l'autre, et il eut le bras
cassé d'une pierre, — ce qui ne l'empêcha pas d'enlever
la barricade et d'aller jusqu'à la Madeleine, à la tête
de ses hommes enthousiasmés. Là, deux femmes en
calèche, qui fuyaient Paris insurgé, voyant un officier
de la Garde blessé, couvert de sang et couché sur les
blocs de pierre qui entouraient, à cette époque-là,
l'église de la Madeleine à laquelle on travaillait encore,
mirent leur voiture à sa disposition, et il se fit mener
par elles au Gros-Caillou, où se trouvait alors le
maréchal de Raguse, à qui il dit militairement : « Maréchal, j'en ai peut-être pour deux heures ; mais pendant
ces deux heures-là, mettez-moi partout où vous voudrez ! » Seulement il se trompait... Il en avait pour plus
de deux heures. La balle qui l'avait traversé ne le tua
pas. C'est plus de quinze ans après que je l'avais connu,
et il prétendait alors, au mépris de la médecine et de
son médecin, qui lui avait expressément défendu de
boire tout le temps qu'avait duré la fièvre de sa blessure, qu'il ne s'était sauvé d'une mort certaine qu'en
buvant du vin de Bordeaux.

   Et en en buvant, comme il en buvait ! car, dandy en
tout, il l'était dans sa manière de boire comme dans
tout le reste... il buvait comme un Polonais. Il s'était
fait faire un splendide verre en cristal de Bohême, qui
jaugeait, Dieu me damne ! une bouteille de bordeaux
tout entière, et il le buvait d'une haleine ! Il ajoutait
même, après avoir bu, qu'il faisait tout dans ces proportions-là, et c'était vrai ! Mais dans un temps où la
force, sous toutes les formes, s'en va diminuant, on
trouvera peut-être qu'il n'y a pas de quoi être fat. Il
l'était à la façon de Bassompierre, et il portait le vin

comme lui. Je l'ai vu sabler douze coups de son verre de Bohême, et il n'y paraissait même pas! Je l'ai vu souvent encore, dans ces repas que les gens décents traitent « d'orgies », et jamais il ne dépassait, après les plus brûlantes lampées, cette nuance de griserie qu'il appelait, avec une grâce légèrement soldatesque, « *être un peu pompette* », en faisant le geste militaire de mettre un pompon à son bonnet. Moi, qui voudrais vous faire bien comprendre le genre d'homme qu'il était, dans l'intérêt de l'histoire qui va suivre, pourquoi ne vous dirai-je pas que je lui ai connu sept maîtresses, en pied, à la fois, à ce bon *braguard* du XIXe siècle, comme l'aurait appelé le XVIe en sa langue pittoresque. Il les intitulait poétiquement « les sept cordes de sa lyre », et, certes, je n'approuve pas cette manière musicale et légère de parler de sa propre immoralité! Mais, que voulez-vous? Si le capitaine vicomte de Brassard n'avait pas été tout ce que je viens d'avoir l'honneur de vous dire, mon histoire serait moins piquante, et probablement n'eussé-je pas pensé à vous la conter.

Il est certain que je ne m'attendais guère à le trouver là, quand je montai dans la diligence de *** à la patte d'oie du château de Rueil. Il y avait longtemps que nous ne nous étions vus, et j'eus du plaisir à rencontrer, avec la perspective de passer quelques heures ensemble, un homme qui était encore de nos jours, et qui différait déjà tant des hommes de nos jours. Le vicomte de Brassard, qui aurait pu entrer dans l'armure de François Ier et s'y mouvoir avec autant d'aisance que dans son svelte frac bleu d'officier de la Garde royale, ne ressemblait, ni par la tournure, ni par les proportions, aux plus vantés des jeunes gens d'à présent. Ce soleil couchant d'une élégance grandiose et si longtemps radieuse, aurait fait paraître bien maigrelets et bien pâlots tous ces petits croissants de la mode, qui se lèvent maintenant à l'horizon! Beau de la beauté de l'empereur Nicolas, qu'il rappelait par le torse, mais moins idéal de visage et moins grec de profil, il portait une courte barbe, restée noire, ainsi que ses cheveux, par un mystère d'organisation ou de toilette... impénétrable, et cette barbe envahissait très haut ses joues,

d'un coloris animé et mâle. Sous un front de la plus
haute noblesse, — un front bombé, sans aucune ride,
blanc comme le bras d'une femme, — et que le bonnet
à poil du grenadier, qui fait tomber les cheveux, comme
le casque, en le dégarnissant un peu au sommet, avait
rendu plus vaste et plus fier, le vicomte de Brassard
cachait presque, tant ils étaient enfoncés sous l'arcade
sourcilière, deux yeux étincelants, d'un bleu très
sombre, mais très brillants dans leur enfoncement, et
y piquant comme deux saphirs taillés en pointe! Ces
yeux-là ne se donnaient pas la peine de scruter, et ils
pénétraient. Nous nous prîmes la main, et nous cau-
sâmes. Le capitaine de Brassard parlait lentement,
d'une voix vibrante qu'on sentait capable de remplir
un Champ-de-Mars de son commandement. Elevé dès
son enfance, comme je vous l'ai dit, en Angleterre, il
pensait peut-être en anglais; mais cette lenteur, sans
embarras du reste, donnait un tour très particulier à ce
qu'il disait, et même à sa plaisanterie, car le capitaine
aimait la plaisanterie, et il l'aimait même un peu risquée. Il avait ce qu'on appelle le propos vif. Le capitaine de Brassard allait toujours *trop loin*, disait la
comtesse de F..., cette jolie veuve, qui ne porte plus
que trois couleurs depuis son veuvage : du noir, du
violet et du blanc. Il fallait qu'il fût trouvé de très
bonne compagnie pour ne pas être souvent trouvé de la
mauvaise. Mais quand on en est réellement, vous savez
bien qu'on se passe tout, au faubourg Saint-Germain!

Un des avantages de la causerie en voiture, c'est
qu'elle peut cesser quand on n'a plus rien à se dire,
et cela sans embarras pour personne. Dans un salon,
on n'a point cette liberté. La politesse vous fait un
devoir de parler quand même, et on est souvent puni
de cette hypocrisie innocente par le vide et l'ennui de
ces conversations où les sots, même nés silencieux
(il y en a), se travaillent et se détirent pour dire quelque
chose et être aimables. En voiture publique, tout le
monde est chez soi autant que chez les autres, — et on
peut sans inconvenance rentrer dans le silence qui
plaît et faire succéder à la conversation la rêverie...
Malheureusement, les hasards de la vie sont affreuse-

ment plats, et jadis (car c'est jadis déjà) on montait vingt fois en voiture publique, — comme aujourd'hui vingt fois en wagon, — sans rencontrer un causeur animé et intéressant... Le vicomte de Brassard échangea d'abord avec moi quelques idées que les accidents de la route, les détails du paysage et quelques souvenirs du monde où nous nous étions rencontrés autrefois avaient fait naître, — puis, le jour déclinant nous versa son silence dans son crépuscule. La nuit, qui, en automne, semble tomber à pic du ciel, tant elle vient vite! nous saisit de sa fraîcheur, et nous nous roulâmes dans nos manteaux, cherchant de la tempe le dur coin qui est l'oreiller de ceux qui voyagent. Je ne sais si mon compagnon s'endormit dans son angle de coupé; mais moi, je restai éveillé dans le mien. J'étais si blasé sur la route que nous faisions là et que j'avais tant de fois faite, que je prenais à peine garde aux objets extérieurs, qui disparaissaient dans le mouvement de la voiture, et qui semblaient courir dans la nuit, en sens opposé à celui dans lequel nous courions. Nous traversâmes plusieurs petites villes, semées, çà et là, sur cette longue route que les postillons appelaient encore : un fier « ruban de queue », en souvenir de la leur, pourtant coupée depuis longtemps. La nuit devint noire comme un four éteint, — et, dans cette obscurité, ces villes inconnues par lesquelles nous passions avaient d'étranges physionomies et donnaient l'illusion que nous étions au bout du monde... Ces sortes de sensations que je note ici, comme le souvenir des impressions dernières d'un état de choses disparu, n'existent plus et ne reviendront jamais pour personne. A présent, les chemins de fer, avec leurs gares à l'entrée des villes, ne permettent plus au voyageur d'embrasser, en un rapide coup d'œil, le panorama fuyant de leurs rues, au galop des chevaux d'une diligence qui va, tout à l'heure, relayer pour repartir. Dans la plupart de ces petites villes que nous traversâmes, les réverbères, ce luxe tardif, étaient rares, et on y voyait certainement bien moins que sur les routes que nous venions de quitter. Là, du moins, le ciel avait sa largeur, et la grandeur de l'espace faisait une vague lumière, tandis qu'ici le rapprochement des maisons qui semblaient se baiser, leurs ombres portées dans ces rues étroites, le peu de ciel et d'étoiles qu'on apercevait entre les deux rangées des toits, tout ajoutait au mystère de ces villes endormies, où le seul homme qu'on rencontrât était — à la porte de quelque auberge — un garçon d'écurie avec sa lanterne, qui amenait les chevaux de relais, et qui bouclait les ardillons de leur attelage, en sifflant ou en jurant contre ses chevaux récalcitrants ou trop vifs... Hors cela et l'éternelle interpellation, toujours la même, de quelque voyageur, ahuri de sommeil, qui baissait une glace et criait dans la nuit, rendue plus sonore à force de silence : « Où sommes-nous donc, postillon ?... » rien de vivant ne s'entendait et ne se voyait autour et dans cette voiture pleine de gens qui dormaient, en cette ville endormie, où peut-être quelque rêveur, comme moi, cherchait, à travers la vitre de son compartiment, à discerner la façade des maisons estompée par la nuit, ou suspendait son regard et sa pensée à quelque fenêtre éclairée encore à cette heure avancée, en ces petites villes aux mœurs réglées et simples, pour qui la nuit était faite surtout pour dormir. La veille d'un être humain, — ne fût-ce qu'une sentinelle, — quand tous les autres êtres sont plongés dans cet assoupissement qui est l'assoupissement de l'animalité fatiguée, a toujours quelque chose d'imposant. Mais l'ignorance de ce qui fait veiller derrière une fenêtre aux rideaux baissés, où la lumière indique la vie et la pensée, ajoute la poésie du rêve à la poésie de la réalité. Du moins, pour moi, je n'ai jamais pu voir une fenêtre, — éclairée la nuit, — dans une ville couchée, par laquelle je passais, — sans accrocher à ce cadre de lumière un monde de pensées, — sans imaginer derrière ces rideaux des intimités et des drames... Et maintenant, oui, au bout de tant d'années, j'ai encore dans la tête de ces fenêtres qui y sont restées éternellement et mélancoliquement lumineuses, et qui me font dire souvent, lorsqu'en y pensant, je les revois dans mes songeries :

« Qu'y avait-il donc derrière ces rideaux ? »

Eh bien! une de celles qui me sont restées le plus

dans la mémoire (mais tout à l'heure vous en comprendrez la raison) est une fenêtre d'une des rues de la ville de ***, par laquelle nous passions cette nuit-là. C'était à trois maisons — vous voyez si mon souvenir est précis — au-dessus de l'hôtel devant lequel nous relayions; mais cette fenêtre, j'eus le loisir de la considérer plus de temps que le temps d'un simple relais. Un accident venait d'arriver à une des roues de notre voiture, et on avait envoyé chercher le charron qu'il fallut réveiller. Or, réveiller un charron, dans une ville de province endormie, et le faire lever pour resserrer un écrou à une diligence qui n'avait pas de *concurrence* sur cette ligne-là, n'était pas une petite affaire de quelques minutes... Que si le charron était aussi endormi dans son lit qu'on l'était dans notre voiture, il ne devait pas être facile de le réveiller... De mon coupé, j'entendais à travers la cloison les ronflements des voyageurs de l'intérieur, et pas un des voyageurs de l'impériale, qui, comme on le sait, ont la manie de toujours descendre dès que la diligence arrête, probablement (car la vanité se fourre partout en France, même sur l'impériale des voitures) pour montrer leur adresse à remonter, n'était descendu... Il est vrai que l'hôtel devant lequel nous nous étions arrêtés était fermé. On n'y soupait point. On avait soupé au relais précédent. L'hôtel sommeillait, comme nous. Rien n'y trahissait la vie. Nul bruit n'en troublait le profond silence... si ce n'est le coup de balai, monotone et lassé, de quelqu'un (homme ou femme... on ne savait; il faisait trop nuit pour bien s'en rendre compte) qui balayait alors la grande cour de cet hôtel muet, dont la porte cochère restait habituellement ouverte. Ce coup de balai traînard, sur le pavé, avait aussi l'air de dormir, ou du moins d'en avoir diablement envie! La façade de l'hôtel était noire comme les autres maisons de la rue où il n'y avait de lumière qu'à une seule fenêtre... cette fenêtre que précisément j'ai emportée dans ma mémoire et que j'ai là, toujours, sous le front!... La maison, dans laquelle on ne pouvait pas dire que cette lumière brillait, car elle était tamisée par un double rideau cramoisi dont elle traversait mystérieusement l'épaisseur, était une grande maison qui n'avait qu'un étage, — mais placé très haut...

— C'est singulier! — fit le comte de Brassard, comme s'il se parlait à lui-même, — on dirait que c'est toujours le même rideau!

Je me retournai vers lui, comme si j'avais pu le voir dans notre obscur compartiment de voiture; mais la lampe, placée sous le siège du cocher, et qui est destinée à éclairer les chevaux et la route, venait justement de s'éteindre... Je croyais qu'il dormait, et il ne dormait pas, et il était frappé comme moi de l'air qu'avait cette fenêtre; mais, plus avancé que moi, il savait, lui, pourquoi il l'était!

Or, le ton qu'il mit à dire cela — une chose d'une telle simplicité! — était si peu dans la voix de mondit vicomte de Brassard et m'étonna si fort, que je voulus avoir le cœur net de la curiosité qui me prit tout à coup de voir son visage, et que je fis partir une allumette comme si j'avais voulu allumer mon cigare. L'éclair bleuâtre de l'allumette coupa l'obscurité.

Il était pâle, non pas comme un mort... mais comme la Mort elle-même.

Pourquoi pâlissait-il?... Cette fenêtre, d'un aspect si particulier, cette réflexion et cette pâleur d'un homme qui pâlissait très peu d'ordinaire, car il était sanguin, et l'émotion, lorsqu'il était ému, devait l'empourprer jusqu'au crâne, le frémissement que je sentis courir dans les muscles de son puissant biceps, touchant alors contre mon bras dans le rapprochement de la voiture, tout cela me produisit l'effet de cacher quelque chose... que moi, le chasseur aux histoires, je pourrais peut-être savoir en m'y prenant bien.

— Vous regardiez donc aussi cette fenêtre, capitaine, et même vous la reconnaissiez? — lui dis-je de ce ton détaché qui semble ne pas tenir du tout à la réponse et qui est l'hypocrisie de la curiosité.

— Parbleu! si je la reconnais! fit-il de sa voix ordinaire, richement timbrée et qui appuyait sur les mots.

Le calme était déjà revenu dans ce dandy, le plus carré et le plus majestueux des dandys, lesquels — vous le savez! — méprisent toute émotion, comme inférieure, et ne croient pas, comme ce niais de Gœthe, que l'étonnement puisse jamais être une position honorable pour l'esprit humain.

— Je ne passe pas par ici souvent, — continua donc, très tranquillement, le vicomte de Brassard, — et même j'évite d'y passer. Mais il est des choses qu'on n'oublie point. Il n'y en a pas beaucoup, mais il y en a. J'en connais trois : le premier uniforme qu'on a mis, la première bataille où l'on a donné, et la première femme qu'on a eue. Eh bien! pour moi, cette fenêtre est la quatrième chose que je ne puisse pas oublier.

Il s'arrêta, baissa la glace qu'il avait devant lui... Etait-ce pour mieux voir cette fenêtre dont il me parlait ?... Le conducteur était allé chercher le charron et ne revenait pas. Les chevaux de relais, en retard, n'étaient pas encore arrivés de la poste. Ceux qui nous avaient traînés, immobiles de fatigue, harassés, non dételés, la tête pendant dans leurs jambes, ne donnaient pas même sur le pavé silencieux le coup de pied de l'impatience, en rêvant de leur écurie. Notre diligence endormie ressemblait à une voiture enchantée, figée par la baguette des fées, à quelque carrefour de clairière, dans la forêt de la Belle au Bois dormant.

— Le fait est, — dis-je, — que pour un homme d'imagination, cette fenêtre a de la physionomie.

— Je ne sais pas ce qu'elle a pour vous, — reprit le vicomte de Brassard, — mais je sais ce qu'elle a pour moi. C'est la fenêtre de la chambre qui a été ma première chambre de garnison. J'ai habité là... Diable! il y a tout à l'heure trente-cinq ans! derrière ce rideau... qui semble n'avoir pas été changé depuis tant d'années, et que je trouve éclairé, absolument éclairé, comme il l'était quand...

Il s'arrêta encore, réprimant sa pensée; mais je tenais à la faire sortir.

— Quand vous étudiiez votre tactique, capitaine, dans vos premières veilles de sous-lieutenant ?

— Vous me faites beaucoup trop d'honneur, répondit-il. J'étais, il est vrai, sous-lieutenant dans ce moment-là, mais les nuits que je passais alors, je ne les passais pas sur ma tactique, et si j'avais ma lampe

allumée, à ces heures indues, comme disent les gens
rangés, ce n'était pas pour lire le maréchal de
Saxe.

— Mais, — fis-je, preste comme un coup de raquette,
— c'était, peut-être, tout de même, pour l'imiter ?

Il me renvoya mon volant.

— Oh! — dit-il, — ce n'était pas alors que j'imitais
le maréchal de Saxe, comme vous l'entendez... Ça n'a
été que bien plus tard. Alors, je n'étais qu'un bambin
de sous-lieutenant, fort épinglé dans ses uniformes,
mais très gauche et très timide avec les femmes, quoiqu'elles n'aient jamais voulu le croire, probablement
à cause de ma diable de figure... je n'ai jamais eu avec
elles les profits de ma timidité. D'ailleurs, je n'avais
que dix-sept ans dans ce beau temps-là. Je sortais de
l'Ecole militaire. On en sortait à l'heure où vous y
entrez à présent, car si l'Empereur, ce terrible consom-
mateur d'hommes, avait duré, il aurait fini par avoir
des soldats de douze ans, comme les sultans d'Asie
ont des odalisques de neuf.

« S'il se met à parler de l'Empereur et des odalisques, — pensé-je, — je ne saurai rien. »

— Et pourtant, vicomte, — repartis-je, — je parie-
rais bien que vous n'avez gardé si présent le souvenir
de cette fenêtre, qui luit là-haut, que parce qu'il y a eu
pour vous une femme derrière son rideau!

— Et vous gagneriez votre pari, Monsieur, — fit-il
gravement.

— Ah! parbleu! — repris-je, — j'en étais bien sûr!
Pour un homme comme vous, dans une petite ville de
province où vous n'avez peut-être pas passé dix fois
depuis votre première garnison, il n'y a qu'un siège
que vous y auriez soutenu ou quelque femme que vous
y auriez prise, par escalade, qui puisse vous consacrer
si vivement la fenêtre d'une maison que vous retrouvez
aujourd'hui éclairée d'une certaine manière, dans
l'obscurité!

— Je n'y ai cependant pas soutenu de siège... du
moins militairement, — répondit-il, toujours grave;
mais être grave, c'était souvent sa manière de plaisanter, — et, d'un autre côté, quand on se rend si vite la

chose peut-elle s'appeler un siège ?... Mais quant à
prendre une femme avec ou sans escalade, je vous
l'ai dit, en ce temps-là, j'en étais parfaitement incapable... Aussi ne fut-ce pas une femme qui fut prise
ici : ce fut moi!

Je le saluai; — le vit-il dans ce coupé sombre ?

— On a pris Berg-op-Zoom, — lui dis-je.

— Et les sous-lieutenants de dix-sept ans, — ajouta-
t-il, — ne sont ordinairement pas des Berg-op-Zoom
de sagesse et de continence imprenables!

— Ainsi, — fis-je gaîment, — encore une madame
ou une mademoiselle Putiphar...

— C'était une demoiselle, — interrompit-il avec une
bonhomie assez comique.

— A mettre à la pile de toutes les autres, capitaine!
Seulement, ici, le Joseph était militaire... un Joseph
qui n'aura pas fui..

— Qui a parfaitement fui, au contraire, — repartit-il,
du plus grand sang-froid, — quoique trop tard et avec
une peur!!! Avec une peur à me faire comprendre la
phrase du maréchal Ney que j'ai entendue de mes deux
oreilles et qui, venant d'un pareil homme, m'a, je
l'avoue, un peu soulagé : « Je voudrais bien savoir
quel est le Jean-f... (il lâcha le mot tout au long) qui
dit n'avoir jamais eu peur!... »

— Une histoire dans laquelle vous avez eu cette
sensation-là doit être fameusement intéressante, capitaine!

— Pardieu! — fit-il brusquement, — je puis bien,
si vous en êtes curieux, vous la raconter, cette histoire,
qui a été un événement, mordant sur ma vie comme un
acide sur de l'acier, et qui a marqué à jamais d'une
tache noire tous mes plaisirs de mauvais sujet... Ah!
ce n'est pas toujours profit que d'être un mauvais sujet!
— ajouta-t-il, avec une mélancolie qui me frappa dans
ce luron formidable que je croyais doublé de cuivre
comme un brick grec.

Et il releva la glace qu'il avait baissée, soit qu'il crai-
gnît que les sons de sa voix ne s'en allassent par là,
et qu'on n'entendît, du dehors, ce qu'il allait raconter,
quoiqu'il n'y eût personne autour de cette voiture,

immobile et comme abandonnée; soit que ce régulier
coup de balai, qui allait et revenait, et qui râclait avec
tant d'appesantissement le pavé de la grande cour de
l'hôtel, lui semblât un accompagnement importun de
son histoire; — et je l'écoutai, — attentif à sa voix
seule, — aux moindres nuances de sa voix, — puisque
je ne pouvais voir son visage, dans ce noir compartiment fermé, — et les yeux fixés plus que jamais sur
cette fenêtre, au rideau cramoisi, qui brillait toujours
de la même fascinante lumière, et dont il allait me
parler :

« J'avais donc dix-sept ans, et je sortais de l'Ecole
militaire, — reprit-il. Nommé sous-lieutenant dans
un simple régiment d'infanterie de ligne, qui attendait,
avec l'impatience qu'on avait dans ce temps-là, l'ordre
de partir pour l'Allemagne, où l'Empereur faisait
cette campagne que l'histoire a nommée la campagne
de 1813, je n'avais pris que le temps d'embrasser mon
vieux père au fond de sa province, avant de rejoindre
dans la ville où nous voici, ce soir, le bataillon dont
je faisais partie; car cette mince ville, de quelques
milliers d'habitants tout au plus, n'avait en garnison
que nos deux premiers bataillons... Les deux autres
avaient été répartis dans les bourgades voisines. Vous
qui probablement n'avez fait que passer dans cette
ville-ci, quand vous retournez dans votre Ouest, vous
ne pouvez pas vous douter de ce qu'elle est — ou du
moins de ce qu'elle était il y a trente ans — pour qui
est obligé comme je l'étais alors, d'y demeurer. C'était
certainement la pire garnison où le hasard — que je
crois le diable toujours, à ce moment-là ministre de
la guerre — pût m'envoyer pour mon début. Tonnerre
de Dieu! quelle platitude! Je ne me souviens pas
d'avoir fait nulle part, depuis, de plus maussade et
de plus ennuyeux séjour. Seulement, avec l'âge que
j'avais, et avec la première ivresse de l'uniforme, —
une sensation que vous ne connaissez pas, mais que
connaissent tous ceux qui l'ont porté, — je ne souf-
frais guère de ce qui, plus tard, m'aurait paru insupportable. Au fond, que me faisait cette morne ville de
province ?... Je l'habitais, après tout, beaucoup moins

que mon uniforme, — un chef-d'œuvre de Thomassin et Pied, qui me ravissait! Cet uniforme, dont j'étais fou, me voilait et m'embellissait toutes choses; et c'était — cela va vous sembler fort, mais c'est la vérité! — cet uniforme qui était, à la lettre, ma véritable garnison! Quand je m'ennuyais par trop dans cette ville sans mouvement, sans intérêt et sans vie, je me mettais en grande tenue, — toutes aiguillettes dehors, — et l'ennui fuyait devant mon hausse-col! J'étais comme ces femmes qui n'en font pas moins leur toilette quand elles sont seules et qu'elles n'attendent personne. Je m'habillais... pour moi. Je jouissais solitairement de mes épaulettes et de la dragonne de mon sabre, brillant au soleil, dans quelque coin de Cours désert où, vers quatre heures, j'avais l'habitude de me promener, sans chercher personne pour être heureux, et j'avais là des gonflements dans la poitrine, tout autant que, plus tard, au boulevard de Gand, lorsque j'entendais dire derrière moi, en donnant le bras à quelque femme : « Il faut convenir que voilà une fière tournure d'officier ! » Il n'existait, d'ailleurs, dans cette petite ville très peu riche, et qui n'avait de commerce et d'activité d'aucune sorte, que d'anciennes familles à peu près ruinées, qui boudaient l'Empereur, parce qu'il n'avait pas, comme elles disaient, fait rendre gorge aux voleurs de la Révolution, et qui pour cette raison ne fêtaient guère ses officiers. Donc, ni réunions, ni bals, ni soirées, ni redoutes. Tout au plus, le dimanche, un pauvre bout de Cours où, après la messe de midi, quand il faisait beau temps, les mères allaient promener et exhiber leurs filles jusqu'à deux heures, — l'heure des vêpres, qui, dès qu'elle sonnait son premier coup, raflait toutes les jupes et vidait ce malheureux Cours. Cette messe de midi où nous n'allions jamais, du reste, je l'ai vue devenir, sous la Restauration, une messe militaire à laquelle l'état-major des régiments était obligé d'assister, et c'était au moins un événement vivant dans ce néant de garnisons mortes! Pour des gaillards qui étaient, comme nous, à l'âge de la vie où l'amour, la passion des femmes, tient une si grande place, cette messe militaire était une ressource. Excepté ceux d'entre nous qui faisaient partie du détachement de service sous les armes, tout le corps d'officiers s'éparpillait et se plaçait à l'église, comme il lui plaisait, dans la nef. Presque toujours nous nous campions derrière les plus jolies femmes qui venaient à cette messe, où elles étaient sûres d'être regardées, et nous leur donnions le plus de distractions possible en parlant, entre nous, à mi-voix, de manière à pouvoir être entendus d'elles, de ce qu'elles avaient de plus charmant dans le visage ou dans la tournure. Ah! la messe militaire! J'y ai vu commencer bien des romans. J'y ai vu fourrer dans les manchons que les jeunes filles laissaient sur leurs chaises, quand elles s'agenouillaient près de leurs mères, bien des billets doux, dont elles nous rapportaient la réponse, dans les mêmes manchons, le dimanche suivant! Mais, sous l'Empereur, il n'y avait point de messe militaire. Aucun moyen par conséquent d'approcher des filles *comme il faut* de cette petite ville où elles n'étaient pour nous que des rêves cachés, plus ou moins, sous des voiles, de loin aperçus! Des dédommagements à cette perte sèche de la population la plus intéressante de la ville de ***, il n'y en avait pas... Les caravansérails que vous savez, et dont on ne parle point en bonne compagnie, étaient des horreurs. Les cafés où l'on noie tant de nostalgies, en ces oisivetés terribles des garnisons, étaient tels, qu'il était impossible d'y mettre le pied, pour peu qu'on respectât ses épaulettes... Il n'y avait pas non plus, dans cette petite ville où le luxe s'est accru maintenant comme partout, un seul hôtel où nous puissions avoir une table passable d'officiers, sans être volés comme dans un bois, si bien que beaucoup d'entre nous avaient renoncé à la vie collective et s'étaient dispersés dans des pensions particulières, chez des bourgeois peu riches, qui leur louaient des appartements le plus cher possible, et ajoutaient ainsi quelque chose à la maigreur ordinaire de leurs tables et à la médiocrité de leurs revenus.

« J'étais de ceux-là. Un de mes camarades qui demeurait ici, à la *Poste aux chevaux*, où il avait une chambre, car la *Poste aux chevaux* était dans cette rue en ce temps-là — tenez! à quelques portes derrière nous, et peut-être, s'il faisait jour, verriez-vous encore sur la façade de cette *Poste aux chevaux* le vieux soleil d'or à moitié sorti de son fond de céruse, et qui faisait cadran avec son inscription : « AU SOLEIL LEVANT! » — un de mes camarades m'avait découvert un appartement dans son voisinage, — à cette fenêtre qui est perchée si haut, et qui me fait l'effet, ce soir, d'être la mienne toujours, comme si c'était hier! Je m'étais laissé loger par lui. Il était plus âgé que moi, depuis plus longtemps au régiment, et il aimait à piloter dans ces premiers moments et ces premiers détails de ma vie d'officier, mon inexpérience, qui était aussi de l'insouciance! Je vous l'ai dit, excepté la sensation de l'uniforme sur laquelle j'appuie, parce que c'est encore là une sensation dont votre génération à congrès de la paix et à pantalonnades philosophiques et humanitaires n'aura bientôt plus la moindre idée, et l'espoir d'entendre ronfler le canon dans la première bataille où je devais perdre (passez-moi cette expression soldatesque!) mon pucelage militaire, tout m'était égal! Je ne vivais que dans ces deux idées, — dans la seconde surtout, parce qu'elle était une espérance, et qu'on vit plus dans la vie qu'on n'a pas que dans la vie qu'on a. Je m'aimais pour demain, comme l'avare, et je comprenais très bien les dévots qui s'arrangent sur cette terre comme on s'arrange dans un coupe-gorge où l'on n'a qu'à passer une nuit. Rien ne ressemble plus à un moine qu'un soldat, et j'étais soldat! C'est ainsi que je m'arrangeais de ma garnison. Hors les heures des repas que je prenais avec les personnes qui me louaient mon appartement et dont je vous parlerai tout à l'heure, et celles du service et des manœuvres de chaque jour, je vivais la plus grande partie de mon temps chez moi, couché sur un grand diable de canapé de maroquin bleu sombre, dont la fraîcheur me faisait l'effet d'un bain froid après l'exercice, et je ne m'en relevais que pour aller faire des armes et quelques parties d'impériale chez mon ami d'en face : Louis de Meung, lequel était moins oisif que moi, car il avait ramassé parmi les grisettes de la

ville une assez jolie petite fille, qu'il avait prise pour
maîtresse, et qui lui servait, disait-il, à tuer le temps...
Mais ce que je connaissais de la femme ne me poussait
pas beaucoup à imiter mon ami Louis. Ce que j'en
savais, je l'avais vulgairement appris, là où les élèves de
Saint-Cyr l'apprennent les jours de sortie... Et puis, il
y a des tempéraments qui s'éveillent tard... Est-ce que
vous n'avez pas connu Saint-Rémy, le plus mauvais
sujet de toute une ville, célèbre par ses mauvais sujets,
que nous appelions « le Minotaure », non pas au point
de vue des cornes, quoiqu'il en portât, puisqu'il avait
tué l'amant de sa femme, mais au point de vue de la
consommation ?... »

— Oui, je l'ai connu, — répondis-je, — mais vieux,
incorrigible, se débauchant de plus en plus à chaque
année qui lui tombait sur la tête. Pardieu! si je l'ai
connu, ce grand *rompu* de Saint-Rémy, comme on dit
dans Brantôme!

— C'était en effet un homme de Brantôme, —
reprit le vicomte. — Eh bien! Saint-Rémy, à vingt-
sept ans sonnés, n'avait encore touché ni à un verre
ni à une jupe. Il vous le dira, si vous voulez! A vingt-
sept ans, il était, en fait de femmes, aussi innocent
que l'enfant qui vient de naître, et quoiqu'il ne tétât
plus sa nourrice, il n'avait pourtant jamais bu que du
lait et de l'eau.

— Il a joliment rattrapé le temps perdu! — fis-je.

— Oui, — dit le vicomte, — et moi aussi! Mais
j'ai eu moins de peine à le rattraper! Ma première
période de sagesse, à moi, ne dépassa guère le temps
que je passai dans cette ville de ***; et quoique je
n'y eusse pas la virginité absolue dont parle Saint-
Rémy, j'y vivais cependant, ma foi! comme un vrai
chevalier de Malte, que j'étais, attendu que je le suis
de berceau ... Saviez-vous cela ? J'aurais même succédé
à un de mes oncles dans sa commanderie, sans la
Révolution qui abolit l'Ordre, dont, tout aboli qu'il
fût, je me suis quelquefois permis de porter le ruban.
Une fatuité!

« Quant aux hôtes que je m'étais donnés, en louant
leur appartement, — continua le vicomte de Brassard,

— c'était bien tout ce que vous pouvez imaginer de plus bourgeois. Ils n'étaient que deux, le mari et la femme, tous deux âgés, n'ayant pas mauvais ton, au contraire. Dans leurs relations avec moi, ils avaient même cette politesse qu'on ne trouve plus, surtout dans leur classe, et qui est comme le parfum d'un temps évanoui. Je n'étais pas dans l'âge où l'on observe pour observer, et ils m'intéressaient trop peu pour que je pensasse à pénétrer dans le passé de ces deux vieilles gens à la vie desquels je me mêlais de la façon la plus superficielle deux heures par jour, — le midi et le soir, — pour dîner et souper avec eux. Rien ne transpirait de ce passé dans leurs conversations devant moi, lesquelles conversations trottaient d'ordinaire sur les choses et les personnes de la ville, qu'elles m'apprenaient à connaître et dont ils parlaient, le mari avec une pointe de médisance gaie, et la femme, très pieuse, avec plus de réserve, mais certainement non moins de plaisir. Je crois cependant avoir entendu dire au mari qu'il avait voyagé dans sa jeunesse pour le compte de je ne sais qui et de je ne sais quoi, et qu'il était revenu tard épouser sa femme... qui l'avait attendu. C'étaient, au demeurant, de très braves gens, aux mœurs très douces, et de très calmes destinées. La femme passait sa vie à tricoter des bas à côtes pour son mari, et le mari, timbré de musique, à racler sur son violon de l'ancienne musique de Viotti, dans une chambre à galetas au-dessus de la mienne... Plus riches, peut-être l'avaient-ils été. Peut-être quelque perte de fortune qu'ils voulaient cacher les avait-elle forcés à prendre chez eux un pensionnaire; mais autrement que par le pensionnaire, on ne s'en apercevait pas. Tout dans leur logis respirait l'aisance de ces maisons de l'ancien temps, abondantes en linge qui sent bon, en argenterie bien pesante, et dont les meubles semblent des immeubles, tant on se met peu en peine de les renouveler! Je m'y trouvais bien. La table était bonne, et je jouissais largement de la permission de la quitter dès que j'avais, comme disait la vieille Olive qui nous servait, « *les barbes torchées* », ce qui faisait bien de l'honneur de les appeler « *des barbes* » aux trois poils de chat de la moustache d'un gamin de sous-lieutenant, qui n'avait pas encore fini de grandir !

« J'étais donc là environ depuis un semestre, tout aussi tranquille que mes hôtes, auxquels je n'avais jamais entendu dire un seul mot ayant trait à l'existence de la personne que j'allais rencontrer chez eux, quand un jour, en descendant pour dîner à l'heure accoutumée, j'aperçus dans un coin de la salle à manger une grande personne qui, debout et sur la pointe des pieds, suspendait par les rubans son chapeau à une patère, comme une femme parfaitement chez elle et qui vient de rentrer. Cambrée à outrance, comme elle l'était, pour accrocher son chapeau à cette patère placée très haut, elle déployait la taille superbe d'une danseuse qui se renverse, et cette taille était prise (c'est le mot, tant elle était lacée!) dans le corselet luisant d'un spencer de soie verte à franges qui retombaient sur sa robe blanche, une de ces robes du temps d'alors, qui serraient aux hanches et qui n'avaient pas peur de les montrer, quand on en avait... Les bras encore en l'air, elle se retourna en m'entendant entrer, et elle imprima à sa nuque une torsion qui me fit voir son visage; mais elle acheva son mouvement comme si je n'eusse pas été là, regarda si les rubans du chapeau n'avaient pas été froissés par elle en le suspendant, et cela accompli lentement, attentivement et presque impertinemment, car, après tout, j'étais là, debout, attendant, pour la saluer, qu'elle prît garde à moi, elle me fit enfin l'honneur de me regarder avec deux yeux noirs, très froids, auxquels ses cheveux, coupés à la Titus et ramassés en boucles sur le front, donnaient l'espèce de profondeur que cette coiffure donne au regard... Je ne savais qui ce pouvait être, à cette heure et à cette place. Il n'y avait jamais personne à dîner chez mes hôtes... Cependant elle venait probablement pour dîner. La table était mise, et il y avait quatre couverts... Mais mon étonnement de la voir là fut de beaucoup dépassé par l'étonnement de savoir qui elle était, quand je le sus... quand mes deux hôtes, entrant dans la salle, me la présentèrent comme leur fille qui sortait de pension et qui allait désormais vivre avec eux.

« Leur fille! Il était impossible d'être moins la fille de gens comme eux que cette fille-là! Non pas que les plus belles filles du monde ne puissent naître de toute espèce de gens. J'en ai connu... et vous aussi, n'est-ce pas? Physiologiquement, l'être le plus laid peut produire l'être le plus beau. Mais elle! entre elle et eux, il y avait l'abîme d'une race... D'ailleurs, physiologiquement, puisque je me permets ce grand mot pédant, qui est de votre temps, non du mien, on ne pouvait la remarquer que pour l'air qu'elle avait, et qui était singulier dans une jeune fille aussi jeune qu'elle, car c'était une espèce d'air impassible, très difficile à caractériser. Elle ne l'aurait pas eu qu'on aurait dit : « Voilà une belle fille! » et on n'y aurait pas plus pensé qu'à toutes les belles filles qu'on rencontre par hasard, et dont on dit cela, pour n'y plus penser jamais après. Mais cet air... qui la séparait, non pas seulement de ses parents, mais de tous les autres, dont elle semblait n'avoir ni les passions, ni les sentiments, vous clouait... de surprise, sur place... L'*Infante à l'épagneul*, de Velasquez, pourrait, si vous la connaissez, vous donner une idée de cet air-là, qui n'était ni fier, ni méprisant, ni dédaigneux, non! mais tout simplement impassible, car l'air fier, méprisant, dédaigneux, dit aux gens qu'ils existent, puisqu'on prend la peine de les dédaigner ou de les mépriser, tandis que cet air-ci dit tranquillement : « Pour moi, vous n'existez même pas. » J'avoue que cette physionomie me fit faire, ce premier jour et bien d'autres, la question qui pour moi est encore aujourd'hui insoluble : comment cette grande fille-là était-elle sortie de ce gros bonhomme en redingote jaune vert et à gilet blanc, qui avait une figure couleur des confitures de sa femme, une loupe sur la nuque, laquelle débordait sa cravate de mousseline brodée, et qui bredouillait ?... Et si le mari n'embarrassait pas, car le mari n'embarrasse jamais dans ces sortes de questions, la mère me paraissait tout aussi impossible à expliquer. Mlle Albertine (c'était le nom de cette archiduchesse d'altitude, tombée du ciel chez ces bourgeois comme si le ciel avait voulu se moquer d'eux), Mlle Albertine, que ses parents appelaient Alberte pour s'épargner la longueur du nom, mais ce qui allait parfaitement mieux à sa figure et à toute sa personne, ne semblait pas plus la fille de l'un que de l'autre... A ce premier dîner, comme à ceux qui suivirent, elle me parut une jeune fille bien élevée, sans affectation, habituellement silencieuse, qui, quand elle parlait, disait en bons termes ce qu'elle avait à dire, mais qui n'outrepassait jamais cette ligne-là... Au reste, elle aurait eu tout l'esprit que j'ignorais qu'elle eût, qu'elle n'aurait guère trouvé l'occasion de le montrer dans les dîners que nous faisions. La présence de leur fille avait nécessairement modifié les commérages des deux vieilles gens. Ils avaient supprimé les petits scandales de la ville. Littéralement, on ne parlait plus à cette table que de choses aussi intéressantes que la pluie et le beau temps. Aussi Mlle Albertine ou Alberte, qui m'avait tant frappé d'abord par son air impassible, n'ayant absolument que cela à m'offrir, me blasa bientôt sur cet air-là... Si je l'avais rencontrée dans le monde pour lequel j'étais fait, et que j'aurais dû voir, cette impassibilité m'aurait très certainement piqué au vif... Mais, pour moi, elle n'était pas une fille à qui je puisse faire la cour... même des yeux. Ma position vis-à-vis d'elle, à moi en pension chez ses parents, était délicate, et un rien pouvait la fausser... Elle n'était pas assez près ou assez loin de moi dans la vie pour qu'elle pût m'être quelque chose... et j'eus bientôt répondu naturellement, et sans intention d'aucune sorte, par la plus complète indifférence, à son impassibilité.

« Et cela ne se démentit jamais, ni de son côté ni du mien. Il n'y eut entre nous que la politesse la plus froide, la plus sobre de paroles. Elle n'était pour moi qu'une image qu'à peine je voyais ; et moi, pour elle, qu'est-ce que j'étais ?... A table, — nous ne nous rencontrions jamais que là, — elle regardait plus le bouchon de la carafe ou le sucrier que ma personne... Ce qu'elle y disait, très correct, toujours fort bien dit, mais insignifiant, ne me donnait aucune clé du caractère qu'elle pouvait avoir. Et puis, d'ailleurs, que m'importait ?... J'aurais passé toute ma vie sans songer seulement à regarder dans cette calme et insolente fille, à l'air si déplacé d'Infante... Pour cela, il fallait la circonstance que je m'en vais vous dire, et qui m'atteignit comme la foudre, comme la foudre qui tombe, sans qu'il ait tonné!

« Un soir, il y avait à peu près un mois que Mlle Alberte était revenue à la maison, et nous nous mettions à table pour souper. Je l'avais à côté de moi, et je faisais si peu d'attention à elle que je n'avais pas encore pris garde à ce détail de tous les jours qui aurait dû me frapper : qu'elle fût à table auprès de moi au lieu d'être entre sa mère et son père, quand, au moment où je dépliais ma serviette sur mes genoux... non, jamais je ne pourrai vous donner l'idée de cette sensation et de cet étonnement! je sentis une main qui prenait hardiment la mienne par-dessous la table. Je crus rêver... ou plutôt je ne crus rien du tout... Je n'eus que l'incroyable sensation de cette main audacieuse, qui venait chercher la mienne jusque sous ma serviette! Et ce fut inouï autant qu'inattendu! Tout mon sang, allumé sous cette prise, se précipita de mon cœur dans cette main, comme soutiré par elle, puis remonta furieusement, comme chassé par une pompe, dans mon cœur! Je vis bleu... mes oreilles tintèrent. Je dus devenir d'une pâleur affreuse. Je crus que j'allais m'évanouir... que j'allais me dissoudre dans l'indicible volupté causée par la chair tassée de cette main, un peu grande, et forte comme celle d'un jeune garçon, qui s'était fermée sur la mienne. — Et comme, vous le savez, dans ce premier âge de la vie, la volupté a son épouvante, je fis un mouvement pour retirer ma main de cette folle main qui l'avait saisie, mais qui, me la serrant alors avec l'ascendant du plaisir qu'elle avait conscience de me verser, la garda d'autorité, vaincue comme ma volonté, et dans l'enveloppement le plus chaud, délicieusement étouffée... Il y a trente-cinq ans de cela, et vous me ferez bien l'honneur de croire que ma main s'est un peu blasée sur l'étreinte de la main des femmes; mais j'ai encore là, quand j'y pense, l'impression de celle-ci étreignant la mienne avec un despotisme si insensément passionné! En proie aux

mille frisssonnements que cette enveloppante main
dardait à mon corps tout entier, je craignais de trahir
ce que j'éprouvais devant ce père et cette mère, dont
la fille, sous leurs yeux, osait... Honteux pourtant d'être
moins homme que cette fille hardie qui s'exposait à se
perdre, et dont un incroyable sang-froid couvrait
l'égarement, je mordis ma lèvre au sang dans un effort
surhumain, pour arrêter le tremblement du désir,
qui pouvait tout révéler à ces pauvres gens sans
défiance, et c'est alors que mes yeux cherchèrent l'autre
de ces deux mains que je n'avais jamais remarquées,
et qui, dans ce périlleux moment, tournait froidement
le bouton d'une lampe qu'on venait de mettre sur la
table, car le jour commençait de tomber... Je la
regardai... C'était donc là la sœur de cette main que je
sentais pénétrant la mienne, comme un foyer d'où
rayonnaient et s'étendaient le long de mes veines
d'immenses lames de feu! Cette main, un peu épaisse,
mais aux doigts longs et bien tournés, au bout desquels
la lumière de la lampe, qui tombait d'aplomb sur elle,
allumait des transparences roses, ne tremblait pas et
faisait son petit travail d'arrangement de la lampe,
pour la faire aller, avec une fermeté, une aisance et
une gracieuse langueur de mouvement incomparables!
Cependant nous ne pouvions pas rester ainsi... Nous
avions besoin de nos mains pour dîner... Celle de
Mlle Alberte quitta donc la mienne; mais au moment
où elle la quitta, son pied, aussi expressif que sa main,
s'appuya avec le même aplomb, la même passion, la
même souveraineté, sur mon pied, et y resta tout le
temps que dura ce dîner trop court, lequel me donna
la sensation d'un de ces bains insupportablement
brûlants d'abord, mais auxquels on s'accoutume, et
dans lesquels on finit par se trouver si bien, qu'on
croirait volontiers qu'un jour les damnés pourraient
se trouver fraîchement et suavement dans les brasiers
de leur enfer, comme les poissons dans leur eau!...
Je vous laisse à penser si je dînai ce jour-là, et si je me
mêlai beaucoup aux menus propos de mes honnêtes
hôtes, qui ne se doutaient pas, dans leur placidité, du
drame mystérieux et terrible qui se jouait alors sous

la table. Ils ne s'aperçurent de rien; mais ils pouvaient s'apercevoir de quelque chose, et positivement je m'inquiétais pour eux... pour eux, bien plus que pour moi et pour elle. J'avais l'honnêteté et la commisération de mes dix-sept ans... Je me disais : « Est-elle effrontée ? Est-elle folle ? » Et je la regardais du coin de l'œil, cette folle qui ne perdait pas une seule fois, durant le dîner, son air de Princesse en cérémonie, et dont le visage resta aussi calme que si son pied n'avait pas dit et fait toutes les folies que peut dire et faire un pied, — sur le mien! J'avoue que j'étais encore plus surpris de son aplomb que de sa folie. J'avais beaucoup lu de ces livres légers où la femme n'est pas ménagée. J'avais reçu une éducation d'école militaire. Utopiquement du moins, j'étais le Lovelace de fatuité que sont plus ou moins tous les très jeunes gens qui se croient de jolis garçons, et qui ont pâturé des bottes de baisers derrière les portes et dans les escaliers, sur les lèvres des femmes de chambre de leurs mères. Mais ceci déconcertait mon petit aplomb de Lovelace de dix-sept ans. Ceci me paraissait plus fort que ce que j'avais lu, que tout ce que j'avais entendu dire sur le naturel dans le mensonge attribué aux femmes, — sur la force de masque qu'elles peuvent mettre à leurs plus violentes ou leurs plus profondes émotions. Songez donc! elle avait dix-huit ans! Les avait-elle même ?... Elle sortait d'une pension que je n'avais aucune raison pour suspecter, avec la moralité et la piété de la mère qui l'avait choisie pour son enfant. Cette absence de tout embarras, disons le mot, ce manque absolu de pudeur, cette domination aisée sur soi-même en faisant les choses les plus imprudentes, les plus dangereuses pour une jeune fille, chez laquelle pas un geste, pas un regard n'avait prévenu l'homme auquel elle se livrait par une si monstrueuse avance, tout cela me montait au cerveau et apparaissait nettement à mon esprit, malgré le bouleversement de mes sensations... Mais ni dans ce moment, ni plus tard, je ne m'arrêtai à philosopher là-dessus. Je ne me donnai pas d'horreur factice pour la conduite de cette fille d'une si effrayante précocité dans le mal. D'ailleurs, ce n'est pas à l'âge que j'avais,

ni même beaucoup plus tard, qu'on croit dépravée
la femme qui — au premier coup d'œil — se jette à
vous! On est presque disposé à trouver cela tout simple,
au contraire, et si on dit : « La pauvre femme! » c'est
déjà beaucoup de modestie que cette pitié! Enfin, si
j'étais timide, je ne voulais pas être un niais! La grande
raison française pour faire sans remords tout ce qu'il
y a de pis. Je savais, certes, à n'en pas douter, que ce
que cette fille éprouvait pour moi n'était pas de l'amour.
L'amour ne procède pas avec cette impudeur et cette
impudence, et je savais parfaitement aussi que ce
qu'elle me faisait éprouver n'en était pas non plus.
Mais, amour ou non... ce que c'était, je le voulais!...
Quand je me levai de table, j'étais résolu... La main
de cette Alberte, à laquelle je ne pensais pas une minute
avant qu'elle eût saisi la mienne, m'avait laissé, jusqu'au fond de mon être, le désir de m'enlacer tout
entier à elle tout entière, comme sa main s'était enlacée
à ma main!

« Je montai chez moi comme un fou, et quand je
me fus un peu froidi par la réflexion, je me demandai
ce que j'allais faire pour *nouer* bel et bien une *intrigue*,
comme on dit en province, avec une fille si diabolique-
ment provocante. Je savais à peu près — comme un
homme qui n'a pas cherché à le savoir mieux — qu'elle
ne quittait jamais sa mère; — qu'elle travaillait habituellement près d'elle, à la même chiffonnière, dans
l'embrasure de cette salle à manger, qui leur servait
de salon; — qu'elle n'avait pas d'amie en ville qui vînt
la voir, et qu'elle ne sortait guère que pour aller le
dimanche à la messe et aux vêpres avec ses parents.
Hein ? ce n'était pas encourageant, tout cela!... Je
commençais à me repentir de n'avoir pas un peu plus
vécu avec ces deux bonnes gens que j'avais traités
sans hauteur, mais avec la politesse détachée et parfois
distraite qu'on a pour ceux qui ne sont que d'un
intérêt très secondaire dans la vie; mais je me dis que
je ne pouvais modifier mes relations avec eux, sans
m'exposer à leur révéler ou à leur faire soupçonner ce
que je voulais leur cacher... Je n'avais, pour parler
secrètement à Mlle Alberte, que les rencontres sur

l'escalier quand je montais à ma chambre ou que j'en descendais; mais, sur l'escalier, on pouvait nous voir et nous entendre... La seule ressource à ma portée, dans cette maison si bien réglée et si étroite, où tout le monde se touchait du coude, était d'écrire; et puisque la main de cette fille hardie savait si bien chercher la mienne par-dessous la table, cette main ne ferait sans doute pas beaucoup de cérémonies pour prendre le billet que je lui donnerais, et je l'écrivis. Ce fut le billet de la circonstance, le billet suppliant, impérieux et enivré, d'un homme qui a déjà bu une première gorgée de bonheur et qui en demande une seconde... Seulement, pour le remettre, il fallait attendre le dîner du lendemain, et cela me parut long; mais enfin il arriva, ce dîner! L'attisante main, dont je sentais le contact sur ma main depuis vingt-quatre heures, ne manqua pas de revenir chercher la mienne, comme la veille, par-dessous la table. Mlle Alberte sentit mon billet et le prit très bien, comme je l'avais prévu. Mais ce que je n'avais pas prévu, c'est qu'avec cet air d'Infante qui défiait tout par sa hauteur d'indifférence, elle le plongea dans le cœur de son corsage, où elle releva une dentelle repliée, d'un petit mouvement sec, et tout cela avec un naturel et une telle prestesse, que sa mère qui, les yeux baissés sur ce qu'elle faisait, servait le potage, ne s'aperçut de rien, et que son imbécile de père, qui *lurait* toujours quelque chose en pensant à son violon, quand il n'en jouait pas, n'y vit que du feu. »

— Nous n'y voyons jamais que cela, capitaine! — interrompis-je gaîment, car son histoire me faisait l'effet de tourner un peu vite à une leste aventure de garnison; mais je ne me doutais pas de ce qui allait suivre! — Tenez! pas plus tard que quelques jours, il y avait à l'Opéra, dans une loge à côté de la mienne, une femme probablement dans le genre de votre demoiselle Alberte. Elle avait plus de dix-huit ans, par exemple; mais je vous donne ma parole d'honneur que j'ai vu rarement de femme plus majestueuse de décence. Pendant qu'a duré toute la pièce, elle est restée assise et immobile comme sur une base de granit.

Elle ne s'est retournée ni à droite, ni à gauche, une seule fois ; mais sans doute elle y voyait par les épaules, qu'elle avait très nues et très belles, car il y avait aussi, et dans ma loge à moi, par conséquent derrière nous deux, un jeune homme qui paraissait aussi indifférent qu'elle à tout ce qui n'était pas l'opéra qu'on jouait en ce moment. Je puis certifier que ce jeune homme n'a pas fait une seule des simagrées ordinaires que les hommes font aux femmes dans les endroits publics, et qu'on peut appeler des déclarations à distance. Seulement quand la pièce a été finie et que, dans l'espèce de tumulte général des loges qui se vident, la dame s'est levée, droite, dans sa loge, pour agrafer son burnous, je l'ai entendue dire à son mari, de la voix la plus conjugalement impérieuse et la plus claire : « Henri, ramassez mon capuchon ! » et alors, par-dessus le dos de Henri, qui s'est précipité la tête en bas, elle a étendu le bras et la main et pris un billet du jeune homme, aussi simplement qu'elle eût pris des mains de son mari son éventail ou son bouquet. Lui s'était relevé, le pauvre homme ! tenant le capuchon — un capuchon de satin ponceau, mais moins ponceau que son visage, et qu'il avait, au risque d'une apoplexie, repêché sous les petits bancs, comme il avait pu... Ma foi ! après avoir vu cela, je m'en suis allé, pensant qu'au lieu de le rendre à sa femme, il aurait pu tout aussi bien le garder pour lui, ce capuchon, afin de cacher sur sa tête ce qui, tout à coup, venait d'y pousser !

— Votre histoire est bonne, — dit le vicomte de Brassard assez froidement ; — dans un autre moment, peut-être en aurait-il joui davantage ; — mais laissez-moi vous achever la mienne. J'avoue qu'avec une pareille fille, je ne fus pas inquiet deux minutes de la destinée de mon billet. Elle avait beau être pendue à la ceinture de sa mère, elle trouverait bien le moyen de me lire et de me répondre. Je comptais même, pour tout un avenir de conversation par écrit, sur cette petite poste de par-dessous la table que nous venions d'inaugurer, lorsque le lendemain, quand j'entrai dans la salle à manger avec la certitude, très caressée au fond de ma personne, d'avoir séance tenante une réponse très catégorique à mon billet de la veille, je crus avoir la berlue en voyant que le couvert avait été changé, et que Mlle Alberte était placée là où elle aurait dû toujours être, entre son père et sa mère... Et pourquoi ce changement ?... Que s'était-il donc passé que je ne savais pas ?... Le père ou la mère s'étaient-ils doutés de quelque chose ? J'avais Mlle Alberte en face de moi, et je la regardais avec cette intention fixe qui veut être comprise. Il y avait vingt-cinq points d'interrogation dans mes yeux; mais les siens étaient aussi calmes, aussi muets, aussi indifférents qu'à l'ordinaire. Ils me regardaient comme s'ils ne me voyaient pas. Je n'ai jamais vu regards plus impatientants que ces longs regards tranquilles qui tombaient sur vous comme sur une chose. Je bouillais de curiosité, de contrariété, d'inquiétude, d'un tas de sentiments agités et déçus... et je ne comprenais pas comment cette femme, si sûre d'elle-même qu'on pouvait croire qu'au lieu de nerfs elle eût sous sa peau fine presque autant de muscles que moi, semblât ne pas oser me faire un signe d'intelligence qui m'avertît, — qui me fît penser, — qui me dît, si vite que ce pût être, que nous nous entendions, — que nous étions connivents et complices dans le même mystère, que ce fût de l'amour, que ce ne fût pas même de l'amour!... C'était à se demander si vraiment c'était bien la femme de la main et du pied sous la table, du billet pris et glissé la veille, si naturellement, dans son corsage, devant ses parents, comme si elle y eût glissé une fleur! Elle en avait tant fait qu'elle ne devait pas être embarrassée de m'envoyer un regard. Mais non! Je n'eus rien. Le dîner passa tout entier sans ce regard que je guettais, que j'attendais, que je voulais allumer au mien, et qui ne s'alluma pas! « Elle aura trouvé quelque moyen de me répondre », me disais-je en sortant de table, et en remontant dans ma chambre, ne pensant pas qu'une telle personne pût reculer, après s'être si incroyablement avancée; — n'admettant pas qu'elle pût rien craindre et rien ménager, quand il s'agissait de ses fantaisies, et parbleu! franchement, ne pouvant pas croire qu'elle n'en eût au moins une pour moi!

« Si ses parents n'ont pas de soupçon, — me disais-je encore, — si c'est le hasard qui a fait ce changement de couvert à table, demain je me retrouverai auprès d'elle... » Mais le lendemain, ni les autres jours, je ne fus placé auprès de Mlle Alberte, qui continua d'avoir la même incompréhensible physionomie et le même incroyable ton dégagé pour dire les riens et les choses communes qu'on avait l'habitude de dire à cette table de petits bourgeois. Vous devinez bien que je l'observais comme un homme intéressé à la chose. Elle avait l'air aussi peu contrarié que possible, quand je l'étais horriblement, moi! quand je l'étais jusqu'à la colère, — une colère à me fendre en deux et qu'il fallait cacher! Et cet air, qu'elle ne perdait jamais, me mettait encore plus loin d'elle que ce tour de table interposé entre nous! J'étais si violemment exaspéré, que je finissais par ne plus craindre de la compromettre en la regardant, en lui appuyant sur ses grands yeux impénétrables, et qui restaient glacés, la pesanteur menaçante et enflammée des miens! Etait-ce un manège que sa conduite ? Etait-ce coquetterie ? N'était-ce qu'un caprice après un autre caprice,... ou simplement stupidité ? J'ai connu, depuis, de ces femmes tout d'abord soulèvement de sens, puis après, tout stupidité! « Si on savait le moment! » disait Ninon. Le moment de Ninon était-il déjà passé ? Cependant, j'attendais toujours... quoi ? un mot, un signe, un rien risqué, à voix basse, en se levant de table dans le bruit des chaises qu'on dérange, et comme cela ne venait pas, je me jetais aux idées folles, à tout ce qu'il y avait au monde de plus absurde. Je me fourrai dans la tête qu'avec toutes les impossibilités dont nous étions entourés au logis, elle m'écrirait par la poste; — qu'elle serait assez fine, quand elle sortirait avec sa mère, pour glisser un billet dans la boîte aux lettres, et, sous l'empire de cette idée, je me mangeais le sang régulièrement deux fois par jour, une heure avant que le facteur passât par la maison... Dans cette heure-là je disais dix fois à la vieille Olive, d'une voix étranglée : « Y a-t-il des lettres pour moi, Olive ? » laquelle me répondait imperturbablement toujours : « Non, Monsieur, il n'y en a pas. »

Ah! l'agacement finit par être trop aigu! Le désir trompé devint de la haine. Je me mis à haïr cette Alberte, et, par haine de désir trompé, à expliquer sa conduite avec moi par les motifs qui pouvaient le plus me la faire mépriser, car la haine a soif de mépris. Le mépris, c'est son nectar, à la haine! « Coquine lâche, qui a peur d'une lettre! » me disais-je. Vous le voyez, j'en venais aux gros mots. Je l'insultais dans ma pensée, ne croyant pas en l'insultant la calomnier. Je m'efforçai même de ne plus penser à elle que je criblais des épithètes les plus militaires, quand j'en parlais à Louis de Meung, car je lui en parlais! car l'outrance où elle m'avait jeté avait éteint en moi toute espèce de chevalerie, — et j'avais raconté toute mon aventure à mon brave Louis, qui s'était tirebouchonné sa longue moustache blonde en m'écoutant, et qui m'avait dit, sans se gêner, car nous n'étions pas des moralistes dans le 27e :

« — Fais comme moi! Un clou chasse l'autre. Prends pour maîtresse une petite *cousette* de la ville, et ne pense plus à cette sacrée fille-là! »

« Mais je ne suivis point le conseil de Louis. Pour cela, j'étais trop piqué au jeu. Si elle avait su que je prenais une maîtresse, j'en aurais peut-être pris une pour lui fouetter le cœur ou la vanité par la jalousie. Mais elle ne le saurait pas. Comment pourrait-elle le savoir ?... En amenant, si je l'avais fait, une maîtresse chez moi, comme Louis, à son *hôtel de la Poste*, c'était rompre avec les bonnes gens chez qui j'habitais, et qui m'auraient immédiatement prié d'aller chercher un autre logement que le leur; et je ne voulais pas renoncer, si je ne pouvais avoir que cela, à la possibilité de retrouver la main ou le pied de cette damnante Alberte qui, après ce qu'elle avait osé, restait toujours la grande Mademoiselle Impassible.

« — Dis plutôt impossible ! » — disait Louis, qui se moquait de moi.

« Un mois tout entier se passa, et malgré mes résolutions de me montrer aussi oublieux qu'Alberte et aussi indifférent qu'elle, d'opposer marbre à marbre et froideur à froideur, je ne vécus plus que de la vie

tendue de l'affût, — de l'affût que je déteste, même à
la chasse! Oui, Monsieur, ce ne fut plus qu'affût per-
pétuel dans mes journées! Affût quand je descendais à
dîner, et que j'espérais la trouver seule dans la salle à
manger comme la première fois! Affût au dîner, où
mon regard ajustait de face ou de côté le sien qu'il
rencontrait net et infernalement calme, et qui n'évitait
pas plus le mien qu'il n'y répondait! Affût après le
dîner, car je restais maintenant un peu après dîner
voir ces dames reprendre leur ouvrage, dans leur
embrasure de croisée, guettant si *elle* ne laisserait pas
tomber quelque chose, son dé, ses ciseaux, un chiffon,
que je pourrais ramasser, et en les lui rendant toucher
sa main, — cette main que j'avais maintenant à travers
la cervelle! Affût chez moi, quand j'étais remonté dans
ma chambre, y croyant toujours entendre le long du
corridor ce pied qui avait piétiné sur le mien, avec une
volonté si absolue. Affût jusque dans l'escalier, où je
croyais pouvoir la rencontrer, et où la vieille Olive me
surprit un jour, à ma grande confusion, en sentinelle!
Affût à ma fenêtre — cette fenêtre que vous voyez —
où je me plantais quand elle devait sortir avec sa mère,
et d'où je ne bougeais pas avant qu'elle fût rentrée,
mais tout cela aussi vainement que le reste! Lorsqu'elle
sortait, tortillée dans son châle de jeune fille, — un
châle à raies rouges et blanches : je n'ai rien oublié!
semé de fleurs noires et jaunes sur les deux raies, elle
ne retournait pas son torse insolent une seule fois, et
lorsqu'elle rentrait, toujours aux côtés de sa mère, elle
ne levait ni la tête ni les yeux vers la fenêtre où je
l'attendais! Tels étaient les misérables exercices auxquels elle m'avait condamné! Certes, je sais bien que
les femmes nous font tous plus ou moins valeter, mais
dans ces proportions-là!! Le vieux fat qui devrait être
mort en moi s'en révolte encore! Ah! je ne pensais plus
au bonheur de mon uniforme! Quand j'avais fait le
service de la journée, — après l'exercice ou la revue, —
je rentrais vite, mais non plus pour lire des piles de
mémoires ou de romans, mes seules lectures dans ce
temps-là. Je n'allais plus chez Louis de Meung. Je ne
touchais plus à mes fleurets. Je n'avais pas la ressource

du tabac qui engourdit l'activité quand elle vous dévore, et que vous avez, vous autres jeunes gens qui m'avez suivi dans la vie! On ne fumait pas alors au 27e, si ce n'est entre soldats, au corps de garde, quand on jouait la partie de brisque sur le tambour... Je restais donc oisif de corps, à me ronger... je ne sais si c'était le cœur, sur ce canapé qui ne me faisait plus le bon froid que j'aimais dans ces six pieds carrés de chambre, où je m'agitais comme un lionceau dans sa cage, quand il sent la chair fraîche à côté.

« Et si c'était ainsi le jour, c'était aussi de même une grande partie de la nuit. Je me couchais tard. Je ne dormais plus. Elle me tenait éveillé, cette Alberte d'enfer, qui me l'avait allumé dans les veines, puis qui s'était éloignée comme l'incendiaire qui ne retourne pas même la tête pour voir son feu flamber derrière lui! Je baissais, comme le voilà, ce soir », — ici le vicomte passa son gant sur la glace de la voiture placée devant lui, pour essuyer la vapeur qui commençait d'y perler, « — ce même rideau cramoisi, à cette même fenêtre, qui n'avait pas plus de persiennes qu'elle n'en a maintenant, afin que les voisins, plus curieux en province qu'ailleurs, ne dévisageassent pas le fond de ma chambre. C'était une chambre de ce temps-là, — une chambre de l'Empire, parquetée en point de Hongrie, sans tapis, où le bronze plaquait partout le merisier, d'abord en tête de sphinx aux quatre coins du lit, et en pattes de lion sous ses quatre pieds, puis, sur tous les tiroirs de la commode et du secrétaire, en camées de faces de lion, avec des anneaux de cuivre pendant de leurs gueules verdâtres, et par lesquels on les tirait quand on voulait les ouvrir. Une table carrée, d'un merisier plus rosâtre que le reste de l'ameublement, à dessus de marbre gris, grillagée de cuivre, était en face du lit, contre le mur, entre la fenêtre et la porte d'un grand cabinet de toilette; et, vis-à-vis de la cheminée, le grand canapé de maroquin bleu dont je vous ai déjà tant parlé... A tous les angles de cette chambre d'une grande élévation et d'un large espace, il y avait des encoignures en faux laque de Chine, et sur l'une d'elles on voyait, mystérieux et blanc, dans le noir du coin, un vieux buste de Niobé d'après l'antique, qui étonnait là, chez ces bourgeois vulgaires. Mais est-ce que cette incompréhensible Alberte n'étonnait pas bien plus ? Les murs lambrissés, et peints à l'huile, d'un blanc jaune, n'avaient ni tableaux, ni gravures. J'y avais seulement mis mes armes, couchées sur de longues pattes-fiches en cuivre doré. Quand j'avais loué cette grande calebasse d'appartement, — comme disait élégamment le lieutenant Louis de Meung, qui ne poétisait pas les choses, — j'avais fait placer au milieu une grande table ronde que je couvrais de cartes militaires, de livres et de papiers : c'était mon bureau. J'y écrivais quand j'avais à écrire... Eh bien! un soir, ou plutôt une nuit, j'avais roulé le canapé auprès de cette grande table, et j'y dessinais à la lampe, non pas pour me distraire de l'unique pensée qui me submergeait depuis un mois, mais pour m'y plonger davantage, car c'était la tête de cette énigmatique Alberte que je dessinais, c'était le visage de cette diablesse de femme dont j'étais possédé, comme les dévots disent qu'on l'est du diable. Il était tard. La rue, — où passaient chaque nuit deux diligences en sens inverse, — comme aujourd'hui, — l'une à minuit trois quarts et l'autre à deux heures et demie du matin, et qui toutes deux s'arrêtaient à l'*hôtel de la Poste* pour relayer, — la rue était silencieuse comme le fond d'un puits. J'aurais entendu voler une mouche; mais si, par hasard, il y en avait une dans ma chambre, elle devait dormir dans quelque coin de vitre ou dans un des plis cannelés de ce rideau, d'une forte étoffe de soie croisée, que j'avais ôté de sa patère et qui tombait devant la fenêtre, perpendiculaire et immobile. Le seul bruit qu'il y eût alors autour de moi, dans ce profond et complet silence, c'était moi qui le faisais avec mon crayon et mon estompe. Oui, c'était elle que je dessinais, et Dieu sait avec quelle caresse de main et quelle préoccupation enflammée! Tout à coup, sans aucun bruit de serrure qui m'aurait averti, ma porte s'entrouvrit en flûtant ce son des portes dont les gonds sont secs, et resta à moitié entrebâillée, comme si elle avait eu peur du son qu'elle avait jeté!

Je relevai les yeux, croyant avoir mal fermé cette
porte qui, d'elle-même, inopinément, s'ouvrait en
filant ce son plaintif, capable de faire tressaillir dans
la nuit ceux qui veillent et de réveiller ceux qui dorment.
Je me levai de ma table pour aller la fermer ; mais la
porte entrouverte s'ouvrit plus grande et très doucement toujours, mais en recommençant le son aigu qui
traîna comme un gémissement dans la maison silencieuse, et je vis, quand elle se fut ouverte de toute sa
grandeur, Alberte ! — Alberte qui, malgré les précautions d'une peur qui devait être immense, n'avait pu
empêcher cette porte maudite de crier !

« Ah ! tonnerre de Dieu ! ils parlent de visions, ceux
qui y croient ; mais la vision la plus surnaturelle ne
m'aurait pas donné la surprise, l'espèce de coup au
cœur que je ressentis et qui se répéta en palpitations
insensées, quand je vis venir à moi, — de cette porte
ouverte, — Alberte, effrayée au bruit que cette porte
venait de faire en s'ouvrant, et qui allait recommencer
encore, si elle la fermait ! Rappelez-vous toujours que
je n'avais pas dix-huit ans ! Elle vit peut-être ma terreur
à la sienne : elle réprima, par un geste énergique, le cri
de surprise qui pouvait m'échapper, — qui me serait
certainement échappé sans ce geste, — et elle referma
la porte, non plus lentement, puisque cette lenteur
l'avait fait crier, mais rapidement, pour éviter ce cri
des gonds, — qu'elle n'évita pas, et qui recommença
plus net, plus franc, d'une seule venue et suraigu ; —
et, la porte fermée et l'oreille contre, elle écouta si
un autre bruit, qui aurait été plus inquiétant et plus
terrible, ne répondait pas à celui-là... Je crus la voir
chanceler... Je m'élançai, et je l'eus bientôt dans les
bras.

— Mais elle va bien, votre Alberte, — dis-je au
capitaine.

— Vous croyez peut-être, — reprit-il, comme s'il
n'avait pas entendu ma moqueuse observation, —
qu'elle y tomba, dans mes bras, d'effroi, de passion,
de tête perdue, comme une fille poursuivie ou qu'on
peut poursuivre, — qui ne sait plus ce qu'elle fait quand
elle fait la dernière des folies, quand elle s'abandonne

à ce démon que les femmes ont toutes — dit-on —
quelque part, et qui serait le maître toujours, s'il n'y
en avait pas deux autres aussi en elles, — la Lâcheté et
la Honte, — pour contrarier celui-là! Eh bien, non, ce
n'était pas cela! Si vous le croyiez, vous vous trompe-
riez... Elle n'avait rien de ces peurs vulgaires et osées...
Ce fut bien plus elle qui me prit dans ses bras que je ne
la pris dans les miens... Son premier mouvement avait
été de se jeter le front contre ma poitrine, mais elle le
releva et me regarda, les yeux tout grands, — des
yeux immenses! — comme pour voir si c'était bien
moi qu'elle tenait ainsi dans ses bras! Elle était horriblement pâle, et comme je ne l'avais jamais vue pâle;
mais ses traits de Princesse n'avaient pas bougé. Ils
avaient toujours l'immobilité et la fermeté d'une
médaille. Seulement, sur sa bouche aux lèvres légèrement bombées errait je ne sais quel égarement, qui
n'était pas celui de la passion heureuse ou qui va l'être
tout à l'heure! Et cet égarement avait quelque chose
de si sombre dans un pareil moment, que, pour ne pas
le voir, je plantai sur ces belles lèvres rouges et érectiles
le robuste et foudroyant baiser du désir triomphant et
roi! La bouche s'entrouvrit... mais les yeux noirs, à
la noirceur profonde, et dont les longues paupières
touchaient presque alors mes paupières, ne se fermèrent point, — ne palpitèrent même pas; — mais tout
au fond, comme sur sa bouche, je vis passer de la
démence! Agrafée dans ce baiser de feu et comme enlevée par les lèvres qui pénétraient les siennes, aspirée
par l'haleine qui la respirait, je la portai, toujours
collée à moi, sur ce canapé de maroquin bleu, — mon
gril de saint Laurent, depuis un mois que je m'y roulais
en pensant à elle, — et dont le maroquin se mit voluptueusement à craquer sous son dos nu, car elle était à
moitié nue. Elle sortait de son lit, et, pour venir, elle
avait... le croirez-vous? été obligée de traverser la
chambre où son père et sa mère dormaient! Elle l'avait
traversée à tâtons, les mains en avant, pour ne pas se
choquer à quelque meuble qui aurait retenti de son
choc et qui eût pu les réveiller.

— Ah! — fis-je, — on n'est pas plus brave à la

tranchée. Elle était digne d'être la maîtresse d'un soldat!

— Et elle le fut dès cette première nuit-là, reprit le vicomte. — Elle le fut aussi violente que moi, et je vous jure que je l'étais! Mais c'est égal... voici la revanche! Elle ni moi ne pûmes oublier, dans les plus vifs de nos transports, l'épouvantable situation qu'elle nous faisait à tous les deux. Au sein de ce bonheur qu'elle venait chercher et m'offrir, elle était alors comme stupéfiée de l'acte qu'elle accomplissait d'une volonté pourtant si ferme, avec un acharnement si obstiné. Je ne m'en étonnai pas. Je l'étais bien, moi, stupéfié! J'avais bien, sans le lui dire et sans le lui montrer, la plus effroyable anxiété dans le cœur, pendant qu'elle me pressait à m'étouffer sur le sien. J'écoutais, à travers ses soupirs, à travers ses baisers, à travers le terrifiant silence qui pesait sur cette maison endormie et confiante, une chose horrible : c'est si sa mère ne s'éveillait pas, si son père ne se levait pas! Et jusque pardessus son épaule, je regardais derrière elle si cette porte, dont elle n'avait pas ôté la clé, par peur du bruit qu'elle pouvait faire, n'allait pas s'ouvrir de nouveau et me montrer, pâles et indignées, ces deux têtes de Méduse, ces deux vieillards, que nous trompions avec une lâcheté si hardie, surgir tout à coup dans la nuit, images de l'hospitalité violée et de la Justice! Jusqu'à ces voluptueux craquements du maroquin bleu, qui m'avaient sonné la diane de l'Amour, me faisaient tressaillir d'épouvante... Mon cœur battait contre le sien, qui semblait me répercuter ses battements... C'était enivrant et dégrisant tout à la fois, mais c'était terrible! Je me fis à tout cela plus tard. A force de renouveler impunément cette imprudence sans nom, je devins tranquille dans cette imprudence. A force de vivre dans ce danger d'être surpris, je me blasai. Je n'y pensai plus. Je ne pensai plus qu'à être heureux. Dès cette première nuit formidable, qui aurait dû l'épouvanter des autres, elle avait décidé qu'elle viendrait chez moi de deux nuits en deux nuits, puisque je ne pouvais aller chez elle, — sa chambre de jeune fille n'ayant d'autre issue que dans l'appartement de ses

parents, — et elle y vint régulièrement toutes les deux
nuits; mais jamais elle ne perdit la sensation, — la
stupeur de la première fois! Le temps ne produisit
pas sur elle l'effet qu'il produisit sur moi. Elle ne se
bronza pas au danger, affronté chaque nuit. Toujours
elle restait, et jusque sur mon cœur, silencieuse, me
parlant à peine avec la voix, car, d'ailleurs, vous vous
doutez bien qu'elle était éloquente; et lorsque plus tard
le calme me prit, moi, à force de danger affronté et de
réussite, et que je lui parlai, comme on parle à sa
maîtresse, de ce qu'il y avait déjà de passé entre nous,
— de cette froideur inexplicable et démentie, puisque
je la tenais dans mes bras, et qui avait succédé à ses
premières audaces; quand je lui adressai enfin tous ces
pourquoi insatiables de l'amour, qui n'est peut-être
au fond qu'une curiosité, elle ne me répondit jamais
que par de longues étreintes. Sa bouche triste demeurait
muette de tout... excepté de baisers! Il y a des femmes
qui vous disent : « Je me perds pour vous »; il y en a
d'autres qui vous disent : « Tu vas bien me mépriser »;
et ce sont là des manières différentes d'exprimer la
fatalité de l'amour. Mais elle, non! Elle ne disait mot...
Chose étrange! Plus étrange personne! Elle me produisait l'effet d'un épais et dur couvercle de marbre
qui brûlait, chauffé par en dessous... Je croyais qu'il
arriverait un moment où le marbre se fendrait enfin
sous la chaleur brûlante, mais le marbre ne perdit
jamais sa rigide densité. Les nuits qu'elle venait, elle
n'avait ni plus d'abandon, ni plus de paroles, et, je me
permettrai ce mot ecclésiastique, elle fut toujours aussi
difficile à *confesser* que la première nuit qu'elle était
venue. Je n'en tirai pas davantage... Tout au plus un
monosyllabe arraché, d'obsession, à ces belles lèvres
dont je raffolais d'autant plus que je les avais vues plus
froides et plus indifférentes pendant la journée, et,
encore, un monosyllabe qui ne faisait pas grande
lumière sur la nature de cette fille, qui me paraissait
plus sphinx, à elle seule, que tous les Sphinx dont
l'image se multipliait autour de moi, dans cet appartement Empire.

— Mais, capitaine, — interrompis-je encore

eut pourtant une fin à tout cela ? Vous êtes un homme
fort, et tous les Sphinx sont des animaux fabuleux. Il
n'y en a point dans la vie, et vous finîtes bien par
trouver, que diable! ce qu'elle avait dans son giron,
cette commère-là !

    — Une fin! Oui, il y eut une fin, — fit le vicomte de
Brassard en baissant brusquement la vitre du coupé,
comme si la respiration avait manqué à sa monumen-
tale poitrine et qu'il eût besoin d'air pour achever ce
qu'il avait à raconter. — Mais le giron, comme vous
dites, de cette singulière fille n'en fut pas plus ouvert
pour cela. Notre amour, notre relation, notre intrigue,
— appelez cela comme vous voudrez, — nous donna,
ou plutôt *me* donna, à *moi*, des sensations que je ne
crois pas avoir éprouvées jamais depuis avec des
femmes plus aimées que cette Alberte, qui ne m'aimait
peut-être pas, que je n'aimais peut-être pas!! Je n'ai
jamais bien compris ce que j'avais pour elle et ce
qu'elle avait pour moi, et cela dura plus de six mois!
Pendant ces six mois, tout ce que je compris, ce fut un
genre de bonheur dont on n'a pas l'idée dans la jeunesse. Je compris le bonheur de ceux qui se cachent.
Je compris la jouissance du mystère dans la complicité,
qui, même sans l'espérance de réussir, ferait encore des
conspirateurs incorrigibles. Alberte, à la table de ses
parents comme partout, était toujours la Madame
Infante qui m'avait tant frappé le premier jour que
je l'avais vue. Son front néronien, sous ses cheveux
bleus à force d'être noirs, qui bouclaient durement et
touchaient ses sourcils, ne laissaient rien passer de la
nuit coupable, qui n'y étendait aucune rougeur. Et
moi qui essayais d'être aussi impénétrable qu'elle,
mais qui, j'en suis sûr, aurais dû me trahir dix fois si
j'avais eu affaire à des observateurs, je me rassasiais
orgueilleusement et presque sensuellement, dans le
plus profond de mon être, de l'idée que toute cette
superbe indifférence était bien à moi et qu'elle avait
pour moi toutes les bassesses de la passion, si la passion
pouvait jamais être basse! Nul que nous sur la terre
ne savait cela... et c'était délicieux, cette pensée! Personne, pas même mon ami, Louis de Meung, avec

lequel j'étais discret depuis que j'étais heureux! Il avait tout deviné, sans doute, puisqu'il était aussi discret que moi. Il ne m'interrogeait pas. J'avais repris avec lui, sans effort, mes habitudes d'intimité, les promenades sur le Cours, en grande ou en petite tenue, l'impériale, l'escrime et le punch! Pardieu! quand on sait que le bonheur viendra, sous la forme d'une belle jeune fille qui a comme une *rage de dents* dans le cœur, vous visiter régulièrement d'une nuit l'autre, à la même heure, cela simplifie joliment les jours! »

— Mais ils dormaient donc comme les Sept Dormants, les parents de cette Alberte ? — fis-je railleusement, en coupant net les réflexions de l'ancien dandy par une plaisanterie, et pour ne pas paraître trop pris par son histoire, qui me prenait, car, avec les dandys, on n'a guère que la plaisanterie pour se faire un peu respecter.

— Vous croyez donc que je cherche des effets de conteur hors de la réalité ? — dit le vicomte. — Mais je ne suis pas romancier, moi! Quelquefois Alberte ne venait pas. La porte, dont les gonds huilés étaient moelleux comme de la ouate maintenant, ne s'ouvrait pas de toute une nuit, et c'est qu'alors sa mère l'avait entendue et s'était écriée, ou c'est que son père l'avait aperçue, filant ou tâtonnant à travers la chambre. Seulement Alberte, avec sa tête d'acier, trouvait à chaque fois un prétexte. Elle était souffrante... Elle cherchait le sucrier sans flambeau, de peur de réveiller personne... »

— Ces têtes d'acier-là ne sont pas si rares que vous avez l'air de le croire, capitaine! — interrompis-je encore. J'étais contrariant. — Votre Alberte, après tout, n'était pas plus forte que la jeune fille qui recevait toutes les nuits, dans la chambre de sa grand-mère, endormie derrière ses rideaux, un amant entré par la fenêtre, et qui, n'ayant pas de canapé de maroquin bleu, s'établissait, à la bonne franquette, sur le tapis... Vous savez comme moi l'histoire. Un soir, apparemment poussé par la jeune fille trop heureuse, un soupir plus fort que les autres réveilla la grand-mère, qui cria de dessous ses rideaux un : « Qu'as-tu donc, petite ? »

à la faire évanouir contre le cœur de son amant ; mais elle n'en répondit pas moins de sa place : « C'est mon busc qui me gêne, grand-maman, pour chercher mon aiguille tombée sur le tapis, et que je ne puis pas retrouver ! »

— Oui, je connais l'histoire, — reprit le vicomte de Brassard, que j'avais cru humilier, par une comparaison, dans la personne de son Alberte. — C'était, si je m'en souviens bien, une de Guise que la jeune fille dont vous me parlez. Elle s'en tira comme une fille de son nom ; mais vous ne dites pas qu'à partir de cette nuit-là elle ne rouvrit plus la fenêtre à son amant, qui était, je crois, monsieur de Noirmoutier, tandis qu'Alberte revenait le lendemain de ses accrocs terribles, et s'exposait de plus belle au danger bravé, comme si de rien n'était. Alors, je n'étais, moi, qu'un sous-lieutenant assez médiocre en mathématiques, et qui m'en occupais fort peu ; mais il était évident, pour qui sait faire le moindre calcul des probabilités, qu'un jour... une nuit... il y aurait un dénouement.

— Ah, oui ! — fis-je, me rappelant ses paroles d'avant son histoire, — le dénouement qui devait vous faire connaître la sensation de la peur, capitaine.

— Précisément, — répondit-il d'un ton plus grave et qui tranchait sur le ton léger que j'affectais. — Vous l'avez vu, n'est-ce pas ? depuis ma main prise sous la table jusqu'au moment où elle surgit la nuit, comme une apparition dans le cadre de ma porte ouverte, Alberte ne m'avait pas marchandé l'émotion. Elle m'avait fait passer dans l'âme plus d'un genre de frisson, plus d'un genre de terreur ; mais ce n'avait été encore que l'impression des balles qui sifflent autour de vous et des boulets dont on sent le vent ; on frissonne, mais on va toujours. Eh bien ! ce ne fut plus cela. Ce fut de la peur, de la peur complète, de la vraie peur, et non plus pour Alberte, mais pour moi, et pour moi tout seul ! Ce que j'éprouvai, ce fut positivement cette sensation qui doit rendre le cœur aussi pâle que la face ; ce fut cette panique qui fait prendre la fuite à des régiments tout entiers. Moi qui vous parle, j'ai vu fuir tout Chamboran, bride abattue et ventre à terre, l'héroïque Chamboran, emportant, dans son flot épouvanté, son colonel et ses officiers! Mais à cette époque je n'avais encore rien vu, et j'appris... ce que je croyais impossible.

« Ecoutez donc... C'était une nuit. Avec la vie que nous menions, ce ne pouvait être qu'une nuit... une longue nuit d'hiver. Je ne dirai pas une de nos plus tranquilles. Elles étaient toutes tranquilles, nos nuits. Elles l'étaient devenues à force d'être heureuses. Nous dormions sur ce canon chargé. Nous n'avions pas la moindre inquiétude en faisant l'amour sur cette lame de sabre posée en travers d'un abîme, comme le pont de l'enfer des Turcs! Alberte était venue plus tôt qu'à l'ordinaire, pour être plus longtemps. Quand elle venait ainsi, ma première caresse, mon premier mouvement d'amour était pour ses pieds, ses pieds qui n'avaient plus alors ses brodequins verts ou hortensia, ces deux coquetteries et mes deux délices, et qui, nus pour ne pas faire de bruit, m'arrivaient transis de froid des briques sur lesquelles elle avait marché, le long du corridor qui menait de la chambre de ses parents à ma chambre, placée à l'autre bout de la maison. Je les réchauffais, ces pieds glacés pour moi, qui peut-être ramassaient, pour moi, en sortant d'un lit chaud, quelque horrible maladie de poitrine... Je savais le moyen de les tiédir et d'y mettre du rose ou du vermillon, à ces pieds pâles et froids; mais cette nuit-là mon moyen manqua... Ma bouche fut impuissante à attirer sur ce cou-de-pied cambré et charmant la plaque de sang que j'aimais souvent à y mettre, comme une rosette ponceau... Alberte, cette nuit-là, était plus silencieusement amoureuse que jamais. Ses étreintes avaient cette langueur et cette force qui étaient pour moi un langage, et un langage si expressif que, si je lui parlais toujours, moi, si je lui disais toutes mes démences et toutes mes ivresses, je ne lui demandais plus de me répondre et de me parler. A ses étreintes, je l'entendais. Tout à coup, je ne l'entendis plus. Ses bras cessèrent de me presser sur son cœur, et je crus à une de ces pâmoisons comme elle en avait souvent, quoique ordinairement elle gardât, en ses pâmoisons,

la force crispée de l'étreinte... Nous ne sommes pas
des bégueules entre nous. Nous sommes deux hommes,
et nous pouvons nous parler comme deux hommes...
J'avais l'expérience des spasmes voluptueux d'Alberte,
et quand ils la prenaient, ils n'interrompaient pas mes
caresses. Je restais comme j'étais, sur son cœur, attendant qu'elle revînt à la vie consciente, dans l'orgueilleuse certitude qu'elle reprendrait ses sens sous les
miens, et que la foudre qui l'avait frappée la ressus-
citerait en la refrappant... Mais mon expérience fut
trompée. Je la regardai comme elle était, liée à moi,
sur le canapé bleu, épiant le moment où ses yeux,
disparus sous ses larges paupières, me remontreraient
leurs beaux orbes de velours noir et de feu; où ses
dents, qui se serraient et grinçaient à briser leur émail
au moindre baiser appliqué brusquement sur son cou
et traîné longuement sur ses épaules, laisseraient, en
s'entrouvrant, passer son souffle. Mais ni les yeux ne
revinrent, ni les dents ne se desserrèrent... Le froid
des pieds d'Alberte était monté jusque dans ses lèvres
et sous les miennes... Quand je sentis cet horrible
froid, je me dressai à mi-corps pour mieux la regarder;
je m'arrachai en sursaut de ses bras, dont l'un tomba
sur elle et l'autre pendit à terre, du canapé sur lequel
elle était couchée. Effaré, mais lucide encore, je lui
mis la main sur le cœur... Il n'y avait rien! rien au
pouls, rien aux tempes, rien aux artères carotides,
rien nulle part... que la mort qui était partout, et déjà
avec son épouvantable rigidité!

« J'étais sûr de la mort... et je ne voulais pas y croire!
La tête humaine a de ces volontés stupides contre la
clarté même de l'évidence et du destin. Alberte était
morte. De quoi ?... Je ne savais. Je n'étais pas médecin.
Mais elle était morte; et quoique je visse avec la clarté
du jour de midi que ce que je pourrais faire était inutile,
je fis pourtant tout ce qui me semblait si désespérément
inutile. Dans mon néant absolu de tout, de connaissances, d'instruments, de ressources, je lui vidais sur
le front tous les flacons de ma toilette. Je lui frappais
résolument dans les mains, au risque d'éveiller le bruit,
dans cette maison où le moindre bruit nous faisait

trembler. J'avais ouï dire à un de mes oncles, chef
d'escadron au 4ᵉ dragons, qu'il avait un jour sauvé un
de ses amis d'une apoplexie en le saignant vite avec
une de ces *flammes* dont on se sert pour saigner les
chevaux. J'avais des armes plein ma chambre. Je pris
un poignard, et j'en labourai le bras d'Alberte à la
saignée. Je massacrai ce bras splendide d'où le sang ne
coula même pas. Quelques gouttes s'y coagulèrent.
Il était figé. Ni baisers, ni succions, ni morsures ne
purent galvaniser ce cadavre raidi, devenu cadavre
sous mes lèvres. Ne sachant plus ce que je faisais, je
finis par m'étendre dessus, le moyen qu'emploient
(disent les vieilles histoires) les Thaumaturges ressus-
citeurs, n'espérant pas y réchauffer la vie, mais agissant comme si je l'espérais! Et ce fut sur ce corps
glacé qu'une idée, qui ne s'était pas dégagée du chaos
dans lequel la bouleversante mort subite d'Alberte
m'avait jeté, m'apparut nettement... et que j'eus peur!
    « Oh!... mais une peur... une peur immense!
Alberte était morte chez moi, et sa mort disait tout.
Qu'allais-je devenir? Que fallait-il faire?... A cette
pensée, je sentis la main, la main physique de cette
peur hideuse, dans mes cheveux qui devinrent des
aiguilles! Ma colonne vertébrale se fondit en une fange
glacée, et je voulus lutter — mais en vain — contre
cette déshonorante sensation... Je me dis qu'il fallait
avoir du sang-froid... que j'étais un homme après tout...
que j'étais militaire. Je me mis la tête dans mes mains,
et quand le cerveau me tournait dans le crâne, je
m'efforçai de raisonner la situation horrible dans
laquelle j'étais pris... et d'arrêter, pour les fixer et les
examiner, toutes les idées qui me fouettaient le cerveau
comme une toupie cruelle, et qui toutes allaient, à
chaque tour, se heurter à ce cadavre qui était chez moi,
à ce corps inanimé d'Alberte qui ne pouvait plus regagner sa chambre, et que sa mère devait retrouver le
lendemain dans la *chambre de l'officier*, morte et désho-
norée! L'idée de cette mère, à laquelle j'avais peut-être
tué sa fille en la déshonorant, me pesait plus sur le cœur
que le cadavre même d'Alberte... On ne pouvait pas
cacher la mort; mais le déshonneur, prouvé par le

cadavre chez moi, n'y avait-il pas moyen de le cacher?...
C'était la question que je me faisais, le point fixe que
je regardais dans ma tête. Difficulté grandissant à
mesure que je la regardais, et qui prenait les proportions d'une impossibilité absolue. Hallucination
effroyable! par moments le cadavre d'Alberte me semblait emplir toute ma chambre et ne pouvoir plus en
sortir. Ah! si la sienne n'avait pas été placée derrière
l'appartement de ses parents, je l'aurais, à tout risque,
reportée dans son lit! Mais pouvais-je faire, moi, avec
son corps mort dans mes bras, ce qu'elle faisait, elle,
déjà si imprudemment, vivante, et m'aventurer ainsi
à traverser une chambre que je ne connaissais pas, où
je n'étais jamais entré, et où reposaient endormis du
sommeil léger des vieillards le père et la mère de la
malheureuse ?... Et cependant, l'état de ma tête était
tel, la peur du lendemain et de ce cadavre chez moi me
galopaient avec tant de furie, que ce fut cette idée, cette
témérité, cette folie de reporter Alberte chez elle qui
s'empara de moi comme l'unique moyen de sauver
l'honneur de la pauvre fille et de m'épargner la honte
des reproches du père et de la mère, de me tirer enfin
de cette ignominie. Le croirez-vous ? J'ai peine à le
croire moi-même, quand j'y pense! J'eus la force de
prendre le cadavre d'Alberte et, le soulevant par les
bras, de le charger sur mes épaules. Horrible chape,
plus lourde, allez! que celle des damnés dans l'enfer
du Dante! Il faut l'avoir portée, comme moi, cette
chape d'une chair qui me faisait bouillonner le sang de
désir il n'y avait qu'une heure, et qui maintenant me
transissait!... Il faut l'avoir portée pour bien savoir ce
que c'était! J'ouvris ma porte ainsi chargé, et pieds
nus comme elle, pour faire moins de bruit, je m'en-
fonçai dans le corridor qui conduisait à la chambre de
ses parents, et dont la porte était au fond, m'arrêtant à
chaque pas sur mes jambes défaillantes pour écouter
le silence de la maison dans la nuit, que je n'entendais
plus, à cause des battements de mon cœur! Ce fut long.
Rien ne bougeait... Un pas suivait un pas... Seulement,
quand j'arrivai tout contre la terrible porte de la
chambre de ses parents, — qu'il me fallait franchir

et qu'elle n'avait pas, en venant, entièrement fermée
pour la retrouver entrouverte au retour, et que j'entendis les deux respirations longues et tranquilles de
ces deux pauvres vieux qui dormaient dans toute la
confiance de la vie, je n'osai plus!... Je n'osai plus
passer ce seuil noir et béant dans les ténèbres... Je
reculai; je m'enfuis presque avec mon fardeau! Je
rentrai chez moi de plus en plus épouvanté. Je repla-
çai le corps d'Alberte sur le canapé, et je recommençai,
accroupi sur les genoux auprès d'elle, les suppliantes
questions : « Que faire ? que devenir ?... Dans l'écrou-
lement qui se faisait en moi, l'idée insensée et atroce de
jeter le corps de cette belle fille, ma maîtresse de
six mois! par la fenêtre, me sillonna l'esprit. Mépri-
sez-moi! J'ouvris la fenêtre... j'écartai le rideau que
vous voyez là... et je regardai dans le trou d'ombre au
fond duquel était la rue, car il faisait très sombre cette
nuit-là. On ne voyait point le pavé. « On croira à un
suicide », pensai-je, et je repris Alberte, et je la soulevai...
Mais voilà qu'un éclair de bon sens croisa la folie!
« D'où se sera-t-elle tuée ? D'où sera-t-elle tombée si
on la trouve sous ma fenêtre demain ?... » me demandai-je. L'impossibilité de ce que je voulais faire me
souffleta! J'allai refermer la fenêtre, qui grinça dans
son espagnolette. Je retirai le rideau de la fenêtre, plus
mort que vif de tous les bruits que je faisais. D'ailleurs,
par la fenêtre, — sur l'escalier, — dans le corridor, —
partout où je pouvais laisser ou jeter le cadavre, éternellement accusateur, la profanation était inutile.
L'examen du cadavre révélerait tout, et l'œil d'une
mère, si cruellement avertie, verrait tout ce que le
médecin ou le juge voudrait lui cacher... Ce que j'éprouvais était insupportable, et l'idée d'en finir d'un coup
de pistolet, en l'état lâche de mon âme *démoralisée*
(un mot de l'Empereur que plus tard j'ai compris!),
me traversa en regardant luire mes armes contre le
mur de ma chambre. Mais que voulez-vous ?... Je
serai franc : j'avais dix-sept ans, et j'aimais... mon
épée. C'est par goût et sentiment de race que j'étais
soldat. Je n'avais jamais vu le feu, et je voulais le voir.
J'avais l'ambition militaire. Au régiment nous plai-

santions de Werther, un héros du temps, qui nous faisait pitié, à nous autres officiers! La pensée qui m'empêcha de me soustraire, en me tuant, à l'ignoble peur qui me tenait toujours, me conduisit à une autre qui me parut le salut même dans l'impasse où je me tordais! « Si j'allais trouver le colonel ? » me dis-je. — Le colonel, c'est la paternité militaire, — et je m'habillai comme on s'habille quand bat la générale, dans une surprise... Je pris mes pistolets par une précaution de soldat. Qui savait ce qui pourrait arriver ?... J'embrassai une dernière fois, avec le sentiment qu'on a à dix-sept ans, — et on est toujours sentimental à dix-sept ans, — la bouche muette, et qui l'avait été toujours, de cette belle Alberte trépassée, et qui me comblait depuis six mois de ses plus enivrantes faveurs... Je descendis sur la pointe des pieds l'escalier de cette maison où je laissais la mort... Haletant comme un homme qui se sauve, je mis une heure (il me sembla que j'y mettais une heure!) à déverrouiller la porte de la rue et à tourner la grosse clé dans son énorme serrure, et après l'avoir refermée avec les précautions d'un voleur, je m'encourus, comme un fuyard, chez mon colonel.

« J'y sonnai comme au feu. J'y retentis comme une trompette, comme si l'ennemi avait été en train d'enlever le drapeau du régiment! Je renversai tout, jusqu'à l'ordonnance qui voulut s'opposer à ce que j'entrasse à pareille heure dans la chambre de son maître, et une fois le colonel réveillé par la tempête du bruit que je faisais, je lui dis tout. Je me confessai d'un trait et à fond, rapidement et crânement, car les moments pressaient, le suppliant de me sauver...

« C'était un homme que le colonel! Il vit d'un coup d'œil l'horrible gouffre dans lequel je me débattais... Il eut pitié du plus jeune de *ses enfants*, comme il m'appela, et je crois que j'étais alors assez dans un état à faire pitié! Il me dit, avec le juron le plus français, qu'il fallait commencer par décamper immédiatement de la ville, et qu'il se chargerait de tout... qu'il verrait les parents dès que je serais parti, mais qu'il fallait partir, prendre la diligence qui allait relayer dans

dix minutes à l'*hôtel de la Poste*, gagner une ville qu'il
me désigna et où il m'écrirait... Il me donna de l'argent,
car j'avais oublié d'en prendre, m'appliqua cordiale-
ment sur les joues ses vieilles moustaches grises, et
dix minutes après cette entrevue, je grimpais (il n'y
avait plus que cette place) sur l'impériale de la diligence, qui faisait le même service que celle où nous
sommes actuellement, et je passais au galop sous la
fenêtre (je vous demande quels regards j'y jetai) de
la funèbre chambre où j'avais laissé Alberte morte,
et qui était éclairée comme elle l'est ce soir. »

Le vicomte de Brassard s'arrêta, sa forte voix un
peu brisée. Je ne songeais plus à plaisanter. Le silence
ne fut pas long entre nous.

— Et après ? — lui dis-je.

— Eh bien! voilà — répondit-il, — il n'y a pas
d'après! C'est cela qui a bien longtemps tourmenté
ma curiosité exaspérée. Je suivis aveuglément les ins-
tructions du colonel. J'attendis avec impatience une
lettre qui m'apprendrait ce qu'il avait fait et ce qui
était arrivé après mon départ. J'attendis environ un
mois; mais, au bout de ce mois, ce ne fut pas une
lettre que je reçus du colonel, qui n'écrivait guère
qu'avec son sabre sur la figure de l'ennemi; ce fut
l'ordre d'un changement de corps. Il m'était ordonné
de rejoindre le 35e, qui allait entrer en campagne, et
il fallait que sous vingt-quatre heures je fusse arrivé
au nouveau corps auquel j'appartenais. Les immenses
distractions d'une campagne, et de la première! les
batailles auxquelles j'assistai, les fatigues et aussi les
aventures de femmes que je mis par-dessus celle-ci,
me firent négliger d'écrire au colonel, et me détour-
nèrent du souvenir cruel de l'histoire d'Alberte, sans
pouvoir pourtant l'effacer. Je l'ai gardé comme une
balle qu'on ne peut extraire... Je me disais qu'un jour
ou l'autre je rencontrerais le colonel, qui me mettrait
enfin au courant de ce que je désirais savoir, mais le
colonel se fit tuer à la tête de son régiment à Leip-
sick... Louis de Meung s'était aussi fait tuer un mois
auparavant... C'est assez méprisable, cela, — ajouta
le capitaine, — mais tout s'assoupit dans l'âme la plus

robuste, et peut-être parce qu'elle est la plus robuste...
La curiosité dévorante de savoir ce qui s'était passé
après mon départ finit par me laisser tranquille. J'aurais
pu depuis bien des années, et changé comme j'étais,
revenir sans être reconnu dans cette petite ville-ci et
m'informer du moins de ce qu'on savait, de ce qui
y avait filtré de ma tragique aventure. Mais quelque
chose qui n'est pas, certes, le respect de l'opinion,
dont je me suis moqué toute ma vie, quelque chose
qui ressemblait à cette peur que je ne voulais pas sentir une seconde fois, m'en a toujours empêché. »

Il se tut encore, ce dandy qui m'avait raconté, sans
le moindre dandysme, une histoire d'une si triste réalité. Je rêvais sous l'impression de cette histoire, et je
comprenais que ce brillant vicomte de Brassard, la
fleur non *des pois*, mais des plus fiers pavots rouges
du dandysme, le buveur grandiose de *claret*, à la
manière anglaise, fût comme un autre, un homme plus
profond qu'il ne paraissait. Le mot me revenait qu'il
m'avait dit, en commençant, sur la *tache noire* qui,
pendant toute sa vie, avait meurtri ses plaisirs de mauvais sujet... quand tout à coup, pour m'étonner davantage encore, il me saisit le bras brusquement :

— Tenez! — me dit-il, — voyez au rideau!

L'ombre svelte d'une taille de femme venait d'y
passer en s'y dessinant!

— L'ombre d'Alberte! — fit le capitaine. — Le hasard
est par trop moqueur ce soir, ajouta-t-il avec amertume.

Le rideau avait déjà repris son carré vide, rouge et
lumineux. Mais le charron, qui, pendant que le vicomte
parlait, avait travaillé à son écrou, venait de terminer
sa besogne. Les chevaux de relais étaient prêts et piaf-
faient, se sabotant de feu. Le conducteur de la voiture, bonnet d'astracan aux oreilles, registre aux dents,
prit les longes et s'enleva, et une fois hissé sur sa ban-
quette d'impériale, cria, de sa voix claire, le mot du
commandement, dans la nuit :

« Roulez! »

Et nous roulâmes, et nous eûmes bientôt dépassé
la mystérieuse fenêtre, que je vois toujours dans mes
rêves, avec son rideau cramoisi.

LE PLUS BEL AMOUR
DE DON JUAN

> Le meilleur régal du diable, c'est
> une innocence.
>
> (A.)

I

« Il vit donc toujours, ce vieux mauvais sujet ?

— Par Dieu! s'il vit! — et par l'ordre de Dieu,
Madame, fis-je en me reprenant, car je me souvins
qu'elle était dévote, — et de la paroisse de Sainte-
Clotilde encore, la paroisse des ducs! — Le roi est
mort! Vive le roi! disait-on sous l'ancienne monarchie avant qu'elle fût cassée, cette vieille porcelaine
de Sèvres. Don Juan, lui, malgré toutes les démocra-
ties, est un monarque qu'on ne cassera pas.

— Au fait, le diable est immortel! dit-elle comme
une raison qu'elle se serait donnée.

— Il a même...

— Qui ?... le diable ?...

— Non, Don Juan... soupé, il y a trois jours, en
goguette. Devinez où ?...

— A votre affreuse Maison-d'Or, sans doute...

— Fi donc, Madame! Don Juan n'y va plus... il n'y a
rien là à fricasser pour sa grandesse. Le seigneur Don
Juan a toujours été un peu comme ce fameux moine
d'Arnaud de Brescia qui, racontent les Chroniques, ne
vivait que du sang des âmes. C'est avec cela qu'il aime
à roser son vin de Champagne, et cela ne se trouve
plus depuis longtemps dans le cabaret des cocottes!

— Vous verrez, — reprit-elle avec ironie, — qu'il aura soupé au couvent des Bénédictines, avec ces dames...

— De l'Adoration perpétuelle, oui, Madame! Car l'adoration qu'il a inspirée une fois, ce diable d'homme! me fait l'effet de durer toujours.

— Pour un catholique, je vous trouve profanant, — dit-elle lentement, mais un peu crispée, — et je vous prie de m'épargner le détail des soupers de vos coquines, si c'est une manière inventée par vous de m'en donner des nouvelles que de me parler, ce soir, de Don Juan.

— Je n'invente rien, Madame. Les coquines du souper en question, si ce sont des coquines, ne sont pas les miennes... malheureusement...

— Assez, Monsieur!

— Permettez-moi d'être modeste. C'étaient...

— Les *mille è trè ?...* — fit-elle, curieuse, se ravisant, presque revenue à l'amabilité.

— Oh! pas toutes, Madame... Une douzaine seulement. C'est déjà, comme cela, bien assez honnête...

— Et déshonnête aussi, — ajouta-t-elle.

— D'ailleurs, vous savez aussi bien que moi qu'il ne peut pas tenir beaucoup de monde dans le boudoir de la comtesse de Chiffrevas. On a pu y faire des choses grandes; mais il est fort petit, ce boudoir...

— Comment ? — se récria-t-elle, étonnée. — C'est donc dans le boudoir qu'on aura soupé ?...

— Oui, Madame, c'est dans le boudoir. Et pourquoi pas ? On dîne bien sur un champ de bataille. On voulait donner un souper extraordinaire au seigneur Don Juan, et c'était plus digne de lui de le lui donner sur le théâtre de sa gloire, là où les souvenirs fleurissent à la place des orangers. Jolie idée, tendre et mélancolique! Ce n'était pas le *bal des victimes;* c'en était le souper.

— Et Don Juan ? — dit-elle, comme Orgon dit : « Et Tartufe ? » dans la pièce.

— Don Juan a fort bien pris la chose et très bien soupé,

Lui, tout seul, devant elles!

dans la personne de quelqu'un que vous connaissez...

et qui n'est pas moins que le comte Jules-Amédée-Hector de Ravila de Ravilès.

— Lui! C'est bien, en effet, Don Juan, — dit-elle.

Et, quoiqu'elle eût passé l'âge de la rêverie, cette dévote à bec et à ongles, elle se mit à rêver au comte Jules-Amédée-Hector, — à cet homme de race Juan, — de cette antique race Juan éternelle, à qui Dieu n'a pas donné le monde, mais a permis au diable de le lui donner.

II

Ce que je venais de dire à la vieille marquise Guy de Ruy était l'exacte vérité. Il y avait trois jours à peine qu'une douzaine de femmes du vertueux faubourg Saint-Germain (qu'elles soient bien tranquilles, je ne les nommerai pas!), lesquelles, toutes les douze, selon les douairières du commérage, avaient été du *dernier bien* (vieille expression charmante) avec le comte Ravila de Ravilès, s'étaient prises de l'idée singulière de lui offrir à souper, — *à lui seul d'homme* — pour fêter... quoi ? elles ne le disaient pas. C'était hardi, qu'un tel souper; mais les femmes, lâches individuellement, en troupe sont audacieuses. Pas une peut-être de ce souper féminin n'aurait osé l'offrir chez elle, en tête à tête, au comte Jules-Amédée-Hector; mais ensemble, et s'épaulant toutes, les unes par les autres, elles n'avaient pas craint de faire la chaîne du baquet de Mesmer autour de cet homme magnétique et compromettant, le comte de Ravila de Ravilès...

— Quel nom!

— Un nom providentiel, Madame... Le comte de Ravila de Ravilès, qui, par parenthèse, avait toujours obéi à la consigne de ce nom impérieux, était bien l'incarnation de tous les séducteurs dont il est parlé dans les romans et dans l'histoire, et la marquise Guy de Ruy, — une vieille mécontente, aux yeux bleus, froids et affilés, mais moins froids que son cœur et moins affilés que son esprit, — convenait elle-même que, dans ce temps, où la question des femmes perd chaque jour de son importance, s'il y avait quelqu'un qui pût rappeler Don Juan, à coup sûr ce devait être lui! Malheureusement, c'était Don Juan au cinquième acte. Le prince de Ligne ne pouvait faire entrer dans sa spirituelle tête qu'Alcibiade eût jamais eu cinquante ans. Or, par ce côté-là encore, le comte de Ravila allait continuer toujours Alcibiade. Comme d'Orsay, ce dandy taillé dans le bronze de Michel-Ange, qui fut beau jusqu'à sa dernière heure, Ravila avait eu cette beauté particulière à la race Juan, — à cette mystérieuse race qui ne procède pas de père en fils, comme les autres, mais qui apparaît çà et là, à de certaines distances, dans les familles de l'humanité.

C'était la vraie beauté, — la beauté insolente, joyeuse, impériale, *juanesque* enfin; le mot dit tout et dispense de la description; et — avait-il fait un pacte avec le diable ? — il l'avait toujours... Seulement, Dieu retrouvait son compte; les griffes de tigre de la vie commençaient à lui rayer ce front divin, couronné des roses de tant de lèvres, et sur ses larges tempes impies apparaissaient les premiers cheveux blancs qui annoncent l'invasion prochaine des Barbares et la fin de l'Empire... Il les portait, du reste, avec l'impassibilité de l'orgueil surexcité par la puissance; mais les femmes qui l'avaient aimé le regardaient parfois avec mélancolie. Qui sait ? elles regardaient peut-être l'heure qu'il était pour elles à ce front ? Hélas, pour elles comme pour lui, c'était l'heure du terrible souper avec le froid Commandeur de marbre blanc, après lequel il n'y a plus que l'enfer, — l'enfer de la vieillesse, en attendant l'autre! Et voilà pourquoi peut-être, avant de partager avec lui ce souper amer et suprême, elles pensèrent à lui offrir le leur et qu'elles en firent un chef-d'œuvre.

Oui, un chef-d'œuvre de goût, de délicatesse, de luxe patricien, de recherche, de jolies idées; le plus charmant, le plus délicieux, le plus friand, le plus capiteux, et surtout le plus original des soupers. Original! pensez donc! Ç'est ordinairement la joie, la soif de s'amuser qui donne à souper; mais ici, c'était le souvenir, c'était le regret, c'était presque le désespoir, mais le désespoir en toilette, caché sous des sourires ou sous des rires, et qui voulait encore cette fête ou cette folie dernière, encore cette escapade vers la jeunesse revenue pour une heure, encore cette griserie, pour qu'il en fût fait à jamais!...

Les Amphitryonnes de cet incroyable souper, si peu dans les mœurs trembleuses de la société à laquelle elles appartenaient, durent y éprouver quelque chose de ce que Sardanapale ressentit sur son bûcher, quand il y entassa, pour périr avec lui, ses femmes, ses esclaves, ses chevaux, ses bijoux, toutes les opulences de sa vie. Elles, aussi, entassèrent à ce souper brûlant toutes les opulences de la leur. Elles y apportèrent tout ce qu'elles avaient de beauté, d'esprit, de ressources, de parure, de puissance, pour les verser, en une seule fois, en ce suprême flamboiement.

L'homme devant lequel elles s'enveloppèrent et se drapèrent dans cette dernière flamme, était plus à leurs yeux qu'aux yeux de Sardanapale toute l'Asie. Elles furent coquettes pour lui comme jamais femmes ne le furent pour aucun homme, comme jamais femmes ne le furent pour un salon plein; et cette coquetterie, elles l'embrasèrent de cette jalousie qu'on cache dans le monde et qu'elles n'avaient point besoin de cacher, car elles savaient toutes que cet homme avait été à chacune d'elles, et la honte partagée n'en est plus... C'était, parmi elles toutes, à qui graverait le plus avant son épitaphe dans son cœur.

Lui, il eut, ce soir-là, la volupté repue, souveraine, nonchalante, dégustatrice du confesseur de nonnes et du sultan. Assis comme un roi — comme le maître — au milieu de la table, en face de la comtesse de Chiffrevas, dans ce boudoir fleur de pêcher ou de... péché (on n'a jamais bien su l'orthographe de la couleur de ce boudoir), le comte de Ravila embrassait de ses yeux, bleu d'enfer, que tant de pauvres créatures avaient pris pour le bleu du ciel, ce cercle rayonnant de douze femmes, mises avec génie, et qui, à cette table, chargée de cristaux, de bougies allumées et de fleurs, étalaient, depuis le vermillon de la rose ouverte jusqu'à l'or adouci de la grappe ambrée, toutes les nuances de la maturité.

Il n'y avait pas là de ces jeunesses vert tendre, de ces petites demoiselles qu'exécrait Byron, qui sentent la tartelette et qui, par la tournure, ne sont encore que des épluchettes, mais tous étés splendides et savoureux, plantureux automnes, épanouissements et plénitudes, seins éblouissants battant leur plein majestueux au bord découvert des corsages, et, sous les camées de l'épaule nue, des bras de tout galbe, mais surtout des bras puissants, de ces biceps de Sabines qui ont lutté avec les Romains, et qui seraient capables de s'entrelacer, pour l'arrêter, dans les rayons de la roue du char de la vie.

J'ai parlé d'idées. Une des plus charmantes de ce souper avait été de le faire servir par des femmes de chambre, pour qu'il ne fût pas dit que rien eût dérangé l'harmonie d'une fête dont les femmes étaient les seules reines, puisqu'elles en faisaient les honneurs... Le seigneur Don Juan — branche de Ravila — put donc baigner ses fauves regards dans une mer de chairs lumineuses et vivantes comme Rubens en met dans ses grasses et robustes peintures, mais il put plonger aussi son orgueil dans l'éther plus ou moins limpide, plus ou moins troublé de tous ces cœurs. C'est qu'au fond, et malgré tout ce qui pourrait empêcher de le croire, c'est un rude spiritualiste que Don Juan! Il l'est comme le démon lui-même, qui aime les âmes encore plus que les corps, et qui fait même cette traite-là de préférence à l'autre, le négrier infernal!

Spirituelles, nobles, du ton le plus faubourg Saint-Germain, mais ce soir-là hardies comme des pages de la maison du Roi quand il y avait une maison du Roi et des pages, elles furent d'un étincellement d'esprit, d'un mouvement, d'une verve et d'un *brio* incomparables. Elles s'y sentirent supérieures à tout ce qu'elles avaient été dans leurs plus beaux soirs. Elles y jouirent d'une puissance inconnue qui se dégageait du fond d'elles-mêmes, et dont jusque-là elles ne s'étaient jamais doutées.

Le bonheur de cette découverte, la sensation des forces triplées de la vie; de plus, les influences physiques, si décisives sur les êtres nerveux, l'éclat des lumières, l'odeur pénétrante de toutes ces fleurs qui se pâmaient dans l'atmosphère chauffée par ces beaux corps aux effluves trop forts pour elles, l'aiguillon des vins provocants, l'idée de ce souper qui avait justement le mérite piquant du péché que la Napolitaine demandait à son sorbet pour le trouver exquis, la pensée enivrante de la complicité dans ce petit crime d'un souper risqué, oui! mais qui ne versa pas vulgairement dans le souper régence; qui resta un souper faubourg Saint-Germain et XIXe siècle, et où de tous ces adorables corsages, doublés de cœurs qui avaient vu le feu et qui aimaient à l'agacer encore, pas une épingle ne tomba; — toutes ces choses enfin, agissant à la fois, tendirent la harpe mystérieuse que toutes ces merveilleuses organisations portaient en elles, aussi fort qu'elle pouvait être tendue sans se briser, et elles arrivèrent à des octaves sublimes, à d'inexprimables diapasons... Ce dut être curieux, n'est-ce pas? Cette page inouïe de ses Mémoires, Ravila l'écrira-t-il un jour?... C'est une question, mais lui seul peut l'écrire... Comme je le dis à la marquise Guy de Ruy, je n'étais pas à ce souper, et si j'en vais rapporter quelques détails et l'histoire par laquelle il finit, c'est que je les tiens de Ravila lui-même, qui, fidèle à l'indiscrétion traditionnelle et caractéristique de la race Juan, prit la peine, un soir, de me les raconter.

III

Il était donc tard, — c'est-à-dire tôt! Le matin venait. Contre le plafond et à une certaine place des rideaux de soie rose du boudoir, hermétiquement fermés, on voyait poindre et rondir une goutte d'opale, comme un œil grandissant, l'œil du jour curieux qui aurait regardé par là ce qu'on faisait dans ce boudoir enflammé. L'alanguissement commençait à prendre les chevalières de cette Table-Ronde, ces soupeuses, si animées il n'y avait qu'un moment. On connaît ce moment-là de tous les soupers où la fatigue de l'émotion et de la nuit passée semble se projeter sur tout, sur les coiffures qui s'affaissent, les joues vermillonnées ou pâlies qui brûlent, les regards lassés dans les yeux cernés qui s'alourdissent, et même jusque sur les lumières élargies et rampantes des mille bougies des candélabres, ces bouquets de feu aux tiges sculptées de bronze et d'or.

La conversation générale, longtemps faite d'entrain, partie de volant où chacun avait allongé son coup de raquette, s'était fragmentée, émiettée, et rien de distinct ne s'entendait plus dans le bruit harmonieux de toutes ces voix, aux timbres aristocratiques, qui se mêlaient et babillaient comme les oiseaux, à l'aube, sur la lisière d'un bois... quand l'une d'elles, — une voix de tête, celle-là! — impérieuse et presque impertinente, comme doit l'être une voix de duchesse, dit tout à coup, par-dessus toutes les autres, au comte de Ravila, ces paroles qui étaient sans doute la suite et la conclusion d'une conversation, à voix basse, entre eux deux, que personne de ces femmes, qui causaient, chacune avec sa voisine, n'avait entendue :

— Vous qui passez pour le Don Juan de ce temps-ci, vous devriez nous raconter l'histoire de la conquête qui a le plus flatté votre orgueil d'homme aimé et que vous jugez, à cette lueur du moment présent, le plus bel amour de votre vie ?...

Et la question, autant que la voix qui parlait, coupa nettement dans le bruit toutes ces conversations éparpillées et fit subitement le silence.

C'était la voix de la duchesse de ***. — Je ne lèverai pas son masque d'astérisques; mais peut-être la reconnaîtrez-vous, quand je vous aurai dit que c'est la blonde la plus pâle de teint et de cheveux, et les yeux les plus noirs sous ses longs sourcils d'ambre, de tout le faubourg Saint-Germain. — Elle était assise, comme un juste à la droite de Dieu, à la droite du comte de Ravila, le dieu de cette fête, qui ne réduisait pas alors ses ennemis à lui servir de marche-pied; mince et idéale comme une arabesque et comme une fée, dans sa robe de velours vert aux reflets d'argent, dont la longue traîne se tordait autour de sa chaise, et figurait assez bien la queue de serpent par laquelle se terminait la croupe charmante de Mélusine.

— C'est là une idée! — fit la comtesse de Chiffrevas, comme pour appuyer, en sa qualité de maîtresse de maison, le désir et la motion de la duchesse, — oui, l'amour de tous les amours, inspirés ou sentis, que vous voudriez le plus recommencer, si c'était possible.

— Oh! je voudrais les recommencer tous! — fit Ravila avec cet inassouvissement d'Empereur romain qu'ont parfois ces blasés immenses. Et il leva son verre de champagne, qui n'était pas la coupe bête et païenne par laquelle on l'a remplacée, mais le verre élancé et svelte de nos ancêtres, qui est le vrai verre de champagne, — celui-là qu'on appelle une *flûte*, peut-être à cause des célestes mélodies qu'il nous verse souvent au cœur. — Puis il étreignit d'un regard circulaire toutes ces femmes qui formaient autour de la table une si magnifique ceinture. — Et cependant, — ajouta-t-il en replaçant son verre devant lui avec une mélancolie étonnante pour un tel Nabuchodonosor qui n'avait encore mangé d'herbe que les salades à l'estragon du café Anglais, — et cependant c'est la vérité, qu'il y en a *un* entre tous les sentiments de la vie, qui rayonne toujours dans le souvenir plus fort que les autres, à mesure que la vie s'avance, et pour lequel on les donnerait tous!

— Le diamant de l'écrin, — dit la comtesse de Chiffrevas songeuse, qui regardait peut-être dans les facettes du sien.

— ... Et de la légende de mon pays, — reprit à son tour la princesse Jablc... qui est du pied des monts Ourals, — ce fameux et fabuleux diamant, rose d'abord, qui devient noir ensuite, mais qui reste diamant, plus brillant encore noir que rose... — Elle dit cela avec le charme étrange qui est en elle, cette Bohémienne! car c'est une Bohémienne, épousée par

amour par le plus beau prince de l'émigration polo-
naise, et qui a l'air aussi princesse que si elle était
née sous les courtines des Jagellons.

Alors, ce fut une explosion! « Oui, — firent-elles
toutes. — Dites-nous cela, comte! » ajoutèrent-elles
passionnément, suppliantes déjà, avec les frémissements de la curiosité jusque dans les frisons de leurs
cous, par derrière; se tassant, épaule contre épaule;
les unes la joue dans la main, le coude sur la table;
les autres, renversées au dossier des chaises, l'éventail
déplié sur la bouche; le fusillant toutes de leurs yeux
émerillonnés et inquisiteurs.

— Si vous le voulez absolument..., — dit le comte,
avec la nonchalance d'un homme qui sait que l'attente
exaspère le désir.

— Absolument! — dit la duchesse en regardant
comme un despote turc aurait regardé le fil de son
sabre — le fil d'or de son couteau de dessert.

— Ecoutez donc, — acheva-t-il, toujours noncha-
lant.

Elles se fondaient d'attention, en le regardant.
Elles le buvaient et le mangeaient des yeux. Toute
histoire d'amour intéresse les femmes; mais qui sait ?
peut-être le charme de celle-ci était-il, pour chacune
d'elles, la pensée que l'histoire qu'il allait raconter
pouvait être la sienne... Elles le savaient trop gentilhomme et de trop grand monde pour n'être pas sûres
qu'il sauverait les noms et qu'il épaissirait, quand il
le faudrait, les détails par trop transparents; et cette
idée, cette certitude leur faisait d'autant plus désirer
l'histoire. Elles en avaient mieux que le désir; elles
en avaient l'espérance.

Leur vanité se trouvait *des rivales* dans ce souvenir
évoqué comme le plus beau souvenir de la vie d'un
homme, qui devait en avoir de si beaux et de si nom-
breux! Le vieux sultan allait jeter une fois de plus le
mouchoir... que nulle main ne ramasserait, mais que
celle à qui il serait jeté sentirait tomber silencieusement dans son cœur...

Or voici, avec ce qu'elles croyaient, le petit tonnerre
inattendu qu'il fit passer sur tous ces fronts écoutants :

IV

« J'ai ouï dire souvent à des moralistes, grands expérimentateurs de la vie, — dit le comte de Ravila, — que le plus fort de tous nos amours n'est ni le premier, ni le dernier, comme beaucoup le croient; c'est le second. Mais en fait d'amour, tout est vrai et tout est faux, et, du reste, cela n'aura pas été pour moi... Ce que vous me demandez, Mesdames, et ce que j'ai, ce soir, à vous raconter, remonte au plus bel instant de ma jeunesse. Je n'étais plus précisément ce qu'on appelle un jeune homme, mais j'étais un homme jeune, et, comme disait un vieil oncle à moi, chevalier de Malte, pour désigner cette époque de la vie, « j'avais fini mes caravanes ». En pleine force donc, je me trouvais en pleine *relation* aussi, comme on dit si joliment en Italie, avec une femme que vous connaissez toutes et que vous avez toutes admirée... »

Ici le regard que se jetèrent en même temps, chacune à toutes les autres, ce groupe de femmes qui aspiraient les paroles de ce vieux serpent, fut quelque chose qu'il faut avoir vu, car c'est inexprimable.

« Cette femme était bien, — continua Ravila, — tout ce que vous pouvez imaginer de plus distingué, dans tous les sens que l'on peut donner à ce mot. Elle était jeune, riche, d'un nom superbe, belle, spirituelle, d'une large intelligence d'artiste, et naturelle avec cela, comme on l'est dans votre monde, quand on l'est... D'ailleurs, n'ayant, dans ce monde-là, d'autre prétention que celle de me plaire et de se dévouer; que de me paraître la plus tendre des maîtresses et la meilleure des amies.

« Je n'étais pas, je crois, le premier homme qu'elle eût aimé... Elle avait déjà aimé une fois, et ce n'était pas son mari; mais ç'avait été vertueusement, platoniquement, utopiquement, de cet amour qui exerce le cœur plus qu'il ne le remplit; qui en prépare les

forces pour un autre amour qui doit toujours bientôt
le suivre; de cet amour d'essai, enfin, qui ressemble
à la messe blanche que disent les jeunes prêtres pour
s'exercer à dire, sans se tromper, la vraie messe, la
messe consacrée... Lorsque j'arrivai dans sa vie, elle
n'en était encore qu'à la messe blanche. C'est moi
qui fus la véritable messe, et elle la dit alors avec toutes
les cérémonies de la chose et somptueusement, comme
un cardinal. »

A ce mot-là, le plus joli rond de sourires tourna
sur ces douze délicieuses bouches attentives, comme
une ondulation circulaire sur la surface limpide d'un
lac... Ce fut rapide, mais ravissant!

« C'était vraiment un être à part! — reprit le comte.
— J'ai vu rarement plus de bonté vraie, plus de pitié,
plus de sentiments excellents, jusque dans la passion
qui, comme vous le savez, n'est pas toujours bonne.
Je n'ai jamais vu moins de manège, moins de pruderie
et de coquetterie, ces deux choses si souvent emmêlées
dans les femmes, comme un écheveau dans lequel la
griffe du chat aurait passé... Il n'y avait point de chat
en celle-ci... Elle était ce que ces diables de faiseurs
de livres, qui nous empoisonnent de leurs manières de
parler, appelleraient une nature primitive, parée par
la civilisation; mais elle n'en avait que les luxes charmants, et pas une seule de ces petites corruptions qui
nous paraissent encore plus charmantes que ces
luxes...

— Etait-elle brune ? — interrompit tout à coup et
à brûle-pourpoint la duchesse, impatientée de toute
cette métaphysique.

— Ah! vous n'y voyez pas assez clair! — dit Ravila
finement. — Oui, elle était brune, brune de cheveux
jusqu'au noir le plus jais, le plus miroir d'ébène que
j'aie jamais vu reluire sur la voluptueuse convexité
lustrée d'une tête de femme, mais elle était blonde de
teint, — et c'est au teint et non aux cheveux qu'il faut
juger si on est brune ou blonde, — ajouta le grand
observateur, qui n'avait pas étudié les femmes seulement pour en faire des portraits. — C'était une blonde
aux cheveux noirs... »

Toutes les têtes blondes de cette table, qui ne l'étaient, elles, que de cheveux, firent un mouvement imperceptible. Il était évident que pour elles l'intérêt de l'histoire diminuait déjà.

« Elle avait les cheveux de la Nuit, — reprit Ravila, — mais sur le visage de l'Aurore, car son visage resplendissait de cette fraîcheur incarnadine, éblouissante et rare, qui avait résisté à tout dans cette vie nocturne de Paris dont elle vivait depuis des années, et qui brûle tant de roses à la flamme de ses candélabres. Il semblait que les siennes s'y fussent seulement embrasées, tant sur ses joues et sur ses lèvres le carmin en était presque lumineux! Leur double éclat s'accordait bien, du reste, avec le rubis qu'elle portait habituellement sur le front, car, dans ce temps-là, on se coiffait en *ferronnière*, ce qui faisait dans son visage, avec ses deux yeux incendiaires dont la flamme empêchait de voir la couleur, comme un triangle de trois rubis! Elancée, mais robuste, majestueuse même, taillée pour être la femme d'un colonel de cuirassiers, — son mari n'était alors chef d'escadron que dans la cavalerie légère, — elle avait, toute grande dame qu'elle fût, la santé d'une paysanne qui boit du soleil par la peau, et elle avait aussi l'ardeur de ce soleil bu, autant dans l'âme que dans les veines, — oui, présente et toujours prête... Mais voici où l'étrange commençait! Cet être puissant et ingénu, cette nature purpurine et pure comme le sang qui arrosait ses belles joues et rosait ses bras, était... le croirez-vous ? maladroite aux caresses... »

Ici quelques yeux se baissèrent, mais se relevèrent, malicieux...

« Maladroite aux caresses comme elle était imprudente dans la vie, — continua Ravila, qui ne pesa pas plus que cela sur le renseignement. — Il fallait que l'homme qu'elle aimait lui enseignât incessamment deux choses qu'elle n'a jamais apprises, du reste... à ne pas se perdre vis-à-vis d'un monde toujours armé et toujours implacable, et à pratiquer dans l'intimité le grand art de l'amour, qui empêche l'amour de mourir. Elle avait cependant l'amour;

mais l'art de l'amour lui manquait... C'était le contraire
de tant de femmes qui n'en ont que l'art! Or, pour
comprendre et appliquer la politique du *Prince*, il
faut être déjà Borgia. Borgia précède Machiavel.
L'un est poète; l'autre, le critique. Elle n'était nullement Borgia. C'était une honnête femme amoureuse,
naïve, malgré sa colossale beauté, comme la petite
fille du dessus de porte, qui, ayant soif, veut prendre
dans sa main de l'eau de la fontaine, et qui, haletante, laisse tout tomber à travers ses doigts, et reste
confuse...

« C'était presque joli, du reste, que le contraste
de cette confusion et de cette gaucherie avec cette
grande femme passionnée, qui, à la voir dans le monde,
eût trompé tant d'observateurs, — qui avait tout de
l'amour, même le bonheur, mais qui n'avait pas la
puissance de le rendre comme on le lui donnait. Seulement je n'étais pas alors assez contemplateur pour
me contenter de ce *joli d'artiste*, et c'est même la
raison qui, à certains jours, la rendait inquiète, jalouse
et violente, — tout ce qu'on est quand on aime, et
elle aimait! — Mais, jalousie, inquiétude, violence,
tout cela mourait dans l'inépuisable bonté de son cœur,
au premier mal qu'elle voulait ou qu'elle croyait faire,
maladroite à la blessure comme à la caresse! Lionne,
d'une espèce inconnue, qui s'imaginait avoir des
griffes, et qui, quand elle voulait les allonger, n'en
trouvait jamais dans ses magnifiques pattes de velours.
C'est avec du velours qu'elle égratignait!

— Où va-t-il en venir? — dit la comtesse de Chiffrevas à sa voisine, — car, vraiment, ce ne peut pas
être là le plus bel amour de Don Juan! »

Toutes ces compliquées ne pouvaient croire à cette
simplicité!

« Nous vivions donc, — dit Ravila, — dans une
intimité qui avait parfois des orages, mais qui n'avait
pas de déchirements, et cette intimité n'était, dans cette
ville de province qu'on appelle Paris, un mystère
pour personne... La marquise... elle était marquise... »

Il y en avait trois à cette table, et brunes de cheveux
aussi. Mais elles ne cillèrent pas. Elles savaient trop

que ce n'était pas d'elles qu'il parlait... Le seul velours
qu'elles eussent, à toutes les trois, était sur la lèvre
supérieure de l'une d'elles, — lèvre voluptueusement
estompée, qui, pour le moment, je vous jure, exprimait
pas mal de dédain.

« ...Et marquise trois fois, comme les pachas
peuvent être pachas à trois queues! continua Ravila, à
qui la verve venait. La marquise était de ces femmes
qui ne savent rien cacher et qui, quand elles le vou-
draient, ne le pourraient pas. Sa fille même, une
enfant de treize ans, malgré son innocence, ne s'apercevait que trop du sentiment que sa mère avait pour
moi. Je ne sais quel poète a demandé ce que pensent
de nous les filles dont nous avons aimé les mères.
Question profonde! que je me suis souvent faite
quand je surprenais le regard d'espion, noir et mena-
çant, embusqué sur moi, du fond des grands yeux
sombres de cette fillette. Cette enfant, d'une réserve
farouche, qui le plus souvent quittait le salon quand
je venais et qui se mettait le plus loin possible de
moi quand elle était obligée d'y rester, avait pour ma
personne une horreur presque convulsive... qu'elle
cherchait à cacher en elle, mais qui, plus forte qu'elle,
la trahissait... Cela se révélait dans d'imperceptibles
détails, mais dont pas un ne m'échappait. La marquise, qui n'était pourtant pas une observatrice, me
disait sans cesse : « Il faut prendre garde, mon ami.
Je crois ma fille jalouse de vous... »

« J'y prenais garde beaucoup plus qu'elle.

« Cette petite aurait été le diable en personne, je
l'aurais bien défiée de lire dans mon jeu... Mais le jeu
de sa mère était transparent. Tout se voyait dans le
miroir pourpre de ce visage, si souvent troublé! A
l'espèce de haine de la fille, je ne pouvais m'empêcher
de penser qu'elle avait surpris le secret de sa mère à
quelque émotion exprimée, dans quelque regard trop
noyé, involontairement, de tendresse. C'était, si vous
voulez le savoir, une enfant chétive, parfaitement
indigne du moule splendide d'où elle était sortie, laide,
même de l'aveu de sa mère, qui ne l'en aimait que
davantage; une petite topaze brûlée... que vous

dirai-je ? une espèce de maquette en bronze, mais
avec des yeux noirs... Une magie! Et qui, depuis... »

Il s'arrêta après cet éclair... comme s'il avait voulu
l'éteindre et qu'il en eût trop dit... L'intérêt était
revenu général, perceptible, tendu, à toutes les physionomies, et la comtesse avait dit même entre ses belles
dents le mot de l'impatience éclairée : « Enfin! »

V

« Dans les commencements de ma liaison avec sa
mère, — reprit le comte de Ravila, — j'avais eu avec
cette petite fille toutes les familiarités caressantes
qu'on a avec tous les enfants... Je lui apportais des
sacs de dragées. Je l'appelais « petite masque », et
très souvent, en causant avec sa mère, je m'amusais
à lui lisser son bandeau sur la tempe, — un bandeau
de cheveux malades, noirs, avec des reflets d'amadou,
— mais « la petite masque », dont la grande bouche
avait un joli sourire pour tout le monde, recueillait,
repliait son sourire pour moi, fronçait âprement ses
sourcils, et, à force de se crisper, devenait d'une
« petite masque » un vrai masque ridé de cariatide
humiliée, qui semblait, quand ma main passait sur
son front, porter le poids d'un entablement sous ma
main.

« Aussi bien, en voyant cette maussaderie toujours
retrouvée à la même place et qui semblait une hosti-
lité, j'avais fini par laisser là cette sensitive, couleur
de souci, qui se rétractait si violemment au contact
de la moindre caresse... et je ne lui parlais même plus!
« Elle sent bien que vous la volez, — me disait la
marquise. — Son instinct lui dit que vous lui prenez
une portion de l'amour de sa mère. » Et quelquefois,
elle ajoutait dans sa droiture : « C'est ma conscience
que cette enfant, et mon remords, sa jalousie. »

« Un jour, ayant voulu l'interroger sur cet éloigne-

ment profond qu'elle avait pour moi, la marquise
n'en avait obtenu que ces réponses brisées, têtues,
stupides, qu'il faut tirer, avec un tire-bouchon d'inter-
rogations répétées, de tous les enfants qui ne veulent
rien dire... « Je n'ai rien... je ne sais pas », et voyant
la dureté de ce petit bronze, elle avait cessé de lui faire
des questions, et, de lassitude, elle s'était détournée...

« J'ai oublié de vous dire que cette enfant bizarre
était très dévote, d'une dévotion sombre, espagnole,
moyen âge, superstitieuse. Elle tordait autour de son
maigre corps toutes sortes de scapulaires et se plaquait
sur sa poitrine, unie comme le dos de la main, et autour
de son cou bistré, des tas de croix, de bonnes Vierges
et de Saint-Esprits! « Vous êtes malheureusement un
impie, — me disait la marquise. — Un jour, en causant,
vous l'aurez peut-être scandalisée. Faites attention à
tout ce que vous dites devant elle, je vous en supplie.
N'aggravez pas mes torts aux yeux de cet enfant
envers qui je me sens déjà si coupable! » Puis, comme
la conduite de cette petite ne changeait point, ne se
modifiait point : « Vous finirez par la haïr, — ajoutait
la marquise inquiète, — et je ne pourrai pas vous en
vouloir. » Mais elle se trompait : je n'étais qu'indifférent pour cette maussade fillette, quand elle ne m'impatientait pas.

« J'avais mis entre nous la politesse qu'on a entre
grandes personnes, et entre grandes personnes qui ne
s'aiment point. Je la traitais avec cérémonie, l'appelant gros comme le bras : « Mademoiselle », et elle
me renvoyait un « Monsieur » glacial. Elle ne voulait
rien faire devant moi qui pût la mettre, je ne dis pas
en valeur, mais seulement en dehors d'elle-même...
Jamais sa mère ne put la décider à me montrer un
de ses dessins, ni à jouer devant moi un air de piano.
Quand je l'y surprenais, étudiant avec beaucoup
d'ardeur et d'attention, elle s'arrêtait court, se levait
du tabouret et ne jouait plus...

« Une seule fois, sa mère l'exigeant (il y avait du
monde), elle se plaça devant l'instrument ouvert avec
un de ces airs *victime* qui, je vous assure, n'avait rien
de doux, et elle commença je ne sais quelle partition

avec des doigts abominablement contrariés. J'étais
debout à la cheminée, et je la regardais obliquement.
Elle avait le dos tourné de mon côté, et il n'y avait
pas de glace devant elle dans laquelle elle pût voir que
je la regardais... Tout à coup son dos (elle se tenait
habituellement mal, et sa mère lui disait souvent :
« Si tu te tiens toujours ainsi, tu finiras par te donner
une maladie de poitrine »), tout à coup son dos se
redressa, comme si je lui avais cassé l'épine dorsale
avec mon regard comme avec une balle; et abattant
violemment le couvercle du piano, qui fit un bruit
effroyable en tombant, elle se sauva du salon... On
alla la chercher; mais ce soir-là, on ne put jamais l'y
faire revenir.

« Eh bien, il paraît que les hommes les plus fats
ne le sont jamais assez, car la conduite de cette téné-
breuse enfant, qui m'intéressait si peu, ne me donna
rien à penser sur le sentiment qu'elle avait pour moi.
Sa mère, non plus. Sa mère, qui était jalouse de toutes
les femmes de son salon, ne fut pas plus jalouse que
je n'étais fat avec cette petite fille, qui finit par se
révéler dans un de ces faits que la marquise, l'expansion même dans l'intimité, pâle encore de la terreur
qu'elle avait ressentie, et riant aux éclats de l'avoir
éprouvée, eut l'imprudence de me raconter. »

Il avait souligné, par inflexion, le mot d'*imprudence*
comme eût fait le plus habile acteur et en homme qui
savait que tout l'intérêt de son histoire ne tenait plus
qu'au fil de ce mot-là !

Mais cela suffisait apparemment, car ces douze beaux
visages de femmes s'étaient renflammés d'un sentiment aussi intense que les visages des Chérubins
devant le trône de Dieu. Est-ce que le sentiment de
la curiosité chez les femmes n'est pas aussi intense
que le sentiment de l'adoration chez les Anges ?...
Lui, les regarda tous, ces visages de Chérubins qui
ne finissaient pas aux épaules, et les trouvant à point,
sans doute, pour ce qu'il avait à leur dire, il reprit
vite et ne s'arrêta plus :

« Oui, elle riait aux éclats, la marquise, rien que
d'y penser ! — me dit-elle à quelque temps de là, lors-

qu'elle me rapporta la chose; mais elle n'avait pas toujours ri! — « Figurez-vous, — me conta-t-elle (je tâcherai de me rappeler ses propres paroles), — que j'étais assise là où nous sommes maintenant. »

« — (C'était sur une de ces causeuses qu'on appelait des *dos-à-dos*, le meuble le mieux inventé pour se bouder et se raccommoder sans changer de place.) —

« Mais vous n'étiez pas où vous voilà, heureusement! quand on m'annonça... devinez qui?... vous ne le devineriez jamais... M. le curé de Saint-Germain-des-Prés. Le connaissez-vous?... Non! Vous n'allez jamais à la messe, ce qui est très mal... Comment pourriez-vous donc connaître ce pauvre vieux curé qui est un saint, et qui ne met le pied chez aucune femme de sa paroisse, sinon quand il s'agit d'une quête pour ses pauvres ou pour son église? Je crus tout d'abord que c'était pour cela qu'il venait.

« Il avait dans le temps fait faire sa première communion à ma fille, et elle, qui communiait souvent, l'avait gardé pour confesseur. Pour cette raison, bien des fois, depuis ce temps-là, je l'avais invité à dîner, mais en vain. Quand il entra, il était extrêmement troublé, et je vis sur ses traits, d'ordinaire si placides, un embarras si peu dissimulé et si grand, qu'il me fut impossible de le mettre sur le compte de la timidité toute seule, et que je ne pus m'empêcher de lui dire pour première parole : Eh! mon Dieu! qu'y a-t-il, monsieur le curé?

« — Il y a, — me dit-il, — Madame, que vous voyez l'homme le plus embarrassé qu'il y ait au monde. Voilà plus de cinquante ans que je suis dans le saint ministère, et je n'ai jamais été chargé d'une commission plus délicate et que je comprisse moins que celle que j'ai à vous faire... » —

« Et il s'assit, me demanda de faire fermer ma porte tout le temps de notre entretien. Vous sentez bien que toutes ces solennités m'effrayaient un peu... Il s'en aperçut.

« — Ne vous effrayez pas à ce point, Madame, — reprit-il; — vous avez besoin de tout votre sang-froid pour m'écouter et pour me faire comprendre,

à moi, la chose inouïe dont il s'agit, et qu'en vérité
je ne puis admettre... Mademoiselle votre fille, de la
part de qui je viens, est, vous le savez comme moi,
un ange de pureté et de piété. Je connais son âme.
Je la tiens dans mes mains depuis son âge de sept ans,
et je suis persuadé qu'elle se trompe... à force d'innocence peut-être... Mais, ce matin, elle est venue me
déclarer en confession qu'elle était, vous ne le croirez
pas, Madame, ni moi non plus, mais il faut bien dire
le mot... enceinte! » —

« Je poussai un cri...

« — J'en ai poussé un comme vous dans mon
confessionnal, ce matin, reprit le curé, à cette déclaration faite par elle avec toutes les marques du désespoir le plus sincère et le plus affreux! Je sais à fond
cette enfant. Elle ignore tout de la vie et du péché...
C'est certainement de toutes les jeunes filles que je
confesse celle dont je répondrais le plus devant Dieu.
Voilà tout ce que je puis vous dire! Nous sommes,
nous autres prêtres, les chirurgiens des âmes, et il
nous faut les accoucher des hontes qu'elles dissimulent,
avec des mains qui ne les blessent ni ne les tachent.
Je l'ai donc, avec toutes les précautions possibles,
interrogée, questionnée, pressée de questions, cette
enfant au désespoir, mais qui, une fois la chose dite,
la faute avouée, qu'elle appelle un crime et sa dam-
nation éternelle, car elle se croit damnée, la pauvre
fille! ne m'a plus répondu et s'est obstinément ren-
fermée dans un silence qu'elle n'a rompu que pour
me supplier de venir vous trouver, Madame, et de
vous apprendre son crime, — car il faut bien que
maman le sache, — a-t-elle dit, — et jamais je n'aurai
la force de le lui avouer! » —

« J'écoutais le curé de Saint-Germain-des-Prés. Vous
vous doutez bien avec quel mélange de stupéfaction
et d'anxiété! Comme lui et encore plus que lui, je
croyais être sûre de l'innocence de ma fille; mais les
innocents tombent souvent, même par innocence... Et
ce qu'elle avait dit à son confesseur n'était pas impossible... Je n'y croyais pas... Je ne voulais pas y croire;
mais cependant ce n'était pas impossible!... Elle

n'avait que treize ans, mais elle était une femme, et cette précocité même m'avait effrayée... Une fièvre, un transport de curiosité me saisit.

« — Je veux et je vais tout savoir! — dis-je à ce bonhomme de prêtre, ahuri devant moi et qui, en m'écoutant, débordait d'embarras son chapeau. — Laissez-moi, monsieur le curé. Elle ne parlerait pas devant vous. Mais je suis sûre qu'elle me dira tout... que je lui arracherai tout, et que nous comprendrons alors ce qui est maintenant incompréhensible! » —

« Et le prêtre s'en alla là-dessus, — et dès qu'il fut parti, je montai chez ma fille, n'ayant pas la patience de la faire demander et de l'attendre.

« Je la trouvai devant le crucifix de son lit, pas agenouillée, mais prosternée, pâle comme une morte, les yeux secs, mais très rouges, comme des yeux qui ont beaucoup pleuré. Je la pris dans mes bras, l'assis près de moi, puis sur mes genoux, et je lui dis que je ne pouvais pas croire ce que venait de m'apprendre son confesseur.

« Mais elle m'interrompit pour m'assurer avec des navrements de voix et de physionomie que c'était vrai, ce qu'il avait dit, et c'est alors que, de plus en plus inquiète et étonnée, je lui demandai le nom de celui qui...

« Je n'achevai pas... Ah! ce fut le moment terrible! Elle se cacha la tête et le visage sur mon épaule... mais je voyais le ton de feu de son cou, par derrière, et je la sentais frissonner. Le silence qu'elle avait opposé à son confesseur, elle me l'opposa. C'était un mur.

« — Il faut que ce soit quelqu'un bien au-dessous de toi, puisque tu as tant de honte ?... » — lui dis-je, pour la faire parler en la révoltant, car je la savais orgueilleuse.

« Mais c'était toujours le même silence, le même engloutissement de sa tête sur mon épaule. Cela dura un temps qui me parut infini, quand tout à coup elle me dit sans se soulever : « Jure-moi que tu me pardonneras, maman. »

« Je lui jurai tout ce qu'elle voulut, au risque d'être

cent fois parjure, je m'en souciais bien! Je m'impa-
tientais. Je bouillais... Il me semblait que mon front
allait éclater et laisser échapper ma cervelle...

« — Eh bien! c'est M. de Ravila », fit-elle d'une
voix basse; et elle resta comme elle était dans mes
bras.

« Ah! l'effet de ce nom, Amédée! Je recevais d'un
seul coup, en plein cœur, la punition de la grande
faute de ma vie! Vous êtes, en fait de femmes, un
homme si terrible, vous m'avez fait craindre de telles
rivalités, que l'horrible « pourquoi pas ? » dit à propos
de l'homme qu'on aime et dont on doute, se leva
en moi... Ce que j'éprouvais, j'eus la force de le cacher
à cette cruelle enfant, qui avait peut-être deviné
l'amour de sa mère.

« — M. de Ravila! — fis-je, avec une voix qui me
semblait dire tout, — mais tu ne lui parles jamais ? »
— Tu le fuis, — j'allais ajouter, car la colère commençait; je la sentais venir... Vous êtes donc bien faux
tous les deux ? — Mais je réprimai cela... Ne fallait-il
pas que je susse les détails, un par un, de cette horrible
séduction ?... Et je les lui demandai avec une douceur
dont je crus mourir, quand elle m'ôta de cet étau,
de ce supplice, en me disant naïvement :

« — Mère, c'était un soir. Il était dans le grand
fauteuil qui est au coin de la cheminée, en face de la
causeuse. Il y resta longtemps, puis il se leva, et moi
j'eus le malheur d'aller m'asseoir après lui dans ce
fauteuil qu'il avait quitté. Oh! maman!... c'est comme
si j'étais tombée dans du feu. Je voulais me lever, je
ne pus pas... le cœur me manqua! et je sentis... tiens!
là, maman... que ce que j'avais... c'était un enfant!... »

La marquise avait ri, dit Ravila, quand elle lui
avait raconté cette histoire; mais aucune des douze
femmes qui étaient autour de cette table ne songea
à rire, — ni Ravila non plus.

— Et voilà, Mesdames, croyez-le, si vous voulez,
— ajouta-t-il en forme de conclusion, — le plus bel
amour que j'aie inspiré de ma vie!

Et il se tut, elles aussi. Elles étaient pensives...
L'avaient-elles compris ?

Lorsque Joseph était esclave chez Mme Putiphar, il était si beau, dit le Koran, que, de rêverie, les femmes qu'il servait à table se coupaient les doigts avec leurs couteaux, en le regardant. Mais nous ne sommes plus au temps de Joseph, et les préoccupations qu'on a au dessert sont moins fortes.

— Quelle grande bête, avec tout son esprit, que votre marquise, pour vous avoir dit pareille chose! — fit la duchesse, qui se permit d'être cynique, mais qui ne se coupa rien du tout avec le couteau d'or qu'elle tenait toujours à la main.

La comtesse de Chiffrevas regardait attentivement dans le fond d'un verre de vin du Rhin, en cristal émeraude, mystérieux comme sa pensée.

— Et la petite masque? — demanda-t-elle.

— Oh, elle était morte, bien jeune et mariée en province, quand sa mère me raconta cette histoire, répondit Ravila.

— Sans cela!... fit la duchesse songeuse.

LE BONHEUR
DANS LE CRIME

Dans ce temps délicieux, quand
on raconte une histoire vraie, c'est
à croire que le Diable a dicté...

J'étais un des matins de l'automne dernier à me
promener au Jardin des Plantes, en compagnie du doc--
teur Torty, certainement une de mes plus vieilles
connaissances. Lorsque je n'étais qu'un enfant, le
docteur Torty exerçait la médecine dans la ville de V...;
mais après environ trente ans de cet agréable exercice, et *ses* malades étant morts, — ses *fermiers* comme
il les appelait, lesquels lui avaient rapporté plus que
bien des fermiers ne rapportent à leurs maîtres, sur
les meilleures terres de Normandie, — il n'en avait
pas repris d'autres; et déjà sur l'âge et fou d'indépendance, comme un animal qui a toujours marché
sur son bridon et qui finit par le casser, il était venu
s'engloutir dans Paris, — là même, dans le voisinage
du Jardin des Plantes, rue Cuvier, je crois, — ne faisant plus la médecine que pour son plaisir personnel,
qui, d'ailleurs, était grand à en faire, car il était médecin dans le sang et jusqu'aux ongles, et fort médecin,
et grand observateur, en plus, de bien d'autres cas que
de cas simplement physiologiques et pathologiques...
L'avez-vous quelquefois rencontré, le docteur Torty ?
C'était un de ces esprits hardis et vigoureux qui ne
chaussent point de mitaines, par la très bonne et prover-
biale raison que : « chat ganté ne prend pas de souris »,
et qu'il en avait immensément pris, et qu'il en voulait

toujours prendre, ce matois de fine et forte race; espèce d'homme qui me plaisait beaucoup à moi, et je crois bien (je me connais!) par les côtés surtout qui déplaisaient le plus aux autres. En effet, il déplaisait assez généralement quand on se portait bien, ce brusque original de docteur Torty; mais ceux à qui il déplaisait le plus, une fois malades, lui faisaient des salamalecs, comme les sauvages en faisaient au fusil de Robinson qui pouvait les tuer, non pour les mêmes raisons que les sauvages, mais spécialement pour les raisons contraires : il pouvait les sauver! Sans cette considération prépondérante, le docteur n'aurait jamais gagné vingt mille livres de rente dans une petite ville aristocratique, dévote et bégueule, qui l'aurait parfaitement mis à la porte cochère de ses hôtels, si elle n'avait écouté que ses opinions et ses antipathies. Il s'en rendait compte, du reste, avec beaucoup de sang-froid, et il en plaisantait. « Il fallait, — disait-il railleusement pendant le bail de trente ans qu'il avait fait à V..., — qu'ils choisissent entre moi et l'Extrême-Onction, et, tout dévots qu'ils étaient, ils me prenaient encore de préférence aux Saintes Huiles. » Comme vous voyez, il ne se gênait pas, le docteur. Il avait la plaisanterie légèrement sacrilège. Franc disciple de Cabanis en philosophie médicale, il était, comme son vieux camarade Chaussier, de l'école de ces médecins terribles par un matérialisme absolu, et comme Dubois — le premier des Dubois — par un cynisme qui descend toutes choses et tutoierait des duchesses et des dames d'honneur d'impératrice et les appellerait « mes petites mères », ni plus ni moins que des marchandes de poisson. Pour vous donner une simple idée du cynisme du docteur Torty, c'est lui qui me disait un soir, au cercle des Ganaches, en embrassant somptueusement d'un regard de propriétaire le quadrilatère éblouissant de la table ornée de cent vingt convives : « C'est moi qui les fais tous!... » Moïse n'eût pas été plus fier, en montrant la baguette avec laquelle il changeait des rochers en fontaines. Que voulez-vous, Madame ? Il n'avait pas la bosse du respect, et même il prétendait que là où elle est sur le crâne des autres hommes, il y avait un trou sur le sien. Vieux, ayant passé la soixante-dizaine, mais carré, robuste et noueux comme son nom, d'un visage sardonique et, sous sa perruque châtain clair, très lisse, très lustrée et à cheveux très courts, d'un œil pénétrant, vierge de lunettes, vêtu presque toujours en habit gris ou de ce brun qu'on appela longtemps *fumée de Moscou*, il ne ressemblait ni de tenue ni d'allure à messieurs les médecins de Paris, corrects, cravatés de blanc, comme du suaire de leurs morts! C'était un autre homme. Il avait, avec ses gants de daim, ses bottes à forte semelle et à gros talons qu'il faisait retentir sous son pas très ferme, quelque chose d'alerte et de cavalier, et cavalier est bien le mot, car il était resté (combien d'années sur trente!), le *charivari* boutonné sur la cuisse, et à cheval, dans des chemins à casser en deux des Centaures, — et on devinait bien tout cela à la manière dont il cambrait encore son large buste, vissé sur des reins qui n'avaient pas bougé, et qui se balançait sur de fortes jambes sans rhumatismes, arquées comme celles d'un ancien postillon. Le docteur Torty avait été une espèce de Bas-de-Cuir équestre, qui avait vécu dans les fondrières du Cotentin, comme le Bas-de-Cuir de Cooper dans les forêts de l'Amérique. Naturaliste qui se moquait, comme le héros de Cooper, des lois sociales, mais qui, comme l'homme de Fenimore, ne les avait pas remplacées par l'idée de Dieu, il était devenu un de ces impitoyables observateurs qui ne peuvent pas ne point être des misanthropes. C'est fatal. Aussi l'était-il. Seulement il avait eu le temps, pendant qu'il faisait boire la boue des mauvais chemins au ventre sanglé de son cheval, de se blaser sur les autres fanges de la vie. Ce n'était nullement un misanthrope à l'Alceste. Il ne s'indignait pas vertueusement. Il ne s'encolérait pas. Non! il méprisait l'homme aussi tranquillement qu'il prenait sa prise de tabac, et même il avait autant de plaisir à le mépriser qu'à la prendre.

Tel exactement il était, ce docteur Torty, avec lequel je me promenais.

Il faisait, ce jour-là, un de ces temps d'automne, gais et clairs, à arrêter les hirondelles qui vont partir.

Midi sonnait à Notre-Dame, et son grave bourdon
semblait verser, par-dessus la rivière verte et moirée
aux piles des ponts, et jusque par-dessus nos têtes,
tant l'air ébranlé était pur! de longs frémissements
lumineux. Le feuillage roux des arbres du jardin s'était,
par degrés, essuyé du brouillard bleu qui les noie en
ces vaporeuses matinées d'octobre, et un joli soleil
d'arrière-saison nous chauffait agréablement le dos,
dans sa ouate d'or, au docteur et à moi, pendant que
nous étions arrêtés, à regarder la fameuse panthère
noire, qui est morte, l'hiver d'après, comme une
jeune fille, de la poitrine. Il y avait çà et là, autour de
nous, le public ordinaire du Jardin des Plantes, ce
public spécial de gens du peuple, de soldats et de
bonnes d'enfants, qui aiment à badauder devant la
grille des cages et qui s'amusent beaucoup à jeter des
coquilles de noix et des pelures de marrons aux bêtes
engourdies ou dormant derrière leurs barreaux. La
panthère devant laquelle nous étions, en rôdant,
arrivés, était, si vous vous en souvenez, de cette espèce
particulière à l'île de Java, le pays du monde où la
nature est le plus intense et semble elle-même quelque
grande tigresse, inapprivoisable à l'homme, qui le
fascine et qui le mord dans toutes les productions de
son sol terrible et splendide. A Java, les fleurs ont plus
d'éclat et plus de parfum, les fruits plus de goût, les
animaux plus de beauté et plus de force que dans
aucun autre pays de la terre, et rien ne peut donner une
idée de cette violence de vie à qui n'a pas reçu les
poignantes et mortelles sensations d'une contrée tout
à la fois enchantante et empoisonnante, tout ensemble
Armide et Locuste! Etalée nonchalamment sur ses
élégantes pattes allongées devant elle, la tête droite,
ses yeux d'émeraude immobiles, la panthère était un
magnifique échantillon des redoutables productions de
son pays. Nulle tache fauve n'étoilait sa fourrure de
velours noir, d'un noir si profond et si mat que la
lumière, en y glissant, ne la lustrait même pas, mais
s'y absorbait, comme l'eau s'absorbe dans l'éponge
qui la boit... Quand on se retournait de cette forme
idéale de beauté souple, de force terrible au repos, de

dédain impassible et royal, vers les créatures humaines qui la regardaient timidement, qui la contemplaient, yeux ronds et bouche béante, ce n'était pas l'humanité qui avait le beau rôle, c'était la bête. Et elle était si supérieure, que c'en était presque humiliant! J'en faisais la réflexion tout bas au docteur, quand deux personnes scindèrent tout à coup le groupe amoncelé devant la panthère et se plantèrent justement en face d'elle : « Oui, — me répondit le docteur, — mais voyez maintenant! Voici l'équilibre rétabli entre les espèces! »

C'étaient un homme et une femme, tous deux de haute taille, et qui, dès le premier regard que je leur jetai, me firent l'effet d'appartenir aux rangs élevés du monde parisien. Ils n'étaient jeunes ni l'un ni l'autre, mais néanmoins parfaitement beaux. L'homme devait s'en aller vers quarante-sept ans et davantage, et la femme vers quarante et plus... Ils avaient donc, comme disent les marins revenus de la Terre de Feu, *passé la ligne*, la ligne fatale, plus formidable que celle de l'équateur, qu'une fois passée on ne repasse plus sur les mers de la vie! Mais ils paraissaient peu se soucier de cette circonstance. Ils n'avaient au front, ni nulle part, de mélancolie... L'homme, élancé et aussi patricien dans sa redingote noire strictement boutonnée, comme celle d'un officier de cavalerie, que s'il avait porté un de ces costumes que le Titien donne à ses portraits, ressemblait par sa tournure busquée, son air efféminé et hautain, ses moustaches aiguës comme celles d'un chat et qui à la pointe commençaient à blanchir, à un mignon du temps de Henri III; et pour que la ressemblance fût plus complète, il portait des cheveux courts, qui n'empêchaient nullement de voir briller à ses oreilles deux saphirs d'un bleu sombre, qui me rappelèrent les deux émeraudes que Sbogar portait à la même place... Excepté ce détail *ridicule* (comme aurait dit le monde) et qui montrait assez de dédain pour les goûts et les idées du jour, tout était simple et *dandy* comme l'entendait Brummell, c'est-à-dire *irrémarquable*, dans la tenue de cet homme qui n'attirait l'attention que par lui-même, et qui l'aurait confisquée tout entière, s'il n'avait pas eu au bras la

femme, qu'en ce moment, il y avait... Cette femme, en
effet, prenait encore plus le regard que l'homme qui
l'accompagnait, et elle le captivait plus longtemps.
Elle était grande comme lui. Sa tête atteignait presque
à la sienne. Et, comme elle était aussi tout en noir,
elle faisait penser à la grande Isis noire du Musée
Egyptien, par l'ampleur de ses formes, la fierté mystérieuse et la force. Chose étrange! dans le rapprochement de ce beau couple, c'était la femme qui avait les
muscles, et l'homme qui avait les nerfs... Je ne la
voyais alors que de profil; mais, le profil, c'est l'écueil
de la beauté ou son attestation la plus éclatante.
Jamais, je crois, je n'en avais vu de plus pur et de plus
altier. Quant à ses yeux, je n'en pouvais juger, fixés
qu'ils étaient sur la panthère, laquelle, sans doute, en
recevait une impression magnétique et désagréable,
car, immobile déjà, elle sembla s'enfoncer de plus en
plus dans cette immobilité rigide, à mesure que la
femme, venue pour la voir, la regardait; et — comme
les chats à la lumière qui les éblouit — sans que sa tête
bougeât d'une ligne, sans que la fine extrémité de sa
moustache, seulement, frémît, la panthère, après avoir
clignoté quelque temps, et comme n'en pouvant pas
supporter davantage, rentra lentement, sous les cou-
lisses tirées de ses paupières, les deux étoiles vertes de
ses regards. Elle se claquemurait.

— Eh! eh! panthère contre panthère! — fit le docteur à mon oreille; — mais le satin est plus fort que
le velours.

Le satin, c'était la femme, qui avait une robe de
cette étoffe miroitante — une robe à longue traîne.
Et il avait vu juste, le docteur! Noire, souple, d'arti-
culation aussi puissante, aussi royale d'attitude, —
dans son espèce, d'une beauté égale, et d'un charme
encore plus inquiétant, — la femme, l'inconnue, était
comme une panthère humaine, dressée devant la
panthère animale qu'elle éclipsait; et la bête venait
de le sentir, sans doute, quand elle avait fermé les
yeux. Mais la femme — si c'en était un — ne se
contenta pas de ce triomphe. Elle manqua de générosité. Elle voulut que sa rivale la vît qui l'humiliait,

et rouvrît les yeux pour la voir. Aussi, défaisant sans mot dire les douze boutons du gant violet qui moulait son magnifique avant-bras, elle ôta ce gant, et, passant audacieusement sa main entre les barreaux de la cage, elle en fouetta le museau court de la panthère, qui ne fit qu'un mouvement... mais quel mouvement!... et d'un coup de dents, rapide comme l'éclair!... Un cri partit du groupe où nous étions. Nous avions cru le poignet emporté : Ce n'était que le gant. La panthère l'avait englouti. La formidable bête outragée avait rouvert des yeux affreusement dilatés, et ses naseaux froncés vibraient encore...

— Folle! — dit l'homme, en saisissant ce beau poignet, qui venait d'échapper à la plus coupante des morsures.

Vous savez comme parfois on dit : « Folle!... » Il le dit ainsi; et il le baisa, ce poignet, avec emportement.

Et, comme il était de notre côté, elle se retourna de trois quarts pour le regarder baisant son poignet nu, et je vis ses yeux, à elle... ces yeux qui fascinaient des tigres, et qui étaient à présent fascinés par un homme; ses yeux, deux larges diamants noirs, taillés pour toutes les fiertés de la vie, et qui n'exprimaient plus en le regardant que toutes les adorations de l'amour!

Ces yeux-là étaient et disaient tout un poème. L'homme n'avait pas lâché le bras, qui avait dû sentir l'haleine fiévreuse de la panthère, et, le tenant replié sur son cœur, il entraîna la femme dans la grande allée du jardin, indifférent aux murmures et aux exclamations du groupe populaire, — encore ému du danger que l'imprudente venait de courir, — et qu'il retraversa tranquillement. Ils passèrent auprès de nous, le docteur et moi, mais leurs visages tournés l'un vers l'autre, se serrant flanc contre flanc, comme s'ils avaient voulu se pénétrer, entrer, lui dans elle, elle dans lui, et ne faire qu'un seul corps à eux deux, en ne regardant rien qu'eux-mêmes. C'étaient, aurait-on cru à les voir ainsi passer, des créatures supérieures, qui n'apercevaient pas même à leurs orteils la terre sur laquelle ils marchaient, et qui traversaient le monde dans leur nuage, comme, dans Homère, les Immortels!

De telles choses sont rares à Paris, et, pour cette

raison, nous restâmes à le voir filer, ce maître-couple,
— la femme étalant sa traîne noire dans la poussière
du jardin, comme un paon, dédaigneux jusque de son
plumage.

Ils étaient superbes, en s'éloignant ainsi, sous les
rayons du soleil de midi, dans la majesté de leur
entrelacement, ces deux êtres... Et voilà comme ils
regagnèrent l'entrée de la grille du jardin et remon-
tèrent dans un coupé, étincelant de cuivres et d'attelage, qui les attendait.

— Ils oublient l'univers! — fis-je au docteur, qui
comprit ma pensée.

— Ah! ils s'en soucient bien de l'univers! —
répondit-il, de sa voix mordante. — Ils ne voient
rien du tout dans la création, et, ce qui est bien plus
fort, ils passent même auprès de leur médecin sans
le voir.

— Quoi, c'est vous, docteur! — m'écriai-je, —
mais alors vous allez me dire ce qu'ils sont, mon
cher docteur.

Le docteur fit ce qu'on appelle un temps, voulant
faire un effet, car en tout il était rusé, le compère!

— Eh bien, c'est Philémon et Baucis, — me dit-il
simplement. — Voilà!

— Peste! — fis-je, — un Philémon et une Baucis
d'une fière tournure et ressemblant peu à l'antique.
Mais, docteur, ce n'est pas leur nom... Comment les
appelez-vous ?

— Comment! — répondit le docteur, — dans
votre monde, où je ne vais point, vous n'avez jamais
entendu pàrler du comte et de la comtesse Serlon de
Savigny comme d'un modèle fabuleux d'amour
conjugal ?

— Ma foi, non, — dis-je; — on parle peu d'amour
conjugal dans le monde où je vais, docteur.

— Hum! hum! c'est bien possible, — fit le docteur,
répondant bien plus à sa pensée qu'à la mienne. —
Dans ce monde-là, qui est aussi le leur, on se passe
beaucoup de choses plus ou moins correctes. Mais,
outre qu'ils ont une raison pour ne pas y aller, et qu'ils
habitent presque toute l'année leur vieux château de

Savigny, dans le Cotentin, il a couru autrefois de tels bruits sur eux, qu'au faubourg Saint-Germain, où l'on a encore un reste de solidarité nobiliaire, on aime mieux se taire que d'en parler.

— Et quels étaient ces bruits ?... Ah! voilà que vous m'intéressez, docteur! Vous devez en savoir quelque chose. Le château de Savigny n'est pas très loin de la ville de V..., où vous avez été médecin.

— Eh! ces bruits... — dit le docteur (il prit pensivement une prise de tabac). — Enfin, on les a crus faux! Tout ça est passé... Mais, malgré tout, quoique les mariages d'inclination et les bonheurs qu'ils donnent soient en province l'idéal de toutes les mères de famille, romanesques et vertueuses, elles n'ont pas pu beaucoup, — celles que j'ai connues, — parler à mesdemoiselles leurs filles de celui-là!

— Et, cependant, Philémon et Baucis, disiez-vous, docteur ?...

— Baucis! Baucis! Hum! Monsieur... — interrompit le docteur Torty, en passant brusquement son index en crochet sur toute la longueur de son nez de perroquet (un de ses gestes), — ne trouvez-vous pas, voyons, qu'elle a moins l'air d'une Baucis que d'une lady Macbeth, cette gaillarde-là ?...

— Docteur, mon cher et adorable docteur, — repris-je, avec toutes sortes de câlineries dans la voix, — vous allez me dire tout ce que vous savez du comte et de la comtesse de Savigny ?...

— Le médecin est le confesseur des temps modernes, — fit le docteur, avec un ton solennellement goguenard. — Il a remplacé le prêtre, monsieur, et il est obligé au secret de la confession comme le prêtre...

Il me regarda malicieusement, car il connaissait mon respect et mon amour pour les choses du catholicisme, dont il était l'ennemi. Il cligna l'œil. Il me crut attrapé.

— Et il va le tenir... comme le prêtre! — ajouta-t-il, avec éclat, et en riant de son rire le plus cynique. — Venez par ici. Nous allons causer.

Et il m'emmena dans la grande allée d'arbres qui borde, par ce côté, le Jardin des Plantes et le boule-

vard de l'Hôpital... Là, nous nous assîmes sur un banc
à dossier vert, et il commença :

« Mon cher, c'est là une histoire qu'il faut aller
chercher déjà loin, comme une balle perdue sous des
chairs revenues; car l'oubli, c'est comme une chair
de choses vivantes qui se reforme par-dessus les événements et qui empêche d'en voir rien, d'en soupçonner rien au bout d'un certain temps, même la
place. C'était dans les premières années qui suivirent
la Restauration. Un régiment de la Garde passa par
la ville de V...; et, ayant été obligés d'y rester deux jours
pour je ne sais quelle raison militaire, les officiers de
ce régiment s'avisèrent de donner un assaut d'armes,
en l'honneur de la ville. La ville, en effet, avait bien
tout ce qu'il fallait pour que ces officiers de la Garde
lui fissent honneur et fête. Elle était, comme on
disait alors, — plus royaliste que le Roi. Proportion
gardée avec sa dimension (ce n'est guère qu'une ville
de cinq à six mille âmes), elle foisonnait de noblesse.
Plus de trente jeunes gens de ses meilleures familles
servaient alors, soit aux Gardes-du-Corps, soit à ceux
de Monsieur, et les officiers du régiment en passage
à V... les connaissaient presque tous. Mais, la princi-
pale raison qui décida de cette martiale fête d'un
assaut, fut la réputation d'une ville qui s'était appelée
« *la bretteuse* » et qui était encore, dans ce moment-là,
la ville la plus bretteuse de France. La Révolution
de 1789 avait eu beau enlever aux nobles le droit de
porter l'épée, à V... ils prouvaient que s'ils ne la portaient plus, ils pouvaient toujours s'en servir. L'assaut
donné par les officiers fut très brillant. On y vit accourir
toutes les fortes lames du pays, et même tous les
amateurs, plus jeunes d'une génération, qui n'avaient
pas cultivé, comme on le cultivait autrefois, un art
aussi compliqué et aussi difficile que l'escrime; et tous
montrèrent un tel enthousiasme pour ce maniement de
l'épée, la gloire de nos pères, qu'un ancien prévôt du
régiment, qui avait fait trois ou quatre fois son temps
et dont le bras était couvert de chevrons, s'imagina
que ce serait une bonne place pour y finir ses jours
qu'une salle d'armes qu'on ouvrirait à V...; et le

colonel, à qui il communiqua et qui approuva son dessein, lui délivra son congé et l'y laissa. Ce prévôt, qui s'appelait Stassin en son nom de famille, et *La Pointe-au-corps* en son surnom de guerre, avait eu là tout simplement une idée de génie. Depuis longtemps, il n'y avait plus à V... de salle d'armes correctement tenue; et c'était même une de ces choses dont on ne parlait qu'avec mélancolie entre ces nobles, obligés de donner eux-mêmes des leçons à leurs fils ou de les leur faire donner par quelque compagnon revenu du service, qui savait à peine ou qui savait mal ce qu'il enseignait. Les habitants de V... se piquaient d'être difficiles. Ils avaient réellement le feu sacré. Il ne leur suffisait pas de tuer leur homme; ils voulaient le tuer savamment et artistement, par principes. Il fallait, avant tout, pour eux, qu'un homme, comme ils disaient, fût beau sous les armes, et ils n'avaient qu'un profond mépris pour ces robustes maladroits, qui peuvent être très dangereux sur le terrain, mais qui ne sont pas au strict et vrai mot, ce qu'on appelle « des tireurs ». *La Pointe-au-corps*, qui avait été un très bel homme dans sa jeunesse, et qui l'était encore, — qui, au camp de Hollande, et bien jeune alors, avait battu à plate couture tous les autres prévôts et remporté un prix de deux fleurets et de deux masques montés en argent, — était, lui, justement un de ces tireurs comme les écoles n'en peuvent produire, si la nature ne leur a préparé d'exceptionnelles organisations. Naturellement, il fut l'admiration de V..., et bientôt mieux. Rien n'égalise comme l'épée. Sous l'ancienne monarchie, les rois anoblissaient les hommes qui leur apprenaient à la tenir. Louis XV, si je m'en souviens bien, n'avait-il pas donné à Danet, son maître, qui nous a laissé un livre sur l'escrime, quatre de ses fleurs de lys, entre deux épées croisées, pour mettre dans son écusson ?... Ces gentilshommes de province, qui sentaient encore à plein nez leur monarchie, furent en peu de temps de pair à compagnon avec le vieux prévôt, comme s'il eût été l'un des leurs.

« Jusque-là, c'était bien, et il n'y avait qu'à féliciter Stassin, dit *La Pointe-au-corps*, de sa bonne fortune;

mais, malheureusement, ce vieux prévôt n'avait pas
qu'un cœur de maroquin rouge sur le plastron capi-
tonné de peau blanche dont il couvrait sa poitrine,
quand il donnait magistralement sa leçon... Il se trouva
qu'il en avait un autre par-dessous, lequel se mit à
faire des siennes dans cette ville de V..., où il était venu
chercher le havre de grâce de sa vie. Il paraît que le
cœur d'un soldat est toujours fait avec de la poudre.
Or, quand le temps a séché la poudre, elle n'en prend
que mieux. A V..., les femmes sont si généralement
jolies, que l'étincelle était partout pour la poudre
séchée de mon vieux prévôt. Aussi, son histoire se ter-
mina-t-elle comme celle d'un grand nombre de vieux
soldats. Après avoir roulé dans toutes les contrées de
l'Europe, et pris le menton et la taille de toutes les filles
que le diable avait mises sur son chemin, l'ancien
soldat du premier Empire consomma sa dernière fre-
daine en épousant, à cinquante ans passés, avec toutes
les formalités et les sacrements de la chose, — à la
municipalité et à l'église, — une grisette de V...;
laquelle, bien entendu — je connais les grisettes de ce
pays-là; j'en ai assez accouché pour les connaître! —
lui campa un enfant, bel et bien au bout de ses
neuf mois, jour pour jour; et cet enfant, qui était une
fille, n'est rien moins, mon cher, que la femme à l'air
de déesse qui vient de passer, en nous frisant insolemment du vent de sa robe, et sans prendre plus garde à
nous que si nous n'avions pas été là! »

— La comtesse de Savigny! — m'écriai-je.

« Oui, la comtesse de Savigny, tout au long, elle-
même! Ah! il ne faut pas regarder aux origines, pas
plus pour les femmes que pour les nations; il ne faut
regarder au berceau de personne. Je me rappelle avoir
vu à Stockholm celui de Charles XII, qui ressemblait
à une mangeoire de cheval grossièrement coloriée en
rouge, et qui n'était pas même d'aplomb sur ses quatre
piquets. C'est de là qu'il était sorti, cette tempête! Au
fond, tous les berceaux sont des cloaques dont on est
obligé de changer le linge plusieurs fois par jour; et
cela n'est jamais poétique, pour ceux qui croient à la
poésie, que lorsque l'enfant n'y est plus. »

Et, pour appuyer son axiome, le docteur, à cette place de son récit, frappa sa cuisse d'un de ses gants de daim, qu'il tenait par le doigt du milieu ; et le daim claqua sur la cuisse, de manière à prouver à ceux qui comprennent la musique que le bonhomme était encore rudement musclé.

Il attendit. Je n'avais pas à le contrarier dans sa philosophie. Voyant que je ne disais rien, il continua :

« Comme tous les vieux soldats, du reste, qui aiment jusqu'aux enfants des autres, *La Pointe-au-corps* dut raffoler du sien. Rien d'étonnant à cela. Quand un homme déjà sur l'âge a un enfant, il l'aime mieux que s'il était jeune, car la vanité, qui double tout, double aussi le sentiment paternel. Tous les vieux roquentins que j'ai vus, dans ma vie, avoir tardivement un enfant, adoraient leur progéniture, et ils en étaient comiquement fiers comme d'une action d'éclat. Persuasion de jeunesse, que la nature, qui se moquait d'eux, leur coulait au cœur ! Je ne connais qu'un bonheur plus grisant et une fierté plus drôle : c'est quand, au lieu d'un enfant, un vieillard, d'un coup, en fait deux ! *La Pointe-au-corps* n'eut pas cet orgueil paternel de deux jumeaux ; mais il est vrai de dire qu'il y avait de quoi tailler deux enfants dans le sien. Sa fille — vous venez de la voir ; vous savez donc si elle a tenu ses promesses ! — était un merveilleux enfant pour la force et la beauté. Le premier soin du vieux prévôt fut de lui chercher un parrain parmi tous ces nobles, qui hantaient perpétuellement sa salle d'armes ; et il choisit, entre tous, le comte d'Avice, le doyen de tous ces batteurs de fer et de pavé, qui, pendant l'émigration, avait été lui-même prévôt à Londres, à plusieurs guinées la leçon. Le comte d'Avice de Sortôville-en-Beaumont, déjà chevalier de Saint-Louis et capitaine de dragons avant la Révolution, — pour le moins, alors, septuagénaire, — *boutonnait* encore les jeunes gens et leur donnait ce qu'on appelle, en termes de salle, « de superbes *capotes* ». C'était un vieux narquois, qui avait des railleries en action féroces. Ainsi, par exemple, il aimait à passer son carrelet à la flamme d'une bougie, et quand il en avait, de cette façon, durci la lame, il appelait ce dur fleuret, — qui ne

pliait plus et vous cassait le sternum ou les côtes,
lorsqu'il vous touchait, — du nom insolent de
« chasse-coquin ». Il prisait beaucoup *La Pointe-au-corps*, qu'il tutoyait. « La fille d'un homme comme
toi — lui disait-il — ne doit se nommer que comme
l'épée d'un preux. Appelons-la Haute-Claire! » Et ce
fut le nom qu'il lui donna. Le curé de V... fit bien
un peu la grimace à ce nom inaccoutumé, que n'avaient
jamais entendu les fonts de son église; mais, comme
le parrain était monsieur le comte d'Avice et qu'il y
aura toujours, malgré les libéraux et leurs piailleries,
des accointances indestructibles entre la noblesse et le
clergé; comme d'un autre côté, on voit dans le calen-
drier romain une sainte nommée Claire, le nom de
l'épée d'Olivier passa à l'enfant, sans que la ville de V...
s'en émût beaucoup. Un tel nom semblait annoncer
une destinée. L'ancien prévôt, qui aimait son métier
presque autant que sa fille, résolut de lui apprendre
et de lui laisser son talent pour dot. Triste dot! maigre
pitance! avec les mœurs modernes, que le pauvre diable
de maître d'armes ne prévoyait pas! Dès que l'enfant
put donc se tenir debout, il commença de la plier aux
exercices de l'escrime; et comme c'était un marmot
solide que cette fillette, avec des attaches et des articulations d'acier fin, il la développa d'une si étrange
manière, qu'à dix ans, elle semblait en avoir déjà
quinze, et qu'elle faisait admirablement sa partie avec
son père et les plus forts tireurs de la ville de V...
On ne parlait partout que de la petite Hauteclaire Sta-
sin, qui, plus tard, devait devenir *Mademoiselle Haute-claire Stassin*. C'était surtout, comme vous vous en
doutez, de la part des jeunes demoiselles de la ville,
dans la société de laquelle, tout bien qu'il fût avec les
pères, la fille de Stassin, dit *La Pointe-au-corps*, ne
pouvait décemment aller, une incroyable, ou plutôt
une très croyable curiosité, mêlée de dépit et d'envie.
Leurs pères et leurs frères en parlaient avec étonnement et admiration devant elles, et elles auraient voulu
voir de près cette Saint-Georges femelle, dont la
beauté, disaient-ils, égalait le talent d'escrime. Elles ne
la voyaient que de loin et à distance. J'arrivais alors

à V..., et j'ai été souvent le témoin de ces curiosités ardentes. *La Pointe-au-corps*, qui avait, sous l'Empire, servi dans les hussards, et qui, avec sa salle d'armes, gagnait gros d'argent, s'était permis d'acheter un cheval pour donner des leçons d'équitation à sa fille; et comme il dressait aussi à l'année de jeunes chevaux pour les habitués de sa salle, il se promenait souvent à cheval, avec Hauteclaire, dans les routes qui rayonnent de la ville et qui l'environnent. Je les y ai rencontrés maintes fois, en revenant de mes visites de médecin, et c'est dans ces rencontres que je pus surtout juger de l'intérêt, prodigieusement enflammé, que cette grande jeune fille, si hâtivement développée, excitait dans les autres jeunes filles du pays. J'étais toujours par voies et chemins en ce temps-là, et je m'y croisais fréquemment avec les voitures de leurs parents, allant en visite, avec elles, à tous les châteaux d'alentour. Eh bien, vous ne pourrez jamais vous figurer avec quelle avidité, et même avec quelle imprudence, je les voyais se pencher et se précipiter aux portières dès que Mlle Hauteclaire Stassin apparaissait, trottant ou galopant dans la perspective d'une route, brodequin à botte avec son père. Seulement, c'était à peu près inutile; le lendemain, c'étaient presque toujours des déceptions et des regrets qu'elles m'exprimaient dans mes visites du matin à leurs mères, car elles n'avaient jamais bien vu que la tournure de cette fille, faite pour l'amazone, et qui la portait comme vous — qui venez de la voir — pouvez le supposer, mais dont le visage était toujours plus ou moins caché dans un voile gros bleu trop épais. Mlle Hauteclaire Stassin n'était guère connue que des hommes de la ville de V... Toute la journée le fleuret à la main, et la figure sous les mailles de son masque d'armes qu'elle n'ôtait pas beaucoup pour eux, elle ne sortait guère de la salle de son père, qui commençait à s'enrudir et qu'elle remplaçait souvent pour la leçon. Elle se montrait très rarement dans la rue, — et les femmes comme il faut ne pouvaient la voir que là, ou encore le dimanche à la messe; mais, le dimanche à la messe, comme dans la rue, elle était presque aussi masquée

que dans la salle de son père, la dentelle de son voile
noir étant encore plus sombre et plus serrée que les
mailles de son masque de fer. Y avait-il de l'affectation dans cette manière de se montrer ou de se cacher,
qui excitait les imaginations curieuses ?... Cela était
bien possible ; mais qui le savait ? qui pouvait le dire ?
Et cette jeune fille, qui continuait le masque par le
voile, n'était-elle pas encore plus impénétrable de
caractère que de visage, comme la suite ne l'a que
trop prouvé ?

« Il est bien entendu, mon très cher, que je suis
obligé de passer rapidement sur tous les détails de cette
époque, pour arriver plus vite au moment où réellement cette histoire commence. Mlle Hauteclaire avait
environ dix-sept ans. L'ancien beau, *La Pointe-au-
corps,* devenu tout à fait un bonhomme, veuf de sa
femme, et tué moralement par la Révolution de Juillet,
laquelle fit partir les nobles en deuil pour leurs châteaux et vida sa salle, tracassait vainement ses gouttes
qui n'avaient pas peur de ses *appels* du pied, et s'en
allait au grand trot vers le cimetière. Pour un médecin
qui avait le diagnostic, c'était sûr... Cela se voyait. Je
ne lui en promettais pas pour longtemps, quand, un
matin, fut amené à sa salle d'armes, — par le vicomte
de Taillebois et le chevalier de Mesnilgrand, — un
jeune homme du pays élevé au loin, et qui revenait
habiter le château de son père, mort récemment.
C'était le comte Serlon de Savigny, le *prétendu* (disait
la ville de V... dans son langage de petite ville) de
Mlle Delphine de Cantor. Le comte de Savigny était
certainement un des plus brillants et des plus piaffants
jeunes gens de cette époque de jeunes gens qui piaf-
faient tous, car il y avait (à V... comme ailleurs) de
la vraie jeunesse, dans ce vieux monde. A présent,
il n'y en a plus. On lui avait beaucoup parlé de la
fameuse Hauteclaire Stassin, et il avait voulu voir ce
miracle. Il la trouva ce qu'elle était, — une admirable
jeune fille, piquante et provocante en diable dans ses
chausses de soie tricotées, qui mettaient en relief ses
formes de Pallas de Velletri, et dans son corsage de
maroquin noir, qui pinçait, en craquant, sa taille

robuste et découplée, — une de ces tailles que les
Circassiennes n'obtiennent qu'en emprisonnant leurs
jeunes filles dans une ceinture de cuir, que le déve-
loppement seul de leur corps doit briser. Hauteclaire Stassin était sérieuse comme une Clorinde. Il la
regarda donner sa leçon, et il lui demanda de croiser
le fer avec elle. Mais il ne fut point le Tancrède de
la situation, le comte de Savigny! Mlle Hauteclaire
Stassin plia à plusieurs reprises son épée en faucille
sur le cœur du beau Serlon, et elle ne fut pas tou-
chée une seule fois.

« — On ne peut pas vous toucher, mademoiselle,
— lui dit-il, avec beaucoup de grâce. — Serait-ce un
augure ?...

« L'amour-propre, dans ce jeune homme, était-il,
dès ce soir-là, vaincu par l'amour ?

« C'est à partir de ce soir-là, du reste, que le comte
de Savigny vint, tous les jours, prendre une leçon
d'armes à la salle de *La Pointe-au-corps*. Le château
du comte n'était qu'à la distance de quelques lieues.
Il les avait bientôt avalées, soit à cheval, soit en voiture, et personne ne le remarqua dans ce nid bavard
d'une petite ville où l'on épinglait les plus petites
choses du bout de la langue, mais où l'amour de
l'escrime expliquait tout. Savigny ne fit de confidences
à personne. Il évita même de venir prendre sa leçon
aux mêmes heures que les autres jeunes gens de la
ville. C'était un garçon qui ne manquait pas de profondeur, ce Savigny... Ce qui se passa entre lui et
Hauteclaire, s'il se passa quelque chose, aucun, à cette
époque, ne l'a su ou ne s'en douta. Son mariage avec
Mlle Delphine de Cantor, arrêté par les parents des
deux familles, il y avait des années, et trop avancé
pour ne pas se conclure, s'accomplit trois mois après
le retour du comte de Savigny; et même ce fut là
pour lui une occasion de vivre tout un mois à V...,
près de sa fiancée, chez laquelle il passait, en coupe
réglée, toutes les journées, mais d'où, le soir, il s'en
allait très régulièrement prendre sa leçon...

Comme tout le monde, Mlle Hauteclaire entendit,
à l'église paroissiale de V..., proclamer les bans du

comte de Savigny et de Mlle de Cantor; mais, ni son attitude, ni sa physionomie, ne révélèrent qu'elle prît à ces déclarations publiques un intérêt quelconque. Il est vrai que nul des assistants ne se mit à l'affût pour l'observer. Les observateurs n'étaient pas nés encore sur cette question, qui sommeillait, d'une liaison possible entre Savigny et la belle Hauteclaire. Le mariage célébré, la comtesse alla s'établir à son château, fort tranquillement, avec son mari, lequel ne renonça pas pour cela à ses habitudes citadines et vint à la ville tous les jours. Beaucoup de châtelains des environs faisaient comme lui, d'ailleurs. Le temps s'écoula. Le vieux *La Pointe-au-corps* mourut. Fermée quelques instants, sa salle se rouvrit. Mlle Hauteclaire Stassin annonça qu'elle continuerait les leçons de son père; et, loin d'avoir moins d'élèves par le fait de cette mort, elle en eut davantage. Les hommes sont tous les mêmes. L'étrangeté leur déplaît, d'homme à homme, et les blesse; mais si l'étrangeté porte des jupes, ils en raffolent. Une femme qui fait ce que fait un homme, le ferait-elle beaucoup moins bien, aura toujours sur l'homme, en France, un avantage marqué. Or, Mlle Hauteclaire Stassin, pour ce qu'elle faisait, le faisait beaucoup mieux. Elle était devenue beaucoup plus forte que son père. Comme démonstratrice, à la leçon, elle était incomparable, et comme beauté de jeu, splendide. Elle avait des coups irrésistibles, — de ces coups qui ne s'apprennent pas plus que le coup d'archet ou le démanché du violon, et qu'on ne peut mettre, par enseignement, dans la main de personne. Je ferraillais un peu dans ce temps, comme tout ce monde dont j'étais entouré, et j'avoue qu'en ma qualité d'amateur, elle me charmait avec de certaines passes. Elle avait, entre autres, un dégagé de quarte en tierce qui ressemblait à de la magie. Ce n'était plus là une épée qui vous frappait, c'était une balle! L'homme le plus rapide à la parade ne fouettait que le vent, même quand elle l'avait prévenu qu'elle allait dégager, et la botte lui arrivait, inévitable, au défaut de l'épaule et de la poitrine. On n'avait pas rencontré de fer! J'ai vu des tireurs devenir fous de ce coup, qu'ils appelaient de l'escamotage, et ils en auraient avalé leur fleuret de fureur! Si elle n'avait pas été femme, on lui aurait diablement cherché querelle pour ce coup-là. A un homme, il aurait rapporté vingt duels.

« Du reste, même à part ce talent phénoménal si peu fait pour une femme, et dont elle vivait noblement, c'était vraiment un être très intéressant que cette jeune fille pauvre, sans autre ressource que son fleuret, et qui, par le fait de son état, se trouvait mêlée aux jeunes gens les plus riches de la ville, parmi lesquels il y en avait de très mauvais sujets et de très fats, sans que sa fleur de bonne renommée en souffrît. Pas plus à propos de Savigny qu'à propos de personne, la réputation de Mlle Hauteclaire Stassin ne fut effleurée... « Il paraît pourtant que c'est une honnête fille », disaient les femmes comme il faut, — comme elles l'auraient dit d'une actrice. Et moi-même, puisque j'ai commencé à vous parler de moi, moi-même, qui me piquais d'observation, j'étais, sur le chapitre de la vertu de Hauteclaire, de la même opinion que toute la ville. J'allais quelquefois à la salle d'armes, et avant et après le mariage de M. de Savigny, je n'y avais jamais vu qu'une jeune fille grave, qui faisait sa fonction avec simplicité. Elle était, je dois le dire, très imposante, et elle avait mis tout le monde sur le pied du respect avec elle, n'étant, elle, ni familière, ni abandonnée avec qui que ce fût. Sa physionomie, extrêmement fière, et qui n'avait pas alors cette expression passionnée dont vous venez d'être si frappé, ne trahissait ni chagrin, ni préoccupation, ni rien enfin de nature à faire prévoir, même de la manière la plus lointaine, la chose étonnante qui, dans l'atmosphère d'une petite ville, tranquille et routinière, fit l'effet d'un coup de canon et cassa les vitres...

« — Mademoiselle Hauteclaire Stassin a disparu!

« Elle avait disparu : pourquoi ?... comment ?... où était-elle allée ? On ne savait. Mais, ce qu'il y avait de certain, c'est qu'elle avait disparu. Ce ne fut d'abord qu'un cri, suivi d'un silence, mais le silence ne dura pas longtemps. Les langues partirent. Les langues, longtemps retenues, — comme l'eau dans une vanne

et qui, l'écluse levée, se précipite et va faire tourner
la roue du moulin avec furie, — se mirent à écumer
et à bavarder sur cette disparition inattendue, subite,
incroyable, que rien n'expliquait, car Mlle Hauteclaire
avait disparu sans dire un mot ou laisser un mot à
personne. Elle avait disparu, comme on disparaît
quand on veut réellement disparaître, — ce n'étant
pas disparaître que de laisser derrière soi une chose
quelconque, grosse comme rien, dont les autres peuvent
s'emparer pour expliquer qu'on a disparu. — Elle
avait disparu de la plus radicale manière. Elle avait
fait, non pas ce qu'on appelle *un trou à la lune*, car
elle n'avait pas laissé plus une dette qu'autre chose
derrière elle; mais elle avait fait ce qu'on peut très
bien appeler un trou dans le vent. Le vent souffla, et
ne la rendit pas. Le moulin des langues, pour tourner à vide, n'en tourna pas moins, et se mit à moudre
cruellement cette réputation qui n'avait jamais donné
barre sur elle. On la reprit alors, on l'éplucha, on la
passa au crible, on la carda... Comment, et avec qui,
cette fille si correcte et si fière s'en était-elle allée ?...
Qui l'avait enlevée ? car, bien sûr, elle avait été enlevée... Nulle réponse à cela. C'était à rendre folle une
petite ville de fureur, et, positivement, V... le devint.
Que de motifs pour être en colère! D'abord, ce qu'on
ne savait pas, on le perdait. Puis, on perdait l'esprit
sur le compte d'une jeune fille qu'on croyait connaître
et qu'on ne connaissait pas, puisqu'on l'avait jugée
incapable de disparaître *comme ça*... Puis, encore, on
perdait une jeune fille qu'on avait cru voir vieillir ou
se marier, comme les autres jeunes filles de la ville
— internées dans cette case d'échiquier d'une ville de
province, comme des chevaux dans l'entrepont d'un
bâtiment. Enfin, on perdait, en perdant Mlle Stassin,
qui n'était plus alors que *cette Stassin*, une salle
d'armes célèbre à la ronde, qui était la distinction,
l'ornement et l'honneur de la ville, sa cocarde sur
l'oreille, son drapeau au clocher. Ah! c'était dur, que
toutes ces pertes! Et que de raisons, en une seule, pour
faire passer sur la mémoire de cette irréprochable
Hauteclaire, le torrent plus ou moins fangeux de

toutes les suppositions! Aussi y passèrent-elles...
Excepté quelques vieux hobereaux à l'esprit grand seigneur, qui, comme son parrain, le comte d'Avice,
l'avaient vue enfant, et qui, d'ailleurs, ne s'émouvant
pas de grand-chose, regardaient comme tout simple
qu'elle eût trouvé une chaussure meilleure à son pied
que cette sandale de maître d'armes qu'elle y avait
mise, Hauteclaire Stassin, en disparaissant, n'eut personne pour elle. Elle avait, en s'en allant, offensé
l'amour-propre de tous; et même ce furent les jeunes
gens qui lui gardèrent le plus rancune et s'acharnèrent
le plus contre elle, parce qu'elle n'avait disparu avec
aucun d'eux.

« Et ce fut longtemps leur grand grief et leur grande
anxiété. Avec qui était-elle partie ?... Plusieurs de ces
jeunes gens allaient tous les ans vivre un mois ou
deux d'hiver à Paris, et deux ou trois d'entre eux pré-
tendirent l'y avoir vue et reconnue, — au spectacle,
— ou, aux Champs-Elysées, à cheval, — accompagnée
ou seule, — mais ils n'en étaient pas bien sûrs. Ils
ne pouvaient l'affirmer. C'était elle, et ce pouvait bien
n'être pas elle; mais la préoccupation y était... Tous,
ils ne pouvaient s'empêcher de penser à cette fille,
qu'ils avaient admirée et qui, en disparaissant, avait
mis en deuil cette ville d'épée dont elle était la grande
artiste, la *diva* spéciale, le rayon. Après que le rayon
se fut éteint, c'est-à-dire, en d'autres termes, après la
disparition de cette fameuse Hauteclaire, la ville de
V... tomba dans la langueur de vie et la pâleur de
toutes les petites villes qui n'ont pas un centre d'activité dans lequel les passions et les goûts convergent...
L'amour des armes s'y affaiblit. Animée naguère par
toute cette martiale jeunesse, la ville de V... devint
triste. Les jeunes gens qui, quand ils habitaient leurs
châteaux, venaient tous les jours ferrailler, échan-
gèrent le fleuret pour le fusil. Ils se firent chasseurs
et restèrent sur leurs terres ou dans leurs bois, le comte
de Savigny comme tous les autres. Il vint de moins
en moins à V..., et si je l'y rencontrai quelquefois, ce
fut dans la famille de sa femme, dont j'étais le médecin. Seulement, ne soupçonnant d'aucune façon, à

cette époque, qu'il pût y avoir quelque chose entre lui et cette Hauteclaire qui avait si brusquement disparu, je n'avais nulle raison pour lui parler de cette disparition subite, sur laquelle le silence, fils des langues fatiguées, commençait de s'étendre; — et lui non plus ne me parlait jamais de Hauteclaire et des temps où nous nous étions rencontrés chez elle, et ne se permettait de faire à ces temps-là, même de loin, la moindre allusion. »

— Je vous entends venir, avec vos *petits sabots de bois*, — fis-je au docteur, en me servant d'une expression du pays dont il me parlait, et qui est le mien.
— C'était lui qui l'avait enlevée!

« Eh bien! pas du tout, — dit le docteur; — c'était mieux que cela! Vous ne vous douteriez jamais de ce que c'était...

« Outre qu'en province, surtout, un enlèvement n'est pas chose facile au point de vue du secret, le comte de Savigny, depuis son mariage, n'avait pas bougé de son château de Savigny.

« Il y vivait, au su de tout le monde, dans l'intimité d'un mariage qui ressemblait à une lune de miel indéfiniment prolongée, — et comme tout se cite et se cote en province, on le citait et on le cotait, Savigny, comme un de ces maris qu'il faut brûler, tant ils sont rares (plaisanterie de province), pour en jeter la cendre sur les autres. Dieu sait combien de temps j'aurais été dupe, moi-même, de cette réputation, si, un jour, — plus d'un an après la disparition de Hauteclaire Stassin, — je n'avais été appelé, en termes pressants, au château de Savigny, dont la châtelaine était malade. Je partis immédiatement, et, dès mon arrivée, je fus introduit auprès de la comtesse, qui était effectivement très souffrante d'un mal vague et compliqué, plus dangereux qu'une maladie sévèrement caractérisée. C'était une de ces femmes de vieille race, épuisée, élégante, distinguée, hautaine, et qui, du fond de leur pâleur et de leur maigreur, semblent dire : « Je suis vaincue du temps, comme ma race; je me meurs, mais je vous méprise! » et, le diable m'emporte, tout plébéien que je suis, et quoique ce soit peu philosophique, je ne puis m'empêcher de trouver cela beau. La comtesse était couchée sur un lit de repos, dans une espèce de parloir à poutrelles noires et à murs blancs, très vaste, très élevé, et orné de choses d'art ancien qui faisaient le plus grand honneur au goût des comtes de Savigny. Une seule lampe éclairait cette grande pièce, et sa lumière, rendue plus mystérieuse par l'abat-jour vert qui la voilait, tombait sur le visage de la comtesse, aux pommettes incendiées par la fièvre. Il y avait quelques jours déjà qu'elle était malade, et Savigny — pour la veiller mieux — avait fait dresser un petit lit dans le parloir, auprès du lit de sa bien-aimée moitié. C'est quand la fièvre, plus tenace que tous ses soins, avait montré un acharnement sur lequel il ne comptait pas, qu'il avait pris le parti de m'envoyer chercher. Il était là, le dos au feu, debout, l'air sombre et inquiet, à me faire croire qu'il aimait passionnément sa femme et qu'il la croyait en danger. Mais l'inquiétude dont son front était chargé n'était pas pour elle, mais pour une autre, que je ne soupçonnais pas au château de Savigny, et dont la vue m'étonna jusqu'à l'éblouissement. C'était Hauteclaire! »

— Diable! voilà qui est osé! — dis-je au docteur.

« Si osé, — reprit-il, — que je crus rêver en la voyant! La comtesse avait prié son mari de sonner sa femme de chambre, à qui elle avait demandé avant mon arrivée une potion que je venais précisément de lui conseiller; — et, quelques secondes après, la porte s'était ouverte :

« — Eulalie, et ma potion ? — dit, d'un ton bref, la comtesse impatiente.

— La voici, Madame! — fit une voix que je crus reconnaître, et qui n'eut pas plutôt frappé mon oreille que je vis émerger de l'ombre qui noyait le pourtour profond du parloir, et s'avancer au bord du cercle lumineux tracé par la lampe autour du lit, Hauteclaire Stassin; — oui, Hauteclaire elle-même! — tenant, dans ses belles mains, un plateau d'argent sur lequel fumait le bol demandé par la comtesse. C'était à couper la respiration qu'une telle vue! Eulalie!... Heureusement, ce nom d'Eulalie prononcé si naturel-

lement me dit tout, et fut comme le coup d'un marteau
de glace qui me fit rentrer dans un sang-froid que
j'allais perdre, et dans mon attitude passive de médecin
et d'observateur. Hauteclaire, devenue Eulalie, et la
femme de chambre de la comtesse de Savigny!... Son
déguisement — si tant est qu'une femme pareille pût
se déguiser — était complet. Elle portait le costume
des grisettes de la ville de V..., et leur coiffe qui ressemble à un casque, et leurs longs tire-bouchons de
cheveux tombant le long des joues, — ces espèces
de tire-bouchons que les prédicateurs appelaient, dans
ce temps-là, des serpents, pour en dégoûter les jolies
filles, sans avoir jamais pu y parvenir. — Et elle était
là-dessous d'une beauté pleine de réserve, et d'une
noblesse d'yeux baissés, qui prouvait qu'elles font bien
tout ce qu'elles veulent de leurs satanés corps, ces
couleuvres de femelles, quand elles ont le plus petit
intérêt à cela... M'étant rattrapé du reste, et sûr de
moi-même comme un homme qui venait de se mordre
la langue pour ne pas laisser échapper un cri de surprise, j'eus cependant la petite faiblesse de vouloir lui
montrer, à cette fille audacieuse, que je la reconnaissais ;
et, pendant que la comtesse buvait sa potion, le front
dans son bol, je lui plantai, à elle, mes deux yeux dans
ses yeux, comme si j'y avais enfoncé deux pattefiches ;
mais ses yeux — de biche, pour la douceur, ce soir-là
— furent plus fermes que ceux de la panthère, qu'elle
vient, il n'y a qu'un moment, de faire baisser. Elle ne
sourcilla pas. Un petit tremblement, presque imperceptible, avait seulement passé dans les mains qui
tenaient le plateau. La comtesse buvait très lentement,
et quand elle eut fini :

« — C'est bien, — dit-elle. — Remportez cela.

« Et Hauteclaire-Eulalie se retourna, avec cette tournure que j'aurais reconnue entre les vingt mille tour-
nures des filles d'Assuérus, et elle remporta le plateau.
J'avoue que je demeurai un instant sans regarder le
comte de Savigny, car je sentais ce que mon regard
pouvait être pour lui dans un pareil moment ; mais
quand je m'y risquai, je trouvai le sien fortement
attaché sur moi, et qui passait alors de la plus horrible

anxiété à l'expression de la délivrance. Il venait de voir que *j'avais vu*, mais il voyait aussi que *je ne voulais rien voir* de ce que j'avais vu, et il respirait. Il était sûr d'une impénétrable discrétion, qu'il expliquait probablement (mais cela m'était bien égal!) par l'intérêt du médecin qui ne se souciait pas de perdre un client comme lui, tandis qu'il n'y avait là que l'intérêt de l'observateur, qui ne voulait pas qu'on lui fermât la porte d'une maison où il y avait, à l'insu de toute la terre, de pareilles choses à observer.

« Et je m'en revins, le doigt sur ma bouche, bien résolu de ne souffler mot à personne de ce dont personne dans le pays ne se doutait. Ah! les plaisirs de l'observateur! ces plaisirs impersonnels et solitaires de l'observateur, que j'ai toujours mis au-dessus de tous les autres, j'allais pouvoir me les donner en plein, dans ce coin de campagne, en ce vieux château isolé, où, comme médecin, je pouvais venir quand il me plairait... — Heureux d'être délivré d'une inquiétude, Savigny m'avait dit : « Jusqu'à nouvel ordre, docteur, venez tous les jours. » Je pourrais donc étudier, avec autant d'intérêt et de suite qu'une maladie, le mystère d'une situation qui, racontée à n'importe qui, aurait semblé impossible... Et comme déjà, dès le premier jour que je l'entrevis, ce mystère excita en moi la faculté ratiocinante, qui est le bâton d'aveugle du savant et surtout du médecin, dans la curiosité acharnée de leurs recherches, je commençai immédiatement de raisonner cette situation pour l'éclairer... Depuis combien de temps existait-elle ?... Datait-elle de la disparition de Hauteclaire ?... Y avait-il déjà plus d'un an que la chose durait et que Hauteclaire Stassin était femme de chambre chez la comtesse de Savigny ? Comment, excepté moi, qu'il avait bien fallu faire venir, personne n'avait-il vu ce que j'avais vu, moi, si aisément et si vite ?... Toutes questions qui montèrent à cheval et s'en vinrent en croupe à V... avec moi, accompagnées de bien d'autres qui se levèrent et que je ramassai sur ma route. Le comte et la comtesse de Savigny, qui passaient pour s'adorer, vivaient, il est vrai, assez retirés de toute espèce de monde. Mais, enfin,

une visite pouvait, de temps en temps, tomber au
château. Il est vrai encore que si c'était une visite
d'hommes, Hauteclaire pouvait ne pas paraître. Et si
c'était une visite de femmes, ces femmes de V..., pour
la plupart, ne l'avaient jamais assez bien vue pour la
reconnaître, cette fille bloquée, pendant des années,
par ses leçons, au fond d'une salle d'armes, et qui,
aperçue de loin, à cheval ou à l'église, portait des voiles
qu'elle épaississait à dessein, — car Hauteclaire (je
vous l'ai dit) avait toujours eu cette fierté des êtres très
fiers, que trop de curiosité offense, et qui se cachent
d'autant plus qu'ils se sentent la cible de plus de regards.
Quant aux gens de M. de Savigny, avec lesquels elle
était bien obligée de vivre, s'ils étaient de V... ils ne
la connaissaient pas, et peut-être n'en étaient-ils point...
Et c'est ainsi que je répondais, tout en trottant, à ces
premières questions, qui, au bout d'un certain temps
et d'un certain chemin, rencontraient leurs réponses,
et qu'avant d'être descendu de la selle, j'avais déjà
construit tout un édifice de suppositions, plus ou
moins plausibles, pour expliquer ce qui, à un autre
qu'un raisonneur comme moi, aurait été inexplicable.
La seule chose peut-être que je n'expliquais pas si bien,
c'est que l'éclatante beauté de Hauteclaire n'eût pas
été un obstacle à son entrée dans le service de la comtesse de Savigny, qui aimait son mari et qui devait en
être jalouse. Mais, outre que les patriciennes de V...,
aussi fières pour le moins que les femmes des paladins
de Charlemagne, ne supposaient pas (grave erreur;
mais elles n'avaient pas lu *le Mariage de Figaro!*) que
la plus belle fille de chambre fût plus pour leurs maris
que le plus beau laquais n'était pour elles, je finis par
me dire, en quittant l'étrier, que la comtesse de Savigny
avait ses raisons pour se croire aimée, et qu'après tout
ce sacripant de Savigny était bien de taille, si le doute
la prenait, à ajouter à ces raisons-là. »

— Hum! — fis-je sceptiquement au docteur, que
je ne pus m'empêcher d'interrompre, — tout cela est
bel et bon, mon cher docteur, mais n'ôtait pas à la
situation son imprudence.

« Certes, non! — répondit-il; — mais, si c'était

l'imprudence même qui fît la situation ? — ajouta ce grand connaisseur en nature humaine. — Il est des passions que l'imprudence allume, et qui, sans le danger qu'elles provoquent, n'existeraient pas. Au xvie siècle, qui fut un siècle aussi passionné que peut l'être une époque, la plus magnifique cause d'amour fut le danger même de l'amour. En sortant des bras d'une maîtresse, on risquait d'être poignardé; ou le mari vous empoisonnait dans le manchon de sa femme, baisé par vous et sur lequel vous aviez fait toutes les bêtises d'usage; et, bien loin d'épouvanter l'amour, ce danger incessant l'agaçait, l'allumait et le rendait irrésistible! Dans nos plates mœurs modernes, où la loi a remplacé la passion, il est évident que l'article du Code qui s'applique au mari coupable d'avoir, — comme elle dit grossièrement, la loi, — introduit « la concubine dans le domicile conjugal », est un danger assez ignoble; mais pour les âmes nobles, ce danger, de cela seul qu'il est ignoble, est d'autant plus grand; et Savigny, en s'y exposant, y trouvait peut-être la seule anxieuse volupté qui enivre vraiment les âmes fortes.

« Le lendemain, vous pouvez le croire, — continua le docteur Torty, — j'étais au château de bonne heure; mais ni ce jour, ni les suivants, je n'y vis rien qui ne fût le train de toutes les maisons où tout est normal et régulier. Ni du côté de la malade, ni du côté du comte, ni même du côté de la fausse Eulalie, qui faisait naturellement son service comme si elle avait été exclusivement élevée pour cela, je ne remarquai quoi que ce soit qui pût me renseigner sur le secret que j'avais surpris. Ce qu'il y avait de certain, c'est que le comte de Savigny et Hauteclaire Stassin jouaient la plus effroyablement impudente des comédies avec la simplicité d'acteurs consommés, et qu'ils s'entendaient pour la jouer. Mais ce qui n'était pas si certain, et ce que je voulais savoir d'abord, c'est si la comtesse était réellement leur dupe, et si, au cas où elle l'était, il serait possible qu'elle le fût longtemps. C'est donc sur la comtesse que je concentrai mon attention. J'eus d'autant moins de peine à la pénétrer qu'elle était ma malade, et, par le fait de sa maladie, le point de mire de mes observations. C'était, comme je vous l'ai dit, une vraie femme de V..., qui ne savait *rien de rien* que ceci : c'est qu'elle était noble, et qu'en dehors de la noblesse, le monde n'était pas digne d'un regard... Le sentiment de leur noblesse est la seule passion des femmes de V... dans la haute classe, — dans toutes les classes, fort peu passionnées. Mlle Delphine de Cantor, élevée aux Bénédictines où, sans nulle vocation religieuse, elle s'était horriblement ennuyée, en était sortie pour s'ennuyer dans sa famille, jusqu'au moment où elle épousa le comte de Savigny, qu'elle aima, ou crut aimer, avec la facilité des jeunes filles ennuyées à aimer le premier venu qu'on leur présente. C'était une femme blanche, molle de tissus, mais dure d'os, au teint de lait dans lequel eût surnagé du son, car les petites taches de rousseur dont il était semé étaient certainement plus foncées que ses cheveux, d'un roux très doux. Quand elle me tendit son bras pâle, veiné comme une nacre bleuâtre, un poignet fin et de race, où le pouls à l'état normal battait languissamment, elle me fit l'effet d'être mise au monde et créée pour être victime... pour être broyée sous les pieds de cette fière Hauteclaire, qui s'était courbée devant elle jusqu'au rôle de servante. Seulement, cette idée, qui naissait d'abord en la regardant, était contrariée par un menton qui se relevait, à l'extrémité de ce mince visage, un menton de Fulvie sur les médailles romaines, égaré au bas de ce minois chiffonné, et aussi par un front obstinément bombé, sous ces cheveux sans rutilance. Tout cela finissait par embarrasser le jugement. Pour les pieds de Hauteclaire, c'est peut-être *de là* que viendrait l'obstacle; — étant impossible qu'une situation comme celle que j'entrevoyais dans cette maison, — de présent, tranquille, — n'aboutît pas à quelque éclat affreux... En vue de cet éclat futur, je me mis donc à ausculter doublement cette petite femme, qui ne pouvait pas rester lettre close pour son médecin bien longtemps. Qui confesse le corps tient vite le cœur. S'il y avait des causes morales ou immorales à la souffrance actuelle de la comtesse, elle aurait

beau se rouler en boule avec moi, et rentrer en elle ses
impressions et ses pensées, il faudrait bien qu'elle les
allongeât. Voilà ce que je me disais; mais, vous pouvez
vous fier à moi, je la tournai et la retournai vainement
avec ma serre de médecin. Il me fut évident, au bout
de quelques jours, qu'elle n'avait pas le moindre soupçon de la complicité de son mari et de Hauteclaire
dans le crime domestique dont sa maison était le silencieux et discret théâtre... Etait-ce, de sa part, défaut
de sagacité ? mutisme de sentiments jaloux ? Qu'était-
ce ?... Elle avait une réserve un peu hautaine avec tout
le monde, excepté avec son mari. Avec cette fausse
Eulalie qui la servait, elle était impérieuse, mais douce.
Cela peut sembler contradictoire. Cela ne l'est point.
Cela n'est que vrai. Elle avait le commandement bref,
mais qui n'élève jamais la voix, d'une femme faite
pour être obéie et qui est sûre de l'être... Elle l'était
admirablement. Eulalie, cette effrayante Eulalie,
insinuée, glissée chez elle, je ne savais comment, l'en-
veloppait de ces soins qui s'arrêtent juste à temps
avant d'être une fatigue pour qui les reçoit, et montrait
dans les détails de son service une souplesse et une
entente du caractère de sa maîtresse qui tenait autant
du génie de la volonté que du génie de l'intelligence...
Je finis même par parler à la comtesse de cette Eulalie,
que je voyais si naturellement circuler autour d'elle
pendant mes visites, et qui me donnait le froid dans le
dos que donnerait un serpent qu'on verrait se dérouler
et s'étendre, sans faire le moindre bruit, en s'appro-
chant du lit d'une femme endormie... Un soir que la
comtesse lui demanda d'aller chercher je ne sais plus
quoi, je pris occasion de sa sortie et de la rapidité, à
pas légers, avec laquelle elle l'exécuta, pour risquer
un mot qui fît peut-être jour :

« — Quels pas de velours! dis-je, en la regardant
sortir. Vous avez là, madame la comtesse, une femme
de chambre d'un bien agréable service, à ce que je
crois. Me permettez-vous de vous demander où vous
l'avez prise ? Est-ce qu'elle est de V..., par hasard,
cette fille-là ?

« — Oui, elle me sert fort bien, répondit indifféremment la comtesse, qui se regardait alors dans un petit miroir à main, encadré dans du velours vert et entouré de plumes de paon, avec cet air impertinent qu'on a toujours quand on s'occupe de tout autre chose que de ce qu'on vous dit. J'en suis on ne peut plus contente. Elle n'est pas de V...; mais vous dire d'où elle est, je n'en sais plus rien. Demandez à M. de Savigny, si vous tenez à le savoir, docteur, car c'est lui qui me l'a amenée quelque temps après notre mariage. Elle avait servi, me dit-il en me la présentant, chez une vieille cousine à lui, qui venait de mourir, et elle était restée sans place. Je l'ai prise de confiance, et j'ai bien fait. C'est une perfection de femme de chambre. Je ne crois pas qu'elle ait un défaut.

« — Moi, je lui en connais un, madame la comtesse, — dis-je en affectant la gravité.

« — Ah! et lequel? — fit-elle languissamment, avec le désintérêt de ce qu'elle disait, et en regardant toujours dans sa petite glace, où elle étudiait attentivement ses lèvres pâles.

« — Elle est trop belle, — dis-je; — elle est réellement trop belle pour une femme de chambre. Un de ces jours, on vous l'enlèvera.

« — Vous croyez? — fit-elle, toujours se regardant, et toujours distraite de ce que je disais.

« — Et ce sera, peut-être, un homme comme il faut et de votre monde qui s'en amourachera, madame la comtesse! Elle est assez belle pour tourner la tête à un duc.

« Je prenais la mesure de mes paroles tout en les prononçant. C'était là un coup de sonde; mais si je ne rencontrais rien, je ne pouvais pas en donner un de plus.

« — Il n'y a pas de duc à V..., — répondit la comtesse, dont le front resta aussi poli que la glace qu'elle tenait à la main. Et, d'ailleurs, toutes ces filles-là, docteur, ajouta-t-elle en lissant un de ses sourcils, quand elles veulent partir, ce n'est pas l'affection que vous avez pour elles qui les en empêche. Eulalie a le service charmant, mais elle abuserait comme les autres de l'affection que l'on aurait pour elle, et je me garde bien de m'y attacher.

« Et il ne fut plus question d'Eulalie ce jour-là. La comtesse était absolument abusée. Qui ne l'aurait été, du reste ? Moi-même, — qui de prime abord l'avais reconnue, cette Hauteclaire vue tant de fois, à une simple longueur d'épée, dans la salle d'armes de son père, — il y avait des moments où j'étais tenté de croire à Eulalie. Savigny avait beaucoup moins qu'elle, lui qui aurait dû l'avoir davantage, la liberté, l'aisance, le naturel dans le mensonge; mais elle! ah! elle s'y mouvait et elle y vivait comme le plus flexible des poissons vit et se meut dans l'eau. Il fallait, certes, qu'elle l'aimât, et l'aimât étrangement, pour faire ce qu'elle faisait, pour avoir tout planté là d'une existence exceptionnelle, qui pouvait flatter sa vanité en fixant sur elle les regards d'une petite ville, — pour elle l'univers, — où plus tard elle pouvait trouver, parmi les jeunes gens, ses admirateurs et ses adorateurs, quelqu'un qui l'épouserait par amour et la ferait entrer dans cette société plus élevée, dont elle ne connaissait que les hommes. Lui, l'aimant, jouait certainement moins gros jeu qu'elle. Il avait, en dévouement, la position inférieure. Sa fierté d'homme devait souffrir de ne pouvoir épargner à sa maîtresse l'indignité d'une situation humiliante. Il y avait même, dans tout cela, une inconséquence avec le caractère impétueux qu'on attribuait à Savigny. S'il aimait Hauteclaire au point de lui sacrifier sa jeune femme, il aurait pu l'enlever et aller vivre avec elle en Italie, — cela se faisait déjà très bien en ce temps-là ! — sans passer par les abominations d'un concubinage honteux et caché. Etait-ce donc lui qui aimait le moins ?... Se laissait-il plutôt aimer par Hauteclaire, plus aimer par elle qu'il ne l'aimait ?... Etait-ce elle qui, d'elle-même, était venue le forcer jusque dans les gardes du domicile conjugal ? Et lui, trouvant la chose audacieuse et piquante, laissait-il faire cette Putiphar d'une espèce nouvelle, qui, à toute heure, lui avivait la tentation ?... Ce que je voyais ne me renseignait pas beaucoup sur Savigny et Hauteclaire... Complices — ils l'étaient bien, parbleu! — dans un adultère quelconque; mais les sentiments qu'il y avait au fond de cet adultère, quels étaient-ils ?...

Quelle était la situation respective de ces deux êtres
l'un vis-à-vis de l'autre ?... Cette inconnue de mon
algèbre, je tenais à la dégager. Savigny était irréprochable pour sa femme; mais lorsque Hauteclaire-
Eulalie était là, il avait, pour moi qui l'ajustais du coin
de l'œil, des précautions qui attestaient un esprit bien
peu tranquille. Quand, dans le tous-les-jours de la vie,
il demandait un livre, un journal, un objet quelconque
à la femme de chambre de sa femme, il avait des
manières de prendre cet objet qui eussent tout révélé
à une autre femme que cette petite pensionnaire, élevée
aux Bénédictines, et qu'il avait épousée... On voyait
que sa main avait peur de rencontrer celle de Hauteclaire, comme si, la touchant par hasard, il lui eût été
impossible de ne pas la prendre. Hauteclaire n'avait
point de ces embarras, de ces précautions épouvantées...
Tentatrice comme elles le sont toutes, qui tenteraient
Dieu dans son ciel, s'il y en avait un, et le Diable dans
son enfer, elle semblait vouloir agacer, tout ensemble,
et le désir et le danger. Je la vis une ou deux fois, —
le jour où ma visite tombait pendant le dîner, que
Savigny faisait pieusement auprès du lit de sa femme.
C'était elle qui servait, les autres domestiques n'entrant
point dans l'appartement de la comtesse. Pour mettre
les plats sur la table, il fallait se pencher un peu par-
dessus l'épaule de Savigny, et je la surpris qui, en les
y mettant, frottait des pointes de son corsage la nuque
et les oreilles du comte, qui devenait tout pâle... et qui
regardait si sa femme ne le regardait pas. Ma foi!
j'étais jeune encore dans ce temps, et le tapage des
molécules dans l'organisation, qu'on appelle la violence des sensations, me semblait la seule chose qui
valût la peine de vivre. Aussi m'imaginais-je qu'il
devait y avoir de fameuses jouissances dans ce concubinage caché avec une fausse servante, sous les yeux
affrontés d'une femme qui pouvait tout deviner. Oui,
le concubinage dans la maison conjugale, comme dit
ce vieux Prudhomme de Code, c'est à ce moment-là
que je le compris!

« Mais excepté les pâleurs et les transes réprimées
de Savigny, je ne voyais rien du roman qu'ils faisaient

entre eux, en attendant le drame et la catastrophe...
selon moi inévitables. Où en étaient-ils tous les deux ?
C'était là le secret de leur roman, que je voulais arracher. Cela me prenait la pensée comme la griffe de
sphinx d'un problème, et cela devint si fort que, de
l'observation, je tombai dans l'espionnage, qui n'est
que de l'observation à tout prix. Hé! hé! un goût vif,
bientôt nous déprave... Pour savoir ce que j'ignorais,
je me permis bien de petites bassesses, très indignes de
moi, et que je jugeais telles, et que je me permis néanmoins. Ah! l'habitude de la sonde, mon cher! Je la
jetais partout. Lorsque, dans mes visites au château, je
mettais mon cheval à l'écurie, je faisais jaser les domestiques sur les maîtres, sans avoir l'air d'y toucher. Je
mouchardais (oh! je ne m'épargne pas le mot) pour
le compte de ma propre curiosité. Mais les domestiques étaient tout aussi trompés que la comtesse. Ils
prenaient Hauteclaire de très bonne foi pour une des
leurs, et j'en aurais été pour mes frais de curiosité
sans un hasard qui, comme toujours, en fit plus, en
une fois, que toutes mes combinaisons, et m'en apprit
plus que tous mes espionnages.

« Il y avait plus de deux mois que j'allais voir la
comtesse, dont la santé ne s'améliorait pas et présentait de plus en plus les symptômes de cette débilita-
tion si commune maintenant, et que les médecins de
ce temps énervé ont appelée du nom d'anémie. Savigny
et Hauteclaire continuaient de jouer, avec la même
perfection, la très difficile comédie que mon arrivée et
ma présence en ce château n'avaient pas déconcertée.
Néanmoins, on eût dit qu'il y avait un peu de fatigue
dans les acteurs. Serlon avait maigri, et j'avais entendu
dire à V... : « Quel bon mari que ce M. de Savigny!
Il est déjà tout changé de la maladie de sa femme.
Quelle belle chose donc que de s'aimer! » Hauteclaire,
à la beauté immobile, avait les yeux battus, pas battus
comme on les a quand ils ont pleuré, car ces yeux-là
n'ont peut-être jamais pleuré de leur vie; mais ils
l'étaient comme quand on a beaucoup veillé, et n'en
brillaient que plus ardents, du fond de leur cercle
violâtre. Cette maigreur de Savigny, du reste, et ces

yeux cernés de Hauteclaire, pouvaient venir d'autre
chose que de la vie compressive qu'ils s'étaient imposée.
Ils pouvaient venir de tant de choses, dans ce milieu
souterrainement volcanisé! J'en étais à regarder ces
marques trahissantes à leurs visages, m'interrogeant
tout bas et ne sachant trop que me répondre, quand
un jour, étant allé faire ma tournée de médecin dans
les alentours, je revins le soir par Savigny. Mon intention était d'entrer au château, comme à l'ordinaire;
mais un accouchement très laborieux d'une femme de
la campagne m'avait retenu fort tard, et, quand je
passai par le château, l'heure était beaucoup trop
avancée pour que j'y pusse entrer. Je ne savais pas
même l'heure qu'il était. Ma montre de chasse s'était
arrêtée. Mais la lune, qui avait commencé de descendre
de l'autre côté de sa courbe dans le ciel, marquait, à
ce vaste cadran bleu, un peu plus de minuit, et touchait
presque, de la pointe inférieure de son croissant, la
pointe des hauts sapins de Savigny, derrière lesquels
elle allait disparaître...

— ... « Etes-vous allé parfois à Savigny ? — fit le
docteur, en s'interrompant tout à coup et en se tournant vers moi. — Oui, — reprit-il, à mon signe de tête.
— Eh bien! vous savez qu'on est obligé d'entrer dans
ce bois de sapins et de passer le long des murs du
château, qu'il faut doubler comme un cap, pour
prendre la route qui mène directement à V... Tout à
coup, dans l'épaisseur de ce bois noir où je ne voyais
goutte de lumière ni n'entendais goutte de bruit, voilà
qu'il m'en arriva un à l'oreille que je pris pour celui
d'un battoir, — le battoir de quelque pauvre femme,
occupée le jour aux champs, et qui profitait du clair
de lune pour laver son linge à quelque lavoir ou à
quelque fossé... Ce ne fut qu'en avançant vers le château, qu'à ce claquement régulier se mêla un autre
bruit qui m'éclaira sur la nature du premier. C'était
un cliquetis d'épées qui se croisent, et se frottent, et
s'agacent. Vous savez comme on entend tout dans le
silence et l'air fin des nuits, comme les moindres bruits
y prennent des précisions de distinctibilité singulière!
J'entendais, à ne pouvoir m'y méprendre, le froisse-

ment animé du fer. Une idée me passa dans l'esprit; mais, quand je débouchai du bois de sapins du château, blêmi par la lune, et dont une fenêtre était ouverte :

« — Tiens! — fis-je, admirant la force des goûts et des habitudes, — voilà donc toujours leur manière de faire l'amour!

« Il était évident que c'était Serlon et Hauteclaire qui faisaient des armes à cette heure. On entendait les épées comme si on les avait vues. Ce que j'avais pris pour le bruit des battoirs c'étaient les *appels du pied* des tireurs. La fenêtre ouverte l'était dans le pavillon le plus éloigné, des quatre pavillons, de celui où se trouvait la chambre de la comtesse. Le château endormi, morne et blanc sous la lune, était comme une chose morte... Partout ailleurs que dans ce pavillon, choisi à dessein, et dont la porte-fenêtre, ornée d'un balcon, donnait sous des persiennes à moitié fermées, tout était silence et obscurité; mais c'était de ces persiennes, à moitié fermées et zébrées de lumière sur le balcon, que venait ce double bruit des appels du pied et du grincement des fleurets. Il était si clair, il arrivait si net à l'oreille, que je préjugeai avec raison, comme vous allez voir, qu'ayant très chaud (on était en juillet), ils avaient ouvert la porte du balcon sous les persiennes. J'avais arrêté mon cheval sur le bord du bois, écoutant leur engagement qui paraissait très vif, intéressé par cet assaut d'armes entre amants qui s'étaient aimés les armes à la main et qui continuaient de s'aimer ainsi, quand, au bout d'un certain temps, le cliquetis des fleurets et le claquement des appels du pied cessèrent. Les persiennes de la porte vitrée du balcon furent poussées et s'ouvrirent, et je n'eus que le temps, pour ne pas être aperçu dans cette nuit claire, de faire reculer mon cheval dans l'ombre du bois de sapins. Serlon et Hauteclaire vinrent s'accouder sur la rampe en fer du balcon. Je les discernais à merveille. La lune tomba derrière le petit bois, mais la lumière d'un candélabre, que je voyais derrière eux dans l'appartement, mettait en relief leur double silhouette. Hauteclaire était vêtue, si cela s'appelle vêtue, comme je l'avais vue tant de fois,

donnant ses leçons à V..., lacée dans ce gilet d'armes
de peau de chamois qui lui faisait comme une cuirasse, et les jambes moulées par ces chausses en soie
qui en prenaient si juste le contour musclé. Savigny
portait à peu près le même costume. Sveltes et robustes
tous deux, ils apparaissaient sur le fond lumineux, qui
les encadrait, comme deux belles statues de la Jeunesse et de la Force. Vous venez tout à l'heure d'admirer dans ce jardin l'orgueilleuse beauté de l'un et de
l'autre, que les années n'ont pas détruite encore. Eh
bien! aidez-vous de cela pour vous faire une idée de
la magnificence du couple que j'apercevais alors, à ce
balcon, dans ces vêtements serrés qui ressemblaient à
une nudité. Ils parlaient, appuyés à la rampe, mais
trop bas pour que j'entendisse leurs paroles; mais les
attitudes de leurs corps les disaient pour eux. Il y eut
un moment où Savigny laissa tomber passionnément
son bras autour de cette taille d'amazone qui semblait faite pour toutes les résistances et qui n'en fit
pas... Et, la fière Hauteclaire se suspendant presque
en même temps au cou de Serlon, ils formèrent, à
eux deux, ce fameux et voluptueux groupe de Canova
qui est dans toutes les mémoires, et ils restèrent ainsi
sculptés bouche à bouche le temps, ma foi, de boire,
sans s'interrompre et sans reprendre, au moins une
bouteille de baisers! Cela dura bien soixante pulsa-
tions comptées à ce pouls qui allait plus vite qu'à
présent, et que ce spectacle fit aller plus vite encore...
   « Oh! oh! — fis-je, quand je débusquai de mon
bois et qu'ils furent rentrés, toujours enlacés l'un à
l'autre, dans l'appartement dont ils abaissèrent les
rideaux, de grands rideaux sombres. — Il faudra bien
qu'un de ces matins ils se confient à moi. Ce n'est
pas seulement eux qu'ils auront à cacher. — En voyant
ces caresses et cette intimité qui me révélaient tout,
j'en tirais, en médecin, les conséquences. Mais leur
ardeur devait tromper mes prévisions. Vous savez
comme moi que les êtres qui s'aiment trop (le cynique
docteur dit un autre mot) ne font pas d'enfants. Le
lendemain matin, j'allai à Savigny. Je trouvai Hauteclaire redevenue Eulalie, assise dans l'embrasure d'une

des fenêtres du long corridor qui aboutissait à la chambre de sa maîtresse, une masse de linge et de chiffons sur une chaise devant elle, occupée à coudre et à tailler là-dedans, elle, la tireuse d'épée de la nuit! S'en douterait-on ? pensai-je, en l'apercevant avec son tablier blanc et ces formes que j'avais vues, comme si elles avaient été nues, dans le cadre éclairé du balcon, noyées alors dans les plis d'une jupe qui ne pouvait pas les engloutir... Je passai, mais sans lui parler, car je ne lui parlais que le moins possible, ne voulant pas avoir avec elle l'air de savoir ce que je savais et ce qui aurait peut-être filtré à travers ma voix ou mon regard. Je me sentais bien moins comédien qu'elle, et je me craignais... D'ordinaire, lorsque je passais le long de ce corridor où elle travaillait toujours, quand elle n'était pas de service auprès de la comtesse, elle m'entendait si bien venir, elle était si sûre que c'était moi, qu'elle ne relevait jamais la tête. Elle restait inclinée sous son casque de batiste empesée, ou sous cette autre coiffe normande qu'elle portait aussi à certains jours, et qui ressemble au hennin d'Isabeau de Bavière, les yeux sur son travail et les joues voilées par ces longs tire-bouchons d'un noir bleu qui pendaient sur leur ovale pâle, n'offrant à ma vue que la courbe d'une nuque estompée par d'épais frisons, qui s'y tordaient comme les désirs qu'ils faisaient naître. Chez Hauteclaire, c'est surtout l'animal qui est superbe. Nulle femme plus qu'elle n'eut peut-être ce genre de beauté-là... Les hommes, qui, entre eux, se disent tout, l'avaient bien souvent remarquée. A V..., quand elle y donnait des leçons d'armes, les hommes l'appelaient entre eux : Mademoiselle Esaü... Le Diable apprend aux femmes ce qu'elles sont, ou plutôt elles l'apprendraient au Diable, s'il pouvait l'ignorer... Hauteclaire, si peu coquette pourtant, avait en écoutant, quand on lui parlait, des façons de prendre et d'enrouler autour de ses doigts les longs cheveux frisés et tassés à cette place du cou, ces rebelles au peigne qui avait lissé le chignon, et dont un seul suffit pour *troubler l'âme*, nous dit la Bible. Elle savait bien les idées que ce jeu faisait naître! Mais à présent, depuis qu'elle était femme de chambre, je ne l'avais pas vue, une seule fois, se permettre ce geste de la puissance jouant avec la flamme, même en regardant Savigny.

« Mon cher, ma parenthèse est longue; mais tout ce qui vous fera bien connaître ce qu'était Hauteclaire Stassin importe à mon histoire... Ce jour-là, elle fut bien obligée de se déranger et de venir me montrer son visage, car la comtesse la sonna et lui commanda de me donner de l'encre et du papier dont j'avais besoin pour une ordonnance, et elle vint. Elle vint, le dé d'acier au doigt, qu'elle ne prit pas le temps d'ôter, ayant piqué l'aiguille enfilée sur sa provocante poitrine, où elle en avait piqué une masse d'autres pressées les unes contre les autres et l'embellissant de leur acier. Même l'acier des aiguilles allait bien à cette diablesse de fille, faite pour l'acier, et qui, au Moyen Age, aurait porté la cuirasse. Elle se tint debout devant moi pendant que j'écrivais, m'offrant l'écritoire avec ce noble et moelleux mouvement dans les avant-bras que l'habitude de faire des armes lui avait donné plus qu'à personne. Quand j'eus fini, je levai les yeux et je la regardai, pour ne rien affecter, et je lui trouvai le visage fatigué de sa nuit. Savigny, qui n'était pas là quand j'étais arrivé, entra tout à coup. Il était bien plus fatigué qu'elle... Il me parla de l'état de la comtesse, qui ne guérissait pas. Il m'en parla comme un homme impatienté qu'elle ne guérît pas. Il avait le ton amer, violent, contracté de l'homme impatienté. Il allait et venait en parlant. Je le regardais froidement, trouvant la chose trop forte pour le coup, et ce ton napoléonien avec moi un peu inconvenant. « Mais si je guérissais ta femme, — pensai-je insolemment, — tu ne ferais pas des armes et l'amour toute la nuit avec ta maîtresse. » J'aurais pu le rappeler au sentiment de la réalité et de la politesse qu'il oubliait, lui planter sous le nez, si cela m'avait plu, les sels anglais d'une bonne réponse. Je me contentai de le regarder. Il devenait plus intéressant pour moi que jamais, car il m'était évident qu'il jouait plus que jamais la comédie. »

Et le docteur s'arrêta de nouveau. Il plongea son

large pouce et son index dans sa boîte d'argent guilloché et aspira une prise de macoubac, comme il avait l'habitude d'appeler pompeusement son tabac. Il me parut si intéressant à son tour, que je ne lui fis aucune observation et qu'il reprit, après avoir absorbé sa prise et passé son doigt crochu sur la courbure de son avide nez en bec de corbin :

« Oh! pour impatienté, il l'était réellement; mais ce n'était point parce que sa femme ne guérissait pas, cette femme à laquelle il était si déterminément infidèle! Que diable! lui qui concubinait avec une servante dans sa propre maison, ne pouvait guère s'encolérer parce que sa femme ne guérissait pas! Est-ce que, elle guérie, l'adultère n'eût pas été plus difficile ? Mais c'était vrai, pourtant, que la traînerie de ce mal sans bout le lassait, lui portait sur les nerfs. Avait-il pensé que ce serait moins long ? Et, depuis, lorsque j'y ai songé, si l'idée d'en finir vint à lui ou à elle, ou à tous les deux, puisque la maladie ou le médecin n'en finissait pas, c'est peut-être de ce moment-là... »

— Quoi! docteur, ils auraient donc ?...

Je n'achevai pas, tant cela me coupait la parole, l'idée qu'il me donnait!

Il baissa la tête en me regardant, aussi tragique que la statue du Commandeur, quand elle accepte de souper.

« Oui! — souffla-t-il lentement, d'une voix basse, répondant à ma pensée. — Au moins, à quelques jours de là, tout le pays apprit avec terreur que la comtesse était morte empoisonnée... »

— Empoisonnée! m'écriai-je.

« ... Par sa femme de chambre, Eulalie, qui avait pris une fiole l'une pour l'autre et qui, disait-on, avait fait avaler à sa maîtresse une bouteille d'encre double, au lieu d'une médecine que j'avais prescrite. C'était possible, après tout, qu'une pareille méprise. Mais je savais, moi, qu'Eulalie, c'était Hauteclaire! Mais je les avais vus, tous deux, faire le groupe de Canova, au balcon! Le monde n'avait pas vu ce que j'avais vu. Le monde n'eut d'abord que l'impression d'un accident terrible. Mais quand, deux ans après cette catastrophe, on apprit que le comte Serlon de Savigny

épousait publiquement *la fille à Stassin*, — car il fallut
bien *déclencher* qui elle était, la fausse Eulalie, — et
qu'il allait la coucher dans les draps chauds encore
de sa première femme, Mlle Delphine de Cantor, oh!
alors, ce fut un grondement de tonnerre de soupçons
à voix basse, comme si on avait eu peur de ce qu'on
disait et de ce qu'on pensait. Seulement, au fond, personne ne savait. On ne savait que la monstrueuse
mésalliance, qui fit montrer au doigt le comte de
Savigny et l'isola comme un pestiféré. Cela suffisait
bien, du reste. Vous savez quel déshonneur c'est, ou
plutôt c'était, car les choses ont bien changé aussi dans
ce pays-là, que de dire d'un homme : Il a épousé sa
servante! Ce déshonneur s'étendit et resta sur Serlon
comme une souillure. Quant à l'horrible bourdonne-
ment du crime soupçonné qui avait couru, il s'engourdit bientôt comme celui d'un taon qui tombe lassé
dans une ornière. Mais il y avait cependant quelqu'un
qui savait et qui était sûr... »

— Et ce ne pouvait être que vous, docteur? —
interrompis-je.

— C'était moi, en effet, — reprit-il, — mais pas
moi tout seul. Si j'avais été seul pour savoir, je n'aurais
jamais eu que de vagues lueurs, pires que l'ignorance...
Je n'aurais jamais été sûr, et, fit-il, en s'appuyant sur
les mots avec l'aplomb de la sécurité complète :
— je le suis!

« Et, écoutez bien comme je le suis! » — ajouta-
t-il, en me prenant le genou avec ses doigts noueux,
comme avec une pince. Or, son histoire me pinçait
encore plus que ce système d'articulations de crabe
qui formait sa redoutable main.

« Vous vous doutez bien, — continua-t-il, — que
je fus le premier à savoir l'empoisonnement de la
comtesse. Coupables ou non, il fallait bien qu'ils
m'envoyassent chercher, moi qui étais le médecin. On
ne prit pas la peine de seller un cheval. Un garçon
d'écurie vint *à poil* et au grand galop me trouver
à V..., d'où je le suivis, du même galop, à Savigny.
Quand j'arrivai, — cela avait-il été calculé? — il
n'était plus possible d'arrêter les ravages de l'empoi-

sonnement. Serlon, dévasté de physionomie, vint au-devant de moi dans la cour et me dit, au dégagé de l'étrier, comme s'il eût eu peur des mots dont il se servait :

« — Une domestique s'est trompée. (Il évitait de dire : Eulalie, que tout le monde nommait le lende-main.) Mais, docteur, ce n'est pas possible! est-ce que l'encre double serait un poison ?...

« — Cela dépend des substances avec quoi elle est faite, — repartis-je. — Il m'introduisit chez la com-tesse, épuisée de douleur, et dont le visage rétracté ressemblait à un peloton de fil blanc tombé dans de la teinture verte... Elle était effrayante ainsi. Elle me sourit affreusement de ses lèvres noires et de ce sourire qui dit à un homme qui se tait : « Je sais bien ce que vous pensez... » D'un tour d'œil je cherchai dans la chambre si Eulalie ne s'y trouvait pas. J'aurais voulu voir sa contenance à pareil moment. Elle n'y était point. Toute brave qu'elle fût, avait-elle eu peur de moi ?... Ah! je n'avais encore que d'incertaines données...

« La comtesse fit un effort en m'apercevant et s'était soulevée sur son coude.

« — Ah! vous voilà, docteur, — dit-elle; — mais vous venez trop tard. Je suis morte. Ce n'est pas le médecin qu'il fallait envoyer chercher, Serlon, c'était le prêtre. Allez! donnez des ordres pour qu'il vienne, et que tout le monde me laisse seule deux minutes avec le docteur. Je le veux!

« Elle dit ce : *Je le veux*, comme je ne le lui avais jamais entendu dire, — comme une femme qui avait ce front et ce menton dont je vous ai parlé.

« — Même moi ? — dit Savigny, faiblement.

« — Même vous, — fit-elle. Et elle ajouta, presque caressante : — Vous savez, mon ami, que les femmes ont surtout des pudeurs pour ceux qu'elles aiment.

« A peine fut-il sorti, qu'un atroce changement se produisit en elle. De douce, elle devint fauve.

« — Docteur, — dit-elle d'une voix haineuse, — ce n'est pas un accident que ma mort, c'est un crime. Serlon aime Eulalie, et elle m'a empoisonnée! Je ne vous ai pas cru quand vous m'avez dit que cette fille

était trop belle pour une femme de chambre. J'ai eu
tort. Il aime cette scélérate, cette exécrable fille qui m'a
tuée. Il est plus coupable qu'elle, puisqu'il l'aime et
qu'il m'a trahie pour elle. Depuis quelques jours, les
regards qu'ils se jetaient des deux côtés de mon lit
m'ont bien avertie. Et encore plus le goût horrible de
cette encre avec laquelle ils m'ont empoisonnée !!...
Mais j'ai tout bu, j'ai tout pris, malgré cet affreux goût,
parce que j'étais bien aise de mourir ! Ne me parlez pas
de contre-poison. Je ne veux d'aucun de vos remèdes.
Je veux mourir.

« — Alors, pourquoi m'avez-vous fait venir,
madame la comtesse ?...

« — Eh bien ! voici pourquoi, reprit-elle haletante...
— C'est pour vous dire qu'ils m'ont empoisonnée, et
pour que vous me donniez votre parole d'honneur de
le cacher. Tout ceci va faire un éclat terrible. Il ne le
faut pas. Vous êtes mon médecin, et on vous croira,
vous, quand vous parlerez de cette méprise qu'ils ont
inventée, quand vous direz que même je ne serais pas
morte, que j'aurais pu être sauvée, si depuis longtemps
ma santé n'avait été perdue. Voilà ce qu'il faut me
jurer, docteur...

« Et comme je ne répondais pas, elle vit ce qui
s'élevait en moi. Je pensais qu'elle aimait son mari
au point de vouloir le sauver. C'était l'idée qui m'était
venue, l'idée naturelle et vulgaire, car il est des femmes
tellement pétries pour l'amour et ses abnégations,
qu'elles ne rendent pas le coup dont elles meurent.
Mais la comtesse de Savigny ne m'avait jamais produit l'effet d'être une de ces femmes-là !

« — Ah ! ce n'est pas ce que vous croyez qui me fait
vous demander de me jurer cela, docteur ! Oh ! non ! je
hais trop Serlon en ce moment pour ne pas, malgré
sa trahison, l'aimer encore... Mais je ne suis pas si lâche
que de lui pardonner ! Je m'en irai de cette vie, jalouse
de lui, et implacable. Mais il ne s'agit pas de Serlon,
docteur, reprit-elle avec énergie, en me découvrant
tout un côté de son caractère que j'avais entrevu, mais
que je n'avais pas pénétré dans ce qu'il avait de plus
profond. Il s'agit du comte de Savigny. Je ne veux pas,

quand je serai morte, que le comte de Savigny passe pour l'assassin de sa femme. Je ne veux pas qu'on le traîne en cour d'assises, qu'on l'accuse de complicité avec une servante adultère et empoisonneuse! Je ne veux pas que cette tache reste sur ce nom de Savigny, que j'ai porté. Oh! s'il ne s'agissait que de lui, il est digne de tous les échafauds! Mais, lui, je lui mangerais le cœur! Mais il s'agit de nous tous, les gens comme il faut du pays! Si nous étions encore ce que nous devrions être, j'aurais fait jeter cette Eulalie dans une des oubliettes du château de Savigny, et il n'en aurait plus été question jamais! Mais, à présent, nous ne sommes plus les maîtres chez nous. Nous n'avons plus notre justice expéditive et muette, et je ne veux pour rien des scandales et des publicités de la vôtre, docteur; et j'aime mieux les laisser dans les bras l'un de l'autre, heureux et délivrés de moi, et mourir enragée comme je meurs, que de penser, en mourant, que la noblesse de V... aurait l'ignominie de compter un empoisonneur dans ses rangs. »

« Elle parlait avec une vibration inouïe, malgré les tremblements saccadés de sa mâchoire qui claquait à briser ses dents. Je la reconnaissais, mais je l'apprenais encore! C'était bien la fille noble qui n'était que cela, la fille noble plus forte, en mourant, que la femme jalouse. Elle mourait bien comme une fille de V..., la dernière ville noble de France! Et touché de cela plus peut-être que je n'aurais dû l'être, je lui promis et je lui jurai, si je ne la sauvais pas, de faire ce qu'elle me demandait.

« Et je l'ai fait, mon cher. Je ne la sauvai pas. Je ne pus pas la sauver : elle refusa obstinément tout remède. Je dis ce qu'elle avait voulu, quand elle fut morte, et je persuadai... Il y a bien vingt-cinq ans de cela... A présent, tout est calmé, silencé, oublié, de cette épouvantable aventure. Beaucoup de contemporains sont morts. D'autres générations ignorantes, indifférentes, ont poussé sur leurs tombes, et la première parole que je dis de cette sinistre histoire, c'est à vous!

« Et encore, il a fallu ce que nous venons de voir

pour vous la raconter. Il a fallu ces deux êtres, immuablement beaux, malgré le temps, immuablement heureux malgré leur crime, puissants, passionnés, absorbés
en eux, passant aussi superbement dans la vie que dans
ce jardin, semblables à deux de ces Anges d'autel qui
s'enlèvent, unis dans l'ombre d'or de leurs quatre
ailes ! »

J'étais épouvanté... — Mais, — fis-je, — si c'est vrai
ce que vous me contez là, docteur, c'est un effroyable
désordre dans la création que le bonheur de ces gens-
là.

— C'est un désordre ou c'est un ordre, comme il
vous plaira, — répondit le docteur Torty, cet athée
absolu et tranquille aussi, comme ceux dont il parlait,
mais c'est un fait. Ils sont heureux exceptionnellement,
et insolemment heureux. Je suis bien vieux, et j'ai vu
dans ma vie bien des bonheurs qui n'ont pas duré ;
mais je n'ai vu que celui-là qui fût aussi profond, et qui
dure toujours !

« Et croyez que je l'ai bien étudié, bien scruté, bien
perscruté ! Croyez que j'ai bien cherché la petite bête
dans ce bonheur-là ! Je vous demande pardon de l'expression, mais je puis dire que je l'ai pouillé... J'ai mis
les deux pieds et les deux yeux aussi avant que j'ai pu
dans la vie de ces deux êtres, pour voir s'il n'y avait pas
à leur étonnant et révoltant bonheur un défaut, une
cassure, si petite qu'elle fût, à quelque endroit caché ;
mais je n'ai jamais rien trouvé qu'une félicité à faire
envie, et qui serait une excellente et triomphante plaisanterie du Diable contre Dieu, s'il y avait un Dieu et
un Diable ! Après la mort de la comtesse, je demeurai,
comme vous le pensez bien, en bons termes avec
Savigny. Puisque j'avais fait tant que de prêter l'appui
de mon affirmation à la fable imaginée par eux pour
expliquer l'empoisonnement, ils n'avaient pas d'intérêt
à m'écarter, et moi j'en avais un très grand à connaître
ce qui allait suivre, ce qu'ils allaient faire, ce qu'ils
allaient devenir. J'étais horripilé, mais je bravais mes
horripilations... Ce qui suivit, ce fut d'abord le deuil de
Savigny, lequel dura les deux ans d'usage, et que
Savigny porta de manière à confirmer l'idée publique

qu'il était le plus excellent des maris, passés, présents et futurs... Pendant ces deux ans, il ne vit absolument personne. Il s'enterra dans son château avec une telle rigueur de solitude, que personne ne sut qu'il avait gardé à Savigny Eulalie, la cause involontaire de la mort de la comtesse et qu'il aurait dû, par convenance seule, mettre à la porte, même dans la certitude de son innocence. Cette imprudence de garder chez soi une telle fille, après une telle catastrophe, me prouvait la passion insensée que j'avais toujours soupçonnée dans Serlon. Aussi ne fus-je nullement surpris quand un jour, en revenant d'une de mes tournées de médecin, je rencontrai un domestique sur la route de Savigny, à qui je demandai des nouvelles de ce qui se passait au château, et qui m'apprit qu'Eulalie *y était toujours...* A l'indifférence avec laquelle il me dit cela, je vis que personne, parmi les gens du comte, ne se doutait qu'Eulalie fût sa maîtresse. « Ils jouent toujours serré, — me dis-je. Mais pourquoi ne s'en vont-ils pas du pays ? Le comte est riche. Il peut vivre grandement partout. Pourquoi ne pas filer avec cette belle diablesse (en fait de diablesse, je croyais à celle-là) qui, pour le mieux crocheter, a préféré vivre dans la maison de son amant, au péril de tout, que d'être sa maîtresse à V..., dans quelque logement retiré où il serait allé bien tranquillement la voir en cachette ? » Il y avait là un dessous que je ne comprenais pas. Leur délire, leur dévorement d'eux-mêmes étaient-ils donc si grands qu'ils ne voyaient plus rien des prudences et des précautions de la vie ?... Hauteclaire, que je supposais plus forte de caractère que Serlon, Hauteclaire, que je croyais l'homme des deux dans leurs rapports d'amants, voulait-elle rester dans ce château où on l'avait vue servante et où l'on devait la voir maîtresse, et en restant, si on l'apprenait et si cela faisait un scandale, préparer l'opinion à un autre scandale bien plus épouvantable, son mariage avec le comte de Savigny ? Cette idée ne m'était pas venue à moi, si elle lui était venue à elle, en cet instant de mon histoire. Hauteclaire Stassin, fille de ce vieux pilier de salle d'armes, *La Pointe-au-corps*, — que nous avions tous vue, à V..., donner des leçons et *se fendre à fond* en pantalon collant, — comtesse de Savigny! Allons donc! Qui aurait cru à ce renversement, à cette fin du monde ? Oh! pardieu, je croyais très bien, pour ma part, *in petto*, que le concubinage continuerait d'aller son train entre ces deux fiers animaux, qui avaient, au premier coup d'œil, reconnu qu'ils étaient de la même espèce et qui avaient osé l'adultère sous les yeux mêmes de la comtesse. Mais le mariage, le mariage effrontément accompli au nez de Dieu et des hommes, mais ce défi jeté à l'opinion de toute une contrée outragée dans ses sentiments et dans ses mœurs, j'en étais, d'honneur! à mille lieues, et si loin que quand, au bout des deux ans du deuil de Serlon, la chose se fit brusquement, le coup de foudre de la surprise me tomba sur la tête comme si j'avais été un de ces imbéciles qui ne s'attendent jamais à rien de ce qui arrive, et qui, dans le pays, se mirent alors à piauler comme les chiens, fouettés dans la nuit, piaulent aux carrefours.

« Du reste, en ces deux ans du deuil de Serlon, si strictement observé et qui fut, quand on en vit la fin, si furieusement taxé d'hypocrisie et de bassesse, je n'allai pas beaucoup au château de Savigny... Qu'y serais-je allé faire ?... On s'y portait très bien, et jusqu'au moment peu éloigné peut-être où l'on m'enverrait chercher nuitamment, pour quelque accouchement qu'il faudrait bien cacher encore, on n'y avait pas besoin de mes services. Néanmoins, entre-temps, je risquais une visite au comte. Politesse doublée de curiosité éternelle. Serlon me recevait ici ou là, selon l'occurrence et où il était, quand j'arrivais. Il n'avait pas le moindre embarras avec moi. Il avait repris sa bienveillance. Il était grave. J'avais déjà remarqué que les êtres heureux sont graves. Ils portent en eux attentivement leur cœur, comme un verre plein, que le moindre mouvement peut faire déborder ou briser... Malgré sa gravité et ses vêtements noirs, Serlon avait dans les yeux l'incoercible expression d'une immense félicité. Ce n'était plus l'expression du soulagement et de la délivrance qui y brillait comme le jour où, chez sa femme, il s'était aperçu que je reconnaissais Hauteclaire, mais que j'avais pris le parti de ne pas la reconnaître. Non, parbleu! c'était bel et bien du bonheur! Quoique, en ces visites cérémonieuses et rapides, nous ne nous entretinssions que de choses superficielles et extérieures, la voix du comte de Savigny, pour les dire, n'était pas la même voix qu'au temps de sa femme. Elle révélait à présent, par la plénitude presque chaude de ses intonations, qu'il avait peine à contenir des sentiments qui ne demandaient qu'à lui sortir de la poitrine. Quant à Hauteclaire (toujours Eulalie, et au château, ainsi que me l'avait dit le domestique), je fus assez longtemps sans la rencontrer. Elle n'était plus, quand je passais, dans le corridor où elle se tenait du temps de la comtesse, travaillant dans son embrasure. Et, pourtant, la pile de linge à la même place, et les ciseaux, et l'étui, et le dé sur le bord de la fenêtre, disaient qu'elle devait toujours travailler là, sur cette chaise vide et tiède peut-être, qu'elle avait quittée, m'entendant venir. Vous vous rappelez que j'avais la fatuité de croire qu'elle redoutait la pénétration de mon regard; mais, à présent, elle n'avait plus à la craindre. Elle ignorait que j'eusse reçu la terrible confidence de la comtesse. Avec la nature audacieuse et altière que je lui connaissais, elle devait même être contente de pouvoir braver la sagacité qui l'avait devinée. Et, de fait, ce que je présumais était la vérité, car le jour où je la rencontrai enfin, elle avait son bonheur écrit sur son front d'une si radieuse manière, qu'en y répandant toute la bouteille d'encre double avec laquelle elle avait empoisonné la comtesse, on n'aurait pas pu l'effacer!

« C'est dans le grand escalier du château que je la rencontrai cette première fois. Elle le descendait et je le montais. Elle le descendait un peu vite; mais quand elle me vit, elle ralentit son mouvement, tenant sans doute à me montrer fastueusement son visage, et à me mettre bien au fond des yeux ses yeux qui peuvent faire fermer ceux des panthères, mais qui ne firent pas fermer les miens. En descendant les marches de son escalier, ses jupes flottant en arrière sous les souffles d'un mouvement rapide, elle semblait descendre du

ciel. Elle était sublime d'air heureux. Ah! son air était
à quinze mille lieues au-dessus de l'air de Serlon! Je
n'en passai pas moins sans lui donner signe de politesse, car si Louis XIV saluait les femmes de chambre
dans les escaliers, ce n'étaient pas des empoisonneuses!
Femme de chambre, elle l'était encore ce jour-là, de
tenue, de mise, de tablier blanc; mais l'air heureux de
la plus triomphante et despotique maîtresse avait
remplacé l'impassibilité de l'esclave. Cet air-là ne l'a
point quittée. Je viens de le revoir, et vous avez pu en
juger. Il est plus frappant que la beauté même du
visage sur lequel il resplendit. Cet air surhumain de la
fierté dans l'amour heureux, qu'elle a dû donner à
Serlon, qui d'abord, lui, ne l'avait pas, elle continue,
après vingt ans, de l'avoir encore, et je ne l'ai vu ni
diminuer, ni se voiler un instant sur la face de ces
deux étranges Privilégiés de la vie. C'est par cet air-là
qu'ils ont toujours répondu victorieusement à tout, à
l'abandon, aux mauvais propos, aux mépris de l'opinion indignée, et qu'ils ont fait croire à qui les rencontre que le crime dont ils ont été accusés quelques
jours n'était qu'une atroce calomnie.

— Mais vous, docteur, — interrompis-je, — après
tout ce que vous savez, vous ne pouvez pas vous laisser
imposer par cet air-là? Vous ne les avez pas suivis
partout? Vous ne les voyez pas à toute heure?

« Excepté dans leur chambre à coucher, le soir, et ce
n'est pas là qu'ils le perdent, — fit le docteur Torty,
gaillard, mais profond, — je les ai vus, je crois bien,
à tous les moments de leur vie depuis leur mariage,
qu'ils allèrent faire je ne sais où, pour éviter le charivari que la populace de V..., aussi furieuse à sa façon
que la Noblesse à la sienne, se promettait de leur donner. Quand ils revinrent mariés, elle, authentiquement
comtesse de Savigny, et lui, absolument déshonoré par
un mariage avec une servante, on les planta là, dans
leur château de Savigny. On leur tourna le dos. On les
laissa se repaître d'eux tant qu'ils voulurent... Seulement, ils ne s'en sont jamais repus, à ce qu'il paraît;
encore tout à l'heure, leur faim d'eux-mêmes n'est pas
assouvie. Pour moi, qui ne veux pas mourir, en ma

qualité de médecin, sans avoir écrit un traité de tératologie, et qu'ils intéressaient... comme des monstres, je ne me mis point à la queue de ceux qui les fuirent. Lorsque je vis la fausse Eulalie parfaitement comtesse, elle me reçut comme si elle l'avait été toute sa vie. Elle se souciait bien que j'eusse dans la mémoire le souvenir de son tablier blanc et de son plateau ! « Je ne suis plus Eulalie, — me dit-elle ; — je suis Hauteclaire, Hauteclaire heureuse d'avoir été servante pour lui... » Je pensais qu'elle avait été bien autre chose ; mais comme j'étais le seul du pays qui fût allé à Savigny, quand ils y revinrent, j'avais toute honte bue, et je finis par y aller beaucoup. Je puis dire que je continuai de m'acharner à regarder et à percer dans l'intimité de ces deux êtres, si complètement heureux par l'amour. Eh bien ! vous me croirez si vous voulez, mon cher, la pureté de ce bonheur, souillé par un crime dont j'étais sûr, je ne l'ai pas vue, je ne dirai pas ternie, mais assombrie une seule minute dans un seul jour. Cette boue d'un crime lâche qui n'avait pas eu le courage d'être sanglant, je n'en ai pas une seule fois aperçu la tache sur l'azur de leur bonheur ! C'est à terrasser, n'est-il pas vrai ? tous les moralistes de la terre, qui ont inventé le bel axiome du vice puni et de la vertu récompensée ! Abandonnés et solitaires comme ils l'étaient, ne voyant que moi, avec lequel ils ne se gênaient pas plus qu'avec un médecin devenu presque un ami, à force de hantises, ils ne se surveillaient point. Ils m'oubliaient et vivaient très bien, moi présent, dans l'enivrement d'une passion à laquelle je n'ai rien à comparer, voyez-vous, dans tous les souvenirs de ma vie... Vous venez d'en être le témoin il n'y a qu'un moment : ils sont passés là, et ils ne m'ont pas même aperçu, et j'étais à leur coude ! Une partie de ma vie avec eux, ils ne m'ont pas vu davantage... Polis, aimables, mais le plus souvent distraits, leur manière d'être avec moi était telle, que je ne serais pas revenu à Savigny si je n'avais tenu à étudier microscopiquement leur incroyable bonheur, et à y surprendre, pour mon édification personnelle, le grain de sable d'une lassitude, d'une souffrance, et, disons le grand mot : d'un remords. Mais rien ! rien ! L'amour prenait

tout, emplissait tout, bouchait tout en eux, le sens
moral et la conscience, — comme vous dites, vous
autres; et c'est en les regardant, ces heureux, que j'ai
compris le sérieux de la plaisanterie de mon vieux
camarade Broussais, quand il disait de la conscience :
« Voilà trente ans que je dissèque, et je n'ai pas seulement découvert une oreille de ce petit animal-là! »

« Et ne vous imaginez point, — continua ce vieux
diable de docteur Torty, comme s'il eût lu dans ma
pensée, — que ce que je vous dis là, c'est une thèse...
la preuve d'une doctrine que je crois vraie, et qui nie
carrément la conscience comme la niait Broussais.
Il n'y a pas de thèse ici. Je ne prétends point entamer
vos opinions... Il n'y a que des faits, qui m'ont étonné
autant que vous. Il y a le phénomène d'un bonheur
continu, d'une bulle de savon qui grandit toujours et
qui ne crève jamais! Quand le bonheur est continu,
c'est déjà une surprise; mais ce bonheur dans le crime,
c'est une stupéfaction, et voilà vingt ans que je ne
reviens pas de cette stupéfaction-là. Le vieux médecin,
le vieux observateur, le vieux moraliste... ou *immo-*
raliste — (reprit-il, voyant mon sourire), — est décon-
certé par le spectacle auquel il assiste depuis tant d'années, et qu'il ne peut pas vous faire voir en détail,
car s'il y a un mot traînaillé partout, tant il est vrai!
c'est que le bonheur n'a pas d'histoire. Il n'a pas plus
de description. On ne peint pas plus le bonheur, cette
infusion d'une vie supérieure dans la vie, qu'on ne
saurait peindre la circulation du sang dans les veines.
On s'atteste, aux battements des artères, qu'il y circule,
et c'est ainsi que je m'atteste le bonheur de ces deux
êtres que vous venez de voir, ce bonheur incompréhensible auquel je tâte le pouls depuis si longtemps. Le
comte et la comtesse de Savigny refont tous les jours,
sans y penser, le magnifique chapitre de *L'amour dans*
le mariage de Mme de Staël, ou les vers plus magnifiques encore du *Paradis perdu* dans Milton. Pour mon
compte, à moi, je n'ai jamais été bien sentimental ni
bien poétique; mais ils m'ont, avec cet idéal réalisé
par eux, et que je croyais impossible, dégoûté des
meilleurs mariages que j'aie connus, et que le monde

appelle charmants. Je les ai toujours trouvés si inférieurs au leur, si décolorés et si froids! La destinée, leur étoile, le hasard, qu'est-ce que je sais ? a fait qu'ils ont pu vivre pour eux-mêmes. Riches, ils ont eu ce don de l'oisiveté sans laquelle il n'y a pas d'amour, mais qui tue aussi souvent l'amour qu'elle est nécessaire pour qu'il naisse... Par exception, l'oisiveté n'a pas tué le leur. L'amour, qui simplifie tout, a fait de leur vie une simplification sublime. Il n'y a point de ces grosses choses qu'on appelle des événements dans l'existence de ces deux mariés, qui ont vécu, en apparence, comme tous les châtelains de la terre, loin du monde auquel ils n'ont rien à demander, se souciant aussi peu de son estime que de son mépris. Ils ne se sont jamais quittés. Où l'un va, l'autre l'accompagne. Les routes des environs de V... revoient Hauteclaire à cheval, comme du temps du vieux *La Pointe-au-corps;* mais c'est le comte de Savigny qui est avec elle, et les femmes du pays, qui, comme autrefois, passent en voiture, la dévisagent plus encore peut-être que quand elle était la grande et mystérieuse jeune fille au voile bleu sombre, et qu'on ne voyait pas. Maintenant, elle lève son voile, et leur montre hardiment le visage de servante qui a su se faire épouser, et elles rentrent indignées, mais rêveuses... Le comte et la comtesse de Savigny ne voyagent point; ils viennent quelquefois à Paris, mais ils n'y restent que quelques jours. Leur vie se concentre donc tout entière dans ce château de Savigny, qui fut le théâtre d'un crime dont ils ont peut-être perdu le souvenir, dans l'abîme sans fond de leurs cœurs...

— Et ils n'ont jamais eu d'enfants, docteur ? — lui dis-je.

— Ah! — fit le docteur Torty, — vous croyez que c'est là qu'est la fêlure, la revanche du Sort, et ce que vous appelez la vengeance ou la justice de Dieu ? Non, ils n'ont jamais eu d'enfants. Souvenez-vous! Une fois, j'avais eu l'idée qu'ils n'en auraient pas. Ils s'aiment trop... Le feu, — qui dévore, — consume et ne produit pas. Un jour, je le dis à Hauteclaire :

« — Vous n'êtes donc pas triste de n'avoir pas d'enfant, madame la comtesse ?

« — Je n'en veux pas! — fit-elle impérieusement. J'aimerais moins Serlon. Les enfants, — ajouta-t-elle avec une espèce de mépris, — sont bons pour les femmes malheureuses! »

Et le docteur Torty finit brusquement son histoire sur ce mot, qu'il croyait profond.

Il m'avait intéressé, et je le lui dis : « — Toute criminelle qu'elle soit, — fis-je, — on s'intéresse à cette Hauteclaire. Sans son crime, je comprendrais l'amour de Serlon.

— Et peut-être même avec son crime! » — dit le docteur. — « Et moi aussi! » — ajouta-t-il, le hardi bonhomme.

LE DESSOUS DE CARTES
D'UNE PARTIE DE WHIST

> — Vous moquez-vous de nous, monsieur, avec une pareille histoire ?
> — Est-ce qu'il n'y a pas, madame, une espèce de tulle qu'on appelle du tulle illusion ?...
>
> *(A une soirée chez le prince T...)*

I

J'étais, un soir de l'été dernier, chez la baronne de Mascranny, une des femmes de Paris qui aiment le plus l'esprit comme on en avait autrefois, et qui ouvre les deux battants de son salon — un seul suffirait — au peu qui en reste parmi nous. Est-ce que dernièrement l'Esprit ne s'est pas changé en une bête à prétention qu'on appelle l'Intelligence ?... La baronne de Mascranny est, par son mari, d'une ancienne et très illustre famille, originaire des Grisons. Elle porte, comme tout le monde le sait, *de gueules à trois fasces, vivrées de gueules à l'aigle éployée d'argent, addextrée d'une clef d'argent, senestrée d'un casque de même, l'écu chargé, en cœur, d'un écusson d'azur à une fleur de lys d'or*; et ce chef, ainsi que les pièces qui le couvrent, ont été octroyées par plusieurs souverains de l'Europe à la famille de Mascranny, en récompense des services qu'elle leur a rendus à différentes époques de l'histoire.

Si les souverains de l'Europe n'avaient pas aujourd'hui de bien autres affaires à démêler, ils pourraient charger de quelque pièce nouvelle un écu déjà si noblement compliqué, pour le soin véritablement héroïque que la baronne prend de la conversation, cette fille expirante des aristocraties oisives et des monarchies absolues. Avec l'esprit et les manières de son nom, la baronne de Mascranny a fait de son salon une espèce de Coblentz délicieux où s'est réfugiée la conversation d'autrefois, la dernière gloire de l'esprit français, forcé d'émigrer devant les mœurs utilitaires et occupées de notre temps. C'est là que chaque soir, jusqu'à ce qu'il se taise tout à fait, il chante divinement son chant du cygne. Là, comme dans les rares maisons de Paris où l'on a conservé les grandes traditions de la causerie, on ne carre guère de phrases, et le monologue est à peu près inconnu. Rien n'y rappelle l'article du journal et le discours politique, ces deux moules si vulgaires de la pensée, au dix-neuvième siècle. L'esprit se contente d'y briller en mots charmants ou profonds, mais bientôt dits; quelquefois même en de simples intonations, et moins que cela encore, en quelque petit geste de génie. Grâce à ce bienheureux salon, j'ai mieux reconnu une puissance dont je n'avais jamais douté, la puissance du monosyllabe. Que de fois j'en ai entendu lancer ou laisser tomber avec un talent bien supérieur à celui de Mlle Mars, la reine du monosyllabe à la scène, mais qu'on eût lestement détrônée au faubourg Saint-Germain, si elle avait pu y paraître; car les femmes y sont trop grandes dames pour, quand elles sont fines, y *raffiner la finesse* comme une actrice qui joue Marivaux.

Or, ce soir-là, par exception, le vent n'était pas au monosyllabe. Quand j'entrai chez la baronne de Mascranny, il s'y trouvait assez de monde qu'elle appelle *ses intimes*, et la conversation y était animée de cet entrain qu'elle y a toujours. Comme les fleurs exotiques qui ornent les vases de jaspe de ses consoles, les intimes de la baronne sont un peu de tous les pays. Il y a parmi eux des Anglais, des Polonais, des Russes;

mais ce sont tous des Français pour le langage et par ce tour d'esprit et de manières qui est le même partout, à une certaine hauteur de société. Je ne sais pas de quel point on était parti pour arriver là; mais, quand j'entrai, on parlait romans. *Parler romans*, c'est comme si chacun avait parlé de sa vie. Est-il nécessaire d'observer que, dans cette réunion d'hommes et de femmes du monde, on n'avait pas le pédantisme d'agiter la question littéraire ? Le fond des choses, et non la forme, préoccupait. Chacun de ces moralistes supérieurs, de ces praticiens, à divers degrés, de la passion et de la vie, qui cachaient de sérieuses expériences sous des propos légers et des airs détachés, ne voyait alors dans le roman qu'une question de nature humaine, de mœurs et d'histoire. Rien de plus. Mais n'est-ce donc pas tout ?... Du reste, il fallait qu'on eût déjà beaucoup causé sur ce sujet, car les visages avaient cette intensité de physionomie qui dénote un intérêt pendant longtemps excité. Délicatement fouettés les uns par les autres, tous ces esprits avaient leur mousse. Seulement, quelques âmes vives — j'en pouvais compter trois ou quatre dans ce salon — se tenaient en silence, les unes le front baissé, les autres l'œil fixé rêveusement aux bagues d'une main étendue sur leurs genoux. Elles cherchaient peut-être à corporiser leurs rêveries, ce qui est aussi difficile que de spiritualiser ses sensations. Protégé par la discussion, je me glissai sans être vu derrière le dos éclatant et velouté de la belle comtesse de Damnaglia, qui mordait du bout de sa lèvre l'extrémité de son éventail replié, tout en écoutant, comme ils écoutaient tous, dans ce monde où savoir écouter est un charme. Le jour baissait, un jour rose qui se teignait enfin de noir, comme les vies heureuses. On était rangé en cercle et on dessinait, dans la pénombre crépusculaire du salon, comme une guirlande d'hommes et de femmes, dans des poses diverses, négligemment attentives. C'était une espèce de bracelet vivant dont la maîtresse de la maison, avec son profil égyptien, et le lit de repos sur lequel elle est éternellement couchée, comme Cléopâtre, formait l'agrafe. Une croisée ouverte laissait

voir un pan du ciel et le balcon où se tenaient quelques
personnes. Et l'air était si pur et le quai d'Orsay si
profondément silencieux, à ce moment-là, qu'elles
ne perdaient pas une syllabe de la voix qu'on entendait
dans le salon, malgré les draperies en vénitienne de
la fenêtre, qui devaient amortir cette voix sonore et
en retenir les ondulations dans leurs plis. Quand j'eus
reconnu celui qui parlait, je ne m'étonnai ni de cette
attention, — qui n'était plus seulement une grâce
octroyée par la grâce,... — ni de l'audace de qui
gardait ainsi la parole plus longtemps qu'on n'avait
coutume de le faire, dans ce salon d'un ton si exquis.

En effet, c'était le plus étincelant causeur de ce
royaume de la causerie. Si ce n'est pas son nom,
voilà son titre! Pardon. Il en avait encore un autre...
La médisance ou la calomnie, ces Ménechmes qui se
ressemblent tant qu'on ne peut les reconnaître, et
qui écrivent leur gazette à rebours, comme si c'était
de l'hébreu (n'en est-ce pas souvent ?), écrivaient en
égratignures qu'il avait été le héros de plus d'une aventure qu'il n'eût pas certainement, ce soir-là, voulu
raconter.

« ... Les plus beaux romans de la vie, — disait-il,
quand je m'établis sur mes coussins de canapé, à
l'abri des épaules de la comtesse de Damnaglia, —
sont des réalités qu'on a touchées du coude, ou même
du pied, en passant. Nous en avons tous vu. Le
roman est plus commun que l'histoire. Je ne parle
pas de ceux-là qui furent des catastrophes éclatantes,
des drames joués par l'audace des sentiments, les plus
exaltés à la majestueuse barbe de l'Opinion; mais à
part ces clameurs très rares, faisant scandale dans une
société comme la nôtre, qui était hypocrite hier, et qui
n'est plus que lâche aujourd'hui, il n'est personne de
nous qui n'ait été témoin de ces faits mystérieux de
sentiment ou de passion qui perdent toute une destinée, de ces brisements de cœur qui ne rendent qu'un
bruit sourd, comme celui d'un corps tombant dans
l'abîme caché d'une oubliette, et par-dessus lequel le
monde met ses mille voix ou son silence. On peut dire
souvent du roman ce que Molière disait de la vertu :

« Où diable va-t-il se nicher ?... » Là où on le croit le
moins, on le trouve! Moi qui vous parle, j'ai vu dans
mon enfance... non, vu n'est pas le mot! j'ai deviné,
pressenti, un de ces drames cruels, terribles, qui ne se
jouent pas en public, quoique le public en voie les
acteurs tous les jours; une de ces *sanglantes comédies*,
comme disait Pascal, mais représentées à huis clos,
derrière une toile de manœuvre, le rideau de la vie
privée et de l'intimité. Ce qui sort de ces drames
cachés, étouffés, que j'appellerai presque à *transpira-
tion rentrée*, est plus sinistre, et d'un effet plus poignant
sur l'imagination et sur le souvenir, que si le drame
tout entier s'était déroulé sous vos yeux. Ce qu'on ne
sait pas centuple l'impression de ce qu'on sait. Me
trompé-je ? Mais je me figure que l'enfer, vu par un
soupirail, devrait être plus effrayant que si, d'un seul
et planant regard, on pouvait l'embrasser tout entier. »

Ici, il fit une légère pause. Il exprimait un fait
tellement humain, d'une telle expérience d'imagination pour ceux qui en ont un peu, que pas un contra-
dicteur ne s'éleva. Tous les visages peignaient la
curiosité la plus vive. La jeune Sibylle, qui était pliée
en deux aux pieds du lit de repos où s'étendait sa
mère, se rapprocha d'elle avec une crispation de
terreur, comme si l'on eût glissé un aspic entre sa
plate poitrine d'enfant et son corset.

— Empêche-le, maman, — dit-elle, avec la familiarité d'une enfant gâtée, élevée pour être une despote, — de nous dire ces atroces histoires qui font
frémir.

— Je me tairai, si vous le voulez, mademoiselle Sibylle, — répondit celui qu'elle n'avait pas
nommé, dans sa familiarité naïve et presque tendre.

Lui, qui vivait si près de cette jeune âme, en connaissait les curiosités et les peurs; car, pour toutes choses,
elle avait l'espèce d'émotion que l'on a quand on
plonge les pieds dans un bain plus froid que la tem-
pérature, et qui coupe l'haleine à mesure qu'on entre
dans la saisissante fraîcheur de son eau.

— Sibylle n'a pas la prétention, que je sache,
d'imposer silence à mes amis, fit la baronne en cares-

sant la tête de sa fille, si prématurément pensive. Si elle a peur, elle a la ressource de ceux qui ont peur; elle a la fuite; elle peut s'en aller.

Mais la capricieuse fillette, qui avait peut-être autant d'envie de l'histoire que madame sa mère, ne fuit pas, mais redressa son maigre corps, palpitant d'intérêt effrayé, et jeta ses yeux noirs et profonds du côté du narrateur, comme si elle se fût penchée sur un abîme.

— Eh bien! contez, dit Mlle Sophie de Revistal, en tournant vers lui son grand œil brun baigné de lumière, et qui est si humide encore, quoiqu'il ait pourtant diablement brillé. Tenez, voyez! ajouta-t-elle avec un geste imperceptible, nous écoutons tous.

Et il raconta ce qui va suivre. Mais pourrai-je rappeler, sans l'affaiblir, ce récit, nuancé par la voix et le geste, et surtout faire ressortir le contre-coup de l'impression qu'il produisit sur toutes les personnes rassemblées dans l'atmosphère sympathique de ce salon ?

« J'ai été élevé en province, — dit le narrateur, mis en demeure de raconter, — et dans la maison paternelle. Mon père habitait une bourgade jetée nonchalamment les pieds dans l'eau, au bas d'une montagne, dans un pays que je ne nommerai pas, et près d'une petite ville qu'on reconnaîtra quand j'aurai dit qu'elle est, ou du moins qu'elle était, dans ce temps, la plus profondément et la plus férocement aristocratique de France. Je n'ai, depuis, rien vu de pareil. Ni notre faubourg Saint-Germain, ni la place Bellecour, à Lyon, ni les trois ou quatre grandes villes qu'on cite pour leur esprit d'aristocratie exclusif et hautain, ne pourraient donner une idée de cette petite ville de six mille âmes qui, avant 1789, avait cinquante voitures armoriées, roulant fièrement sur son pavé.

« Il semblait qu'en se retirant de toute la surface du pays, envahi chaque jour par une bourgeoisie insolente, l'aristocratie se fût concentrée là, comme dans le fond d'un creuset, et y jetât, comme un rubis brûlé, le tenace éclat qui tient à la substance même de la pierre, et qui ne disparaîtra qu'avec elle.

« La noblesse de ce nid de nobles, qui mourront ou qui sont morts peut-être dans ces préjugés que j'appelle, moi, de sublimes vérités sociales, était incompatible comme Dieu. Elle ne connaissait pas l'ignominie de toutes les noblesses, la monstruosité des mésalliances.

« Les filles, ruinées par la Révolution, mouraient stoïquement vieilles et vierges, appuyées sur leurs écussons qui leur suffisaient contre tout. Ma puberté s'est embrasée à la réverbération ardente de ces belles et charmantes jeunesses qui savaient leur beauté inutile, qui sentaient que le flot de sang qui battait dans leurs cœurs et teignait d'incarnat leurs joues sérieuses, bouillonnait vainement.

« Mes treize ans ont rêvé les dévouements les plus romanesques devant ces filles pauvres qui n'avaient plus que la couronne fermée de leurs blasons pour toute fortune, majestueusement tristes, dès leurs premiers pas dans la vie, comme il convient à des condamnées du Destin. Hors de son sein, cette noblesse, pure comme l'eau des roches, ne voyait personne.

« Comment voulez-vous, — disaient-ils, — que nous voyions tous ces bourgeois dont les pères ont donné des assiettes aux nôtres ?

« Ils avaient raison; c'était impossible, car, pour cette petite ville, c'était vrai. On comprend l'affranchissement, à de grandes distances; mais, sur un terrain grand comme un mouchoir, les races se séparent par leur rapprochement même. Ils se voyaient donc entre eux, et ne voyaient qu'eux et quelques Anglais.

« Car les Anglais étaient attirés par cette petite ville qui leur rappelait certains endroits de leurs comtés. Ils l'aimaient pour son silence, pour sa tenue rigide, pour l'élévation froide de ses habitudes, pour les quatre pas qui la séparaient de la mer qui les avait apportés, et aussi pour la possibilité d'y doubler, par le bas prix des choses, le revenu insuffisant des fortunes médiocres dans leur pays.

« Fils de la même barque de pirates que les Normands, à leurs yeux c'était une espèce de *Continental*

England que cette ville normande, et ils y faisaient de longs séjours.

« Les petites *miss* y apprenaient le français en poussant leur cerceau sous les grêles tilleuls de la place d'armes; mais, vers dix-huit ans, elles s'envolaient en Angleterre, car cette noblesse ruinée ne pouvait guère se permettre le luxe dangereux d'épouser des filles qui n'ont qu'une simple dot, comme les Anglaises. Elles partaient donc, mais d'autres migrations venaient bientôt s'établir dans leurs demeures abandonnées, et les rues silencieuses, où l'herbe poussait comme à Versailles, avaient toujours à peu près le même nombre de promeneuses à voile vert, à robe à carreaux, et à plaid écossais. Excepté ces séjours, en moyenne de sept à dix ans, que faisaient ces familles anglaises, presque toutes renouvelées à de si longs intervalles, rien ne rompait la monotonie d'existence de la petite ville dont il est question. Cette monotonie était effroyable.

« On a souvent parlé — et que n'a-t-on point dit! — du cercle étroit dans lequel tourne la vie de province; mais ici cette vie, pauvre partout en événements, l'était d'autant plus que les passions de classe à classe, les antagonismes de vanité, n'existaient pas comme dans une foule de petits endroits, où les jalousies, les haines, les blessures d'amour-propre, entretiennent une fermentation sourde qui éclate parfois dans quelque scandale, dans quelque noirceur, dans une de ces bonnes petites scélératesses sociales pour lesquelles il n'y a pas de tribunaux.

« Ici, la démarcation était si profonde, si épaisse, si infranchissable, entre ce qui était noble et ce qui ne l'était pas, que toute lutte entre la noblesse et la roture était impossible.

« En effet, pour que la lutte existe, il faut un terrain commun et un engagement, et il n'y en avait pas. Le diable, comme on dit, n'y perdait rien, sans doute.

« Dans le fond du cœur de ces bourgeois dont les pères *avaient donné des assiettes*, dans ces têtes de fils de domestiques, affranchis et enrichis, il y avait des cloaques de haine et d'envie, et ces cloaques élevaient

souvent leur vapeur et leur bruit d'égout contre ces
nobles, qui les avaient entièrement sortis de l'orbe
de leur attention et de leur rayon visuel, depuis qu'ils
avaient quitté leurs livrées.

« Mais tout cela n'atteignait pas ces patriciens
distraits dans la forteresse de leurs hôtels, qui ne
s'ouvraient qu'à leurs égaux, et pour qui la vie finissait
à la limite de leur caste. Qu'importait ce qu'on disait
d'eux, plus bas qu'eux ?... Ils ne l'entendaient pas.
Les jeunes gens qui auraient pu s'insulter, se prendre
de querelle, ne se rencontraient point dans les lieux
publics, qui sont des arènes chauffées à rouge par la
présence et les yeux des femmes.

« Il n'y avait pas de spectacle. La salle manquant,
jamais il ne passait de comédiens. Les cafés, ignobles
comme des cafés de province, ne voyaient guère
autour de leurs billards que ce qu'il y avait de plus
abaissé parmi la bourgeoisie, quelques mauvais sujets
tapageurs et quelques officiers en retraite, débris
fatigués des guerres de l'Empire. D'ailleurs, quoique
enragés d'égalité blessée (ce sentiment qui, à lui seul,
explique les horreurs de la Révolution), ces bourgeois
avaient gardé, malgré eux, la superstition des respects
qu'ils n'avaient plus.

« Le respect des peuples ressemble un peu à cette
sainte Ampoule, dont on s'est moqué avec une bêtise
de tant d'esprit. Lorsqu'il n'y en a plus, il y en a
encore. Le fils du bimbelotier déclame contre l'iné-
galité des rangs; mais, seul, il n'ira point traverser la
place publique de sa ville natale, où tout le monde se
connaît et où l'on vit depuis l'enfance, pour insulter
de gaieté de cœur le fils d'un Clamorgan-Taillefer, par
exemple, qui passe donnant le bras à sa sœur. Il aurait
la ville contre lui. Comme toutes les choses haïes et
enviées, la naissance exerce physiquement sur ceux
qui la détestent une action qui est peut-être la meilleure
preuve de son droit. Dans les temps de révolution, on
réagit contre elle, ce qui est la subir encore; mais dans
les temps calmes, on la subit tout au long.

« Or, on était dans une de ces périodes tranquilles,
en 182... Le libéralisme, qui croissait à l'ombre de

la Charte constitutionnelle comme les chiens de la lice grandissaient dans leur chenil d'emprunt, n'avait pas encore étouffé un royalisme que le passage des Princes, revenant de l'exil, avait remué dans tous les cœurs jusqu'à l'enthousiasme. Cette époque, quoi qu'on ait dit, fut un moment superbe pour la France, convalescente monarchique, à qui le couperet des révolutions avait tranché les mamelles, mais qui, pleine d'espérance, croyait pouvoir vivre ainsi, et ne sentait pas dans ses veines les germes mystérieux du cancer qui l'avait déjà déchirée, et qui, plus tard, devra la tuer.

« Pour la petite ville que j'essaie de vous faire connaître, ce fut un moment de paix profonde et concentrée. Une mission qui venait de se clore avait, dans la société noble, engourdi le dernier symptôme de la vie, l'agitation et les plaisirs de la jeunesse. On ne dansait plus. Les bals étaient proscrits comme une perdition. Les jeunes filles portaient des croix de mission sur leurs gorgerettes, et formaient des associations religieuses sous la direction d'une présidente. On tendait au *grave*, à faire mourir de rire, si l'on avait osé. Quand les quatre tables de whist étaient établies pour les douairières et les vieux gentilshommes, et les deux tables d'écarté pour les jeunes gens, ces demoiselles se plaçaient, comme à l'église, dans leurs chapelles où elles étaient séparées des hommes, et elles formaient, dans un angle du salon, un groupe silencieux... pour leur sexe (car tout est relatif), chuchotant au plus quand elles parlaient, mais bâillant *en dedans* à se rougir les yeux, et contrastant par leur tenue un peu droite avec la souplesse pliante de leurs tailles, le rose et le lilas de leurs robes, et la folâtre légèreté de leurs pèlerines de blonde et de leurs rubans. »

II

« La seule chose, — continua le conteur de cette histoire où tout est vrai et *réel* comme la petite ville où elle s'est passée, et qu'il avait peinte si *ressemblante* que quelqu'un, moins discret que lui, venait d'en prononcer le nom; — la seule chose qui eût, je ne dirai pas la physionomie d'une passion, mais enfin qui ressemblât à du mouvement, à du désir, à de l'intensité de sensation, dans cette société singulière où les jeunes filles avaient quatre-vingts ans d'ennui dans leurs âmes limpides et introublées, c'était le jeu, la dernière passion des âmes usées.

« Le jeu, c'était la grande affaire de ces anciens nobles, taillés dans le patron des grands seigneurs, et désœuvrés comme de vieilles femmes aveugles. Ils jouaient comme des Normands, des aïeux d'Anglais, la nation la plus joueuse du monde. Leur parenté de race avec les Anglais, l'émigration en Angleterre, la dignité de ce jeu, silencieux et contenu comme la grande diplomatie, leur avaient fait adopter le whist. C'était le whist qu'ils avaient jeté, pour le combler, dans l'abîme sans fond de leurs jours vides. Ils le jouaient après leur dîner, tous les soirs, jusqu'à minuit ou une heure du matin, ce qui est une vraie saturnale pour la province. Il y avait la partie du marquis de Saint-Albans, qui était l'événement de chaque journée. Le marquis semblait être le seigneur féodal de tous ces nobles, et ils l'entouraient de cette considération respectueuse qui vaut une auréole, quand ceux qui la témoignent la méritent.

« Le marquis était très fort au whist. Il avait soixante-dix-neuf ans. Avec qui n'avait-il pas joué ?... Il avait joué avec Maurepas, avec le comte d'Artois lui-même, habile au whist comme à la paume, avec le prince de Polignac, avec l'évêque Louis de Rohan, avec Cagliostro, avec le prince de la Lippe, avec Fox, avec Dundas, avec Sheridan, avec le prince de Galles, avec Talleyrand, avec le Diable, quand il se donnait à tous les diables, aux plus mauvais jours de l'émigration. Il lui fallait donc des adversaires dignes de lui. D'ordinaire, les Anglais reçus par la noblesse fournissaient leur contingent de forces à cette partie, dont on parlait comme d'une institution et qu'on appelait le whist de M. de Saint-Albans, comme on aurait dit, à la cour, le whist du Roi.

« Un soir, chez Mme de Beaumont, les tables vertes étaient dressées; on attendait un Anglais, un M. Hartford, pour la partie du grand marquis. Cet Anglais était une espèce d'industriel qui faisait aller une manufacture de coton au Pont-aux-Arches, — par parenthèse, une des premières manufactures qu'on eût vues dans ce pays dur à l'innovation, non par ignorance ou par difficulté de comprendre, mais par cette prudence qui est le caractère distinctif de la race normande. — Permettez-moi encore une parenthèse : Les Normands me font toujours l'effet de ce renard si fort en sorite dans Montaigne. Où ils mettent la patte, on est sûr que la rivière est bien prise, et qu'ils peuvent, de cette puissante patte, appuyer.

« Mais, pour en revenir à notre Anglais, à ce M. Hartford, — que les jeunes gens appelaient *Hartford* tout court, quoique cinquante ans fussent bien sonnés sur le timbre d'argent de sa tête, que je vois encore avec ses cheveux ras et luisants comme une calotte de soie blanche, — il était un des favoris du marquis. Quoi d'étonnant ? C'était un joueur de la grande espèce, un homme dont la vie (véritable fantasmagorie d'ailleurs) n'avait de signification et de réalité que quand il tenait des cartes, un homme, enfin, qui répétait sans cesse que le premier bonheur était de gagner au jeu, et que le second était d'y perdre : magnifique axiome qu'il avait pris à Sheridan, mais qu'il appliquait de manière à se faire absoudre de l'avoir pris. Du reste, à ce vice du jeu près (en considération duquel le marquis de Saint-Albans lui eût pardonné les plus éminentes vertus), M. Hartford passait pour avoir toutes les qualités pharisaïques et protestantes que les Anglais sous-entendent dans le confortable mot d'*honorability*. On le considérait comme un parfait gentleman. Le marquis l'amenait passer des huitaines à son château de la Vanillière, mais à la ville il le voyait tous les soirs. Ce soir-là donc, on s'étonnait, et le marquis lui-même, que l'exact et scrupuleux étranger fût en retard...

« On était en août. Les fenêtres étaient ouvertes sur un de ces beaux jardins comme il n'y en a qu'en province, et les jeunes filles, massées dans les embrasures, causaient entre elles, le front penché sur leurs festons. Le marquis, assis devant la table de jeu, fronçait ses longs sourcils blancs. Il avait les coudes appuyés sur la table. Ses mains, d'une beauté sénile, jointes sous son menton, soutenaient son imposante figure étonnée d'attendre, comme celle de Louis XIV, dont il avait la majesté. Un domestique annonça enfin M. Hartford. Il parut, dans sa tenue irréprochable accoutumée, linge éblouissant de blancheur, bagues à tous les doigts, comme nous en avons vu depuis à M. Bulwer, un foulard des Indes à la main, et sur les lèvres (car il venait de dîner) la pastille parfumée qui voilait les vapeurs des essences d'anchois, de l'*harvey-sauce* et du porto.

« Mais il n'était pas seul. Il alla saluer le marquis et lui présenta, comme un bouclier contre tout reproche, un Ecossais de ses amis, M. Marmor de Karkoël, qui lui était tombé à la manière d'une bombe, pendant son dîner, et qui était le meilleur joueur de whist des Trois Royaumes.

« Cette circonstance, d'être le meilleur *whisteur* de la triple Angleterre, étendit un sourire charmant sur les lèvres pâles du marquis. La partie fut aussitôt constituée. Dans son empressement à se mettre au jeu, M. de Karkoël n'ôta pas ses gants, qui rappelaient par leur perfection ces célèbres gants de Bryan Brummell, coupés par trois ouvriers spéciaux, deux pour la main et un pour le pouce. Il fut le partner de M. de Saint-Albans. La douairière de Hautcardon, qui avait cette place, la lui céda.

« Or, ce Marmor de Karkoël, Mesdames, était, pour

la tournure, un homme de vingt-huit ans à peu près ;
mais un soleil brûlant, des fatigues ignorées, ou des
passions peut-être, avaient attaché sur sa face le masque
d'un homme de trente-cinq. Il n'était pas beau, mais
il était expressif. Ses cheveux étaient noirs, très durs,
droits, un peu courts, et sa main les écartait souvent
de ses tempes et les rejetait en arrière. Il y avait dans
ce mouvement une véritable, mais sinistre éloquence
de geste. Il semblait écarter un remords. Cela frappait
d'abord, et, comme les choses profondes, cela frappait
toujours.

« J'ai connu pendant plusieurs années ce Karkoël[1],
et je puis assurer que ce sombre geste, répété dix fois
dans une heure, produisait toujours son effet et faisait
venir dans l'esprit de cent personnes la même pensée.
Son front régulier, mais bas, avait de l'audace. Sa
lèvre rasée (on ne portait pas alors de moustaches
comme aujourd'hui) était d'une immobilité à déses-
pérer Lavater, et tous ceux qui croient que le secret de
la nature d'un homme est mieux écrit dans les lignes
mobiles de sa bouche que dans l'expression de ses
yeux. Quand il souriait, son regard ne souriait pas, et
il montrait des dents d'un émail de perles, comme ces
Anglais, fils de la mer, en ont parfois pour les perdre
ou les noircir, à la manière chinoise, dans les flots de
leur affreux thé. Son visage était long, creusé aux joues,
d'une certaine couleur olive qui lui était naturelle, mais
chaudement hâlé, par-dessus, des rayons d'un soleil qui,
pour l'avoir si bien mordu, n'avait pas dû être le
soleil émoussé de la vaporeuse Angleterre. Un nez long
et droit, mais qui dépassait la courbe du front, partageait ses deux yeux noirs à la Macbeth, encore plus
sombres que noirs et très rapprochés, ce qui est, dit-on,
la marque d'un caractère extravagant ou de quelque
insanité intellectuelle. Sa mise avait de la recherche.
Assis nonchalamment comme il était là, à cette table
de whist, il paraissait plus grand qu'il n'était réellement, par un léger manque de proportion dans son
buste, car il était petit ; mais, au défaut près que je
viens de signaler, très bien fait et d'une vigueur de
souplesse endormie, comme celle du tigre dans sa

peau de velours. Parlait-il bien le français ? La voix, ce
ciseau d'or avec lequel nous sculptons nos pensées
dans l'âme de ceux qui nous écoutent et y gravons la
séduction, l'avait-il *harmonique* à ce geste que je ne
puis me rappeler aujourd'hui sans en rêver ? Ce qu'il y
a de certain, c'est que, ce soir-là, elle ne fit tressaillir
personne. Elle ne prononça, dans un diapason fort
ordinaire, que les mots sacramentels de *tricks* et d'*honneurs*, les seules expressions qui, au whist, coupent à
d'égaux intervalles l'auguste silence au fond duquel on
joue enveloppé.

« Ainsi, dans ce vaste salon plein de gens pour qui
l'arrivée d'un Anglais était une circonstance peu exceptionnelle, personne, excepté la table du marquis, ne
prit garde à ce *whisteur* inconnu, remorqué par Hartford. Les jeunes filles ne retournèrent pas seulement la
tête par-dessus l'épaule pour le voir. Elles étaient à discuter (on commençait à discuter dès ce temps-là) la
composition du bureau de leur congrégation et la
démission d'une des vice-présidentes qui n'était pas ce
jour-là chez Mme de Beaumont. C'était un peu plus
important que de regarder un Anglais ou un Ecossais.
Elles étaient un peu blasées sur ces éternelles importations d'Anglais et d'Ecossais. Un homme qui, comme
les autres, ne s'occuperait que des dames de carreau
et de trèfle! Un protestant, d'ailleurs! un hérétique!
Encore, si c'eût été un lord catholique d'Irlande!
Quant aux personnes âgées, qui jouaient déjà aux
autres tables lorsqu'on annonça M. Hartford, elles
jetèrent un regard distrait sur l'étranger qui le suivait
et se replongèrent, de toute leur attention, dans leurs
cartes, comme des cygnes plongent dans l'eau de
toute la longueur de leurs cous.

« M. de Karkoël ayant été choisi pour le partner du
marquis de Saint-Albans, la personne qui jouait en
face de M. Hartford était la comtesse du Tremblay de
Stasseville, dont la fille Herminie, la plus suave fleur de
cette jeunesse qui s'épanouissait dans les embrasures du
salon, parlait alors à Mlle Ernestine de Beaumont. Par
hasard, les yeux de Mlle Herminie se trouvaient dans
la direction de la table où jouait sa mère.

« — Regardez, Ernestine, fit-elle à demi-voix, comme cet Ecossais donne!

« M. de Karkoël venait de se déganter. Il avait tiré de leur étui de chamois parfumé, des mains blanches et bien sculptées, à faire la religion d'une petite maîtresse qui les aurait eues, et il donnait les cartes comme on les donne au whist, une à une, mais avec un mouvement circulaire d'une rapidité si prodigieuse, que cela étonnait comme le doigté de Liszt. L'homme qui maniait les cartes ainsi devait être leur maître... Il y avait dix ans de tripot dans cette foudroyante et augurale manière de donner.

« — C'est la difficulté vaincue dans le mauvais ton, — dit la hautaine Ernestine, de sa lèvre la plus dédaigneuse, — mais le mauvais ton est vainqueur!

« Dur jugement pour une si jeune demoiselle; mais, avoir *bon ton* était plus pour cette jolie tête-là que d'avoir l'esprit de Voltaire. Elle a manqué sa destinée, Mlle Ernestine de Beaumont, et elle a dû mourir de chagrin de n'être pas la *camerera major* d'une reine d'Espagne.

« La manière de jouer de Marmor de Karkoël fit équation avec cette donne merveilleuse. Il montra une supériorité qui enivra de plaisir le vieux marquis, car il éleva la manière de jouer de l'ancien partner de Fox, et l'enleva jusqu'à la sienne. Toute supériorité quelconque est une séduction irrésistible, qui procède par rapt et vous emporte dans son orbite. Mais ce n'est pas tout. Elle vous féconde en vous emportant. Voyez les grands causeurs! ils donnent la réplique, et ils l'inspirent. Quand ils ne causent plus, les sots, privés du rayon qui les dora, reviennent, ternes, à fleur d'eau de conversation, comme des poissons morts retournés qui montrent un ventre sans écailles. M. de Karkoël fit bien plus que d'apporter une sensation nouvelle à un homme qui les avait épuisées : il augmenta l'idée que le marquis avait de lui-même, il couronna d'une pierre de plus l'obélisque, depuis longtemps mesuré, que ce roi du whist 'était élevé dans les discrètes solitudes de son orgueil.

« Malgré l'émotion qui le rajeunissait, le marquis

observa l'étranger pendant la partie du fond de cette *patte d'oie* (comme nous disons de la griffe du Temps, pour lui payer son insolence de nous la mettre sur la figure) qui bridait ses yeux spirituels. L'Ecossais ne pouvait être goûté, apprécié, dégusté, que par un joueur d'une très grande force. Il avait cette attention profonde, réfléchie, qui se creuse en combinaisons sous les rencontres du jeu, et il la voilait d'une impassibilité superbe. A côté de lui, les sphinx accroupis dans la lave de leur basalte auraient semblé les statues des Génies de la confiance et de l'expansion. Il jouait comme s'il eût joué avec trois paires de mains qui eussent tenu les cartes, sans s'inquiéter de savoir à qui ces mains appartenaient. Les dernières brises de cette soirée d'août déferlaient en vagues de souffles et de parfums sur ces trente chevelures de jeunes filles, nu-tête, pour arriver chargées de nouveaux parfums et d'effluves virginales, prises à ce champ de têtes radieuses, et se briser contre ce front cuivré large et bas, écueil de marbre humain qui ne faisait pas un seul pli. Il ne s'en apercevait même pas. Ses nerfs étaient muets. En cet instant, il faut l'avouer, il portait bien son nom de Marmor! Inutile de dire qu'il gagna.

« Le marquis se retirait toujours vers minuit. Il fut reconduit par l'obséquieux Hartford, qui lui donna le bras jusqu'à sa voiture.

« — C'est le dieu du *chelem (slam)* que ce Karkoël! lui dit-il, avec la surprise de l'enchantement; arrangez-vous pour qu'il ne nous quitte pas de si tôt.

« Hartford le promit et le vieux marquis, malgré son âge et son sexe, se prépara à jouer le rôle d'une sirène d'hospitalité.

« Je me suis arrêté sur cette première soirée d'un séjour qui dura plusieurs années. Je n'y étais pas; mais elle m'a été racontée par un de mes parents plus âgé que moi, et qui, joueur comme tous les jeunes gens de cette petite ville où le jeu était l'unique ressource qu'on eût, dans cette famine de toutes les passions, se prit de goût pour le dieu du *chelem*. Revue en se retournant et avec des impressions rétrospectives qui ont leur magie, cette soirée, d'une prose commune et si connue, une partie de whist gagnée, prendra des proportions qui pourront peut-être vous étonner. — La quatrième personne de cette partie, la comtesse de Stasseville, ajoutait mon parent, perdit son argent avec l'indifférence aristocratique qu'elle mettait à tout. Peut-être fut-ce de cette partie de whist que son sort fut décidé, là où se font les destinées. Qui comprend un seul mot à ce mystère de la vie ?... Personne n'avait alors d'intérêt à observer la comtesse. Le salon ne fermentait que du bruit des jetons et des fiches... Il aurait été curieux de surprendre dans cette femme, jugée alors et rejugée un glaçon poli et coupant, si ce qu'on a cru depuis et répété tout bas avec épouvante, a daté de ce moment-là.

« La comtesse du Tremblay de Stasseville était une femme de quarante ans, d'une très faible santé, pâle et mince, mais d'un mince et d'un pâle que je n'ai vus qu'à elle. Son nez bourbonien, un peu pincé, ses cheveux châtain clair, ses lèvres très fines, annonçaient une femme de race, mais chez qui la fierté peut devenir aisément cruelle. Sa pâleur teintée de soufre était maladive.

« Elle se fût nommée Constance, — disait Mlle Ernestine de Beaumont, qui ramassait des épigrammes jusque dans Gibbon, — qu'on eût pu l'appeler Constance Chlore.

« Pour qui connaissait le genre d'esprit de Mlle de Beaumont, on était libre de mettre une atroce intention dans ce mot. Malgré sa pâleur, cependant, malgré la couleur hortensia passé des lèvres de la comtesse du Tremblay de Stasseville, il y avait pour l'observateur avisé, précisément dans ces lèvres à peine marquées, ténues et vibrantes comme la cordelette d'un arc, une effrayante physionomie de fougue réprimée et de volonté. La société de province ne le voyait pas. Elle ne voyait, elle, dans la rigidité de cette lèvre étroite et meurtrière, que le fil d'acier sur lequel dansait incessamment la flèche barbelée de l'épigramme. Des yeux pers (car la comtesse portait de sinople, étincelé d'or, dans son regard comme dans ses armes) couronnaient, comme deux étoiles fixes, ce visage sans le réchauffer. Ces deux émeraudes, striées de jaune, enchâssées sous les sourcils blonds et fades de ce front busqué, étaient aussi froides que si on les avait retirées du ventre et du frai du poisson de Polycrate. L'esprit seul, un esprit brillant, damasquiné et affilé comme une épée, allumait parfois dans ce regard vitrifié les éclairs de ce *glaive qui tourne* dont parle la Bible. Les femmes haïssaient cet esprit dans la comtesse du Tremblay, comme s'il avait été de la beauté. Et, en effet, c'était la sienne! Comme Mlle de Retz, dont le cardinal a laissé un portrait d'amant qui s'est débarbouillé les yeux des dernières badauderies de sa jeunesse, elle avait un défaut à la taille, qui pouvait à la rigueur passer pour un vice. Sa fortune était considérable. Son mari, mourant, l'avait laissée très peu chargée de deux enfants : un petit garçon, bête à ravir, confié aux soins très paternels et très inutiles d'un vieil abbé qui ne lui apprenait rien, et sa fille Herminie, dont la beauté aurait été admirée dans les cercles les plus difficiles et les plus artistes de Paris. Quant à sa fille, elle l'avait élevée irréprochablement, au point de vue de l'éducation officielle. L'irréprochable de Mme de Stasseville ressemblait toujours un peu à de l'impertinence. Elle en faisait une jusque de sa vertu, et qui sait si ce n'était pas son unique raison pour y tenir ? Toujours est-il qu'elle était vertueuse; sa réputation défiait la calomnie. Aucune dent de serpent ne s'était usée sur cette lime. Aussi, de regret forcené de n'avoir pu l'entamer, on s'épuisait à l'accuser de froideur. Cela tenait, sans nul doute, disait-on (on raisonnait, on faisait de la science!), à la décoloration de son sang. Pour peu qu'on eût poussé ses meilleures amies, elles lui auraient découvert dans le cœur la certaine barre *historique* qu'on avait inventée contre une femme bien charmante et bien célèbre du siècle dernier, afin d'expliquer qu'elle eût laissé toute l'Europe élégante à ses pieds, pendant dix ans, sans la faire monter d'un cran plus haut. »

Le conteur sauva par la gaieté de son accent le vif de ces dernières paroles, qui causèrent comme un joli petit mouvement de pruderie offensée. Et, je dis, pruderie sans humeur, car la pruderie des femmes bien

nées, qui n'affectent rien, est quelque chose de très
gracieux. Le jour était si tombé, d'ailleurs, qu'on
sentit plutôt ce mouvement qu'on ne le vit.

— Sur ma parole, c'était bien ce que vous dites,
cette comtesse de Stasseville, — fit, en bégayant, selon
son usage, le vieux vicomte de Rassy, bossu et bègue,
et spirituel comme s'il avait été boiteux par-dessus le
marché. Qui ne connaît pas à Paris le vicomte de Rassy,
ce *memorandum* encore vivant des petites corruptions
du xviiie siècle ? Beau de visage dans sa jeunesse comme
le maréchal de Luxembourg, il avait, comme lui, son
revers de médaille, mais le revers seul de la médaille lui
était resté. Quant à l'effigie, où l'avait-il laissée ?...
Lorsque les jeunes gens de ce temps le surprenaient
dans quelque anachronisme de conduite, il disait que,
du moins, il ne souillait pas ses cheveux blancs, car il
portait une perruque châtain à la Ninon, avec une
raie de chair factice, et les plus incroyables et indescrip-
tibles tire-bouchons!

— Ah! vous l'avez connue ? — dit le narrateur interrompu. — Eh bien! vous savez, vicomte, si je surfais
d'un mot la vérité.

— C'est calqué à la vitre, votre po...ortrait, —
répondit le vicomte en se donnant un léger soufflet sur
la joue, par impatience de bégayer, et au risque de
faire tomber les grains du rouge qu'on dit qu'il met,
comme il fait tout, sans nulle pudeur. — Je l'ai connue
à... à... peu près au temps de votre histoire. Elle venait
à Paris tous les hivers pour quelques jours. Je la rencontrais chez la princesse de Cou... ourt... tenay, dont
elle était un peu parente. C'était de l'esprit servi dans
sa glace, une femme froide à vous faire tousser.

« Excepté ces quelques jours passés par hiver à Paris,
— reprit l'audacieux conteur, qui ne mettait même pas
à ses personnages le demi-masque d'Arlequin, — la vie
de la comtesse du Tremblay de Stasseville était réglée
comme le papier de cette ennuyeuse musique qu'on
appelle l'existence d'une femme comme il faut, en
province. Elle était, six mois de l'année, au fond de son
hôtel, dans la ville que je vous ai *décrite au moral*, et
elle troquait, pendant les autres six mois, ce fond

d'hôtel pour un fond de château, dans une belle terre
qu'elle avait à quatre lieues de là. Tous les deux ans,
elle conduisait à Paris sa fille, — qu'elle laissait à une
vieille tante, Mlle de Triflevas, quand elle y allait seule,
— au commencement de l'hiver; mais jamais de Spa,
de Plombières, de Pyrénées! On ne la voyait point aux
eaux. Etait-ce de peur des médisants ? En province,
quand une femme seule, dans la position de Mme de
Stasseville, va prendre les eaux si loin, que ne croit-on
pas ?... que ne soupçonne-t-on pas ? L'envie de ceux
qui reste se venge, à sa façon, du plaisir de ceux qui
voyagent. De singuliers airs viennent, comme des
drôles de souffles, rider la pureté de ces eaux. Est-ce le
fleuve Jaune, ou le fleuve Bleu sur lequel on expose les
enfants, en Chine ?... Les eaux, en France, ressemblent
un peu à ce fleuve-là. Si ce n'est pas un enfant, on y
expose toujours quelque chose aux yeux de ceux qui
n'y vont pas. La moqueuse comtesse du Tremblay était
bien fière pour sacrifier un seul de ses caprices à l'opinion; mais elle n'avait point celui des eaux; et son
médecin l'aimait mieux auprès de lui qu'à deux cents
lieues, car, à deux cents lieues, les chattemites visites
à dix francs ne peuvent pas beaucoup se multiplier.
C'était une question, d'ailleurs, que de savoir si la
comtesse avait des caprices quelconques. L'esprit n'est
pas l'imagination. Le sien était si net, si tranchant, si
positif, même dans la plaisanterie, qu'il excluait tout
naturellement l'idée de caprice. Quand il était gai (ce
qui était rare), il sonnait si bien ce son vibrant de
castagnettes d'ébène ou de tambour de basque, toute
peau tendue et grelots de métal, qu'on ne pouvait pas
s'imaginer qu'il y eût jamais dans cette tête sèche, en
dos, non! mais en *fil de couteau*, rien qui rappelât la
fantaisie, rien qui pût être pris pour une de ces curiosités rêveuses, lesquelles engendrent le besoin de quitter
sa place et de s'en aller où l'on n'était pas. Depuis
dix ans qu'elle était riche et veuve, maîtresse d'elle-
même par conséquent, et de bien des choses, elle
aurait pu transporter sa vie immobile fort loin de ce
trou à nobles, où ses soirées se passaient à jouer le
boston et le whist avec de vieilles filles qui avaient vu

la Chouannerie, et de vieux chevaliers, héros inconnus,
qui avaient délivré Destouches.

« Elle aurait pu, comme lord Byron, parcourir le
monde avec une bibliothèque, une cuisine et une
volière dans sa voiture ; mais elle n'en avait pas eu la
moindre envie. Elle était mieux qu'indolente ; elle
était indifférente ; aussi indifférente que Marmor de
Karkoël quand il jouait au whist. Seulement, Marmor
n'était pas indifférent au whist même, et dans sa vie,
à elle, il n'y avait point de whist : tout était égal !
C'était une nature stagnante, une espèce de *femme-
dandy*, auraient dit les Anglais. Hors l'épigramme, elle
n'existait qu'à l'état de larve élégante. « Elle est de
la race des animaux à sang blanc », répétait son médecin dans le tuyau de l'oreille, croyant l'expliquer par
une image, comme on expliquerait une maladie par
un symptôme. Quoiqu'elle eût l'air malade, le médecin
dépaysé niait la maladie. Etait-ce haute discrétion ?
ou bien réellement ne la voyait-il pas ? Jamais elle ne se
plaignait ni de son corps ni de son âme. Elle n'avait
pas même cette ombre presque physique de mélancolie, étendue d'ordinaire sur le front meurtri des
femmes qui ont quarante ans. Ses jours se détachaient
d'elle et ne s'en arrachaient pas. Elle les voyait tomber
de ce regard d'Ondine, glauque et moqueur, dont elle
regardait toutes choses. Elle semblait mentir à sa réputation de femme spirituelle, en ne nuançant sa conduite
d'aucune de ces manières d'être personnelles, appelées
des excentricités. Elle faisait naturellement, simplement, tout ce que faisaient les autres femmes dans sa
société, et ni plus ni moins. Elle voulait prouver que
l'égalité, cette chimère des vilains, n'existe vraiment
qu'entre nobles. Là seulement sont les pairs, car la
distinction de la naissance, les quatre générations de
noblesse nécessaires pour être gentilhomme, sont un
niveau. « Je ne suis que le premier gentilhomme de
France », disait Henri IV, et par ce mot, il mettait les
prétentions de chacun aux pieds de la distinction de
tous. Comme les autres femmes de sa caste, qu'elle
était trop aristocratique pour vouloir primer, la comtesse remplissait ses devoirs extérieurs de religion et

de monde avec une exacte sobriété, qui est la convenance suprême dans ce monde où tous les enthou-
siasmes sont sévèrement défendus. Elle ne restait pas en
deçà ni n'allait au-delà de sa société. Avait-elle accepté
en se domptant la vie monotone de cette ville de province où s'était tari ce qui lui restait de jeunesse,
comme une eau dormante sous des nénuphars ? Ses
motifs pour agir, motifs de raison, de conscience, d'instinct, de réflexion, de tempérament, de goût, tous ces
flambeaux intérieurs qui jettent leur lumière sur nos
actes, ne projetaient pas de lueurs sur les siens. Rien
du dedans n'éclairait les dehors de cette femme. Rien
du dehors ne se répercutait au-dedans! Fatigués d'avoir
guetté si longtemps sans rien voir dans Mme de Stasseville, les gens de province, qui ont pourtant une
patience de prisonnier ou de pêcheur à la ligne, quand
ils veulent découvrir quelque chose, avaient fini par
abandonner ce casse-tête, comme on jette derrière un
coffre un manuscrit qu'il aurait été impossible de déchif-
frer.

« — Nous sommes bien bêtes, — avait dit un soir,
dogmatiquement, la comtesse de Hautcardon, — et
cela remontait à plusieurs années, — de nous donner
un tel *tintouin* pour savoir ce qu'il y a dans le fond de
l'âme de cette femme : probablement il n'y a rien! »

III

« Et cette opinion de la douairière de Hautcardon
avait été acceptée. Elle avait eu force de loi sur tous
ces esprits dépités et désappointés de l'inutilité de leurs
observations, et qui ne cherchaient qu'une raison pour
se rendormir. Cette opinion régnait encore, mais à la
manière des rois fainéants, quand Marmor de Karkoël,
l'homme peut-être qui devait le moins se rencontrer
dans la vie de la comtesse du Tremblay de Stasseville,
vint du bout du monde s'asseoir à cette table verte où

il manquait un partner. Il était né, racontait son cornac
Hartford, dans les montagnes de brume des îles Shet-
land. Il était du pays où se passe la sublime histoire de
Walter Scott, cette réalité du *Pirate* que Marmor allait
reprendre en sous-œuvre, avec des variantes, dans une
petite ville ignorée des côtes de la Manche. Il avait été
élevé aux bords de cette mer sillonnée par le vaisseau
de Cleveland. Tout jeune, il avait dansé les danses du
jeune Mordaunt avec les filles du vieux Troil. Il les
avait retenues, et plus d'une fois il les a dansées devant
moi sur la feuille en chêne des parquets de cette petite
ville prosaïque, mais digne, qui juraient avec la poésie
sauvage et bizarre de ces danses hyperboréennes. A
quinze ans, on lui avait acheté une lieutenance dans un
régiment anglais qui allait aux Indes, et pendant
douze ans il s'y était battu contre les Marattes. Voilà
ce qu'on apprit bientôt de lui et de Hartford, et aussi
qu'il était gentilhomme, parent des fameux Douglas
d'Ecosse *au cœur sanglant*. Mais ce fut tout. Pour le
reste, on l'ignorait, et on devait l'ignorer toujours. Ses
aventures aux Indes, dans ce pays grandiose et terrible
où les hommes dilatés apprennent des manières de
respirer auxquelles l'air de l'Occident ne suffit plus,
il ne les raconta jamais. Elles étaient tracées en carac-
tères mystérieux sur le couvercle de ce front d'or bruni,
qui ne s'ouvrait pas plus que ces boîtes à poison asia-
tique, gardées, pour le jour de la défaite et des désastres,
dans l'écrin des sultans indiens. Elles se révélaient par
un éclair aigu de ces yeux noirs, qu'il savait éteindre
quand on le regardait, comme on souffle un flambeau
quand on ne veut pas être vu, et par l'autre éclair de ce
geste avec lequel il fouettait ses cheveux sur sa tempe,
dix fois de suite, pendant un *robber* de whist ou une
partie d'écarté. Mais hors ces hiéroglyphes de geste
et de physionomie que savent lire les observateurs, et
qui n'ont, comme la langue des hiéroglyphes, qu'un
fort petit nombre de mots, Marmor de Karkoël était
indéchiffrable, autant, à sa manière, que la comtesse
du Tremblay l'était à la sienne. C'était un Cleveland
silencieux. Tous les jeunes nobles de la ville qu'il habitait, et il y en avait plusieurs de fort spirituels, curieux

comme des femmes et entortillants comme des couleuvres, étaient démangés du désir de lui faire raconter les mémoires inédits de sa jeunesse, entre deux cigarettes de maryland. Mais ils avaient toujours échoué. Ce lion marin des îles Hébrides, roussi par le soleil de Lahore, ne se prenait pas à ces souricières de salon offertes aux appétits de la vanité, à ces pièges à paon où la fatuité française laisse toutes ses plumes, pour le plaisir de les étaler. La difficulté ne put jamais être tournée. Il était sobre comme un Turc qui croirait au Coran. Espèce de muet qui gardait bien le sérail de ses pensées! Je ne l'ai jamais vu boire que de l'eau et du café. Les cartes, qui semblaient sa passion, étaient-elles sa passion réelle ou une passion qu'il s'était donnée ? car on se donne des passions comme des maladies. Etaient-elles une espèce d'écran qu'il semblait déplier pour cacher son âme ? Je l'ai toujours cru, quand je l'ai vu jouer comme il jouait. Il enveloppa, creusa, invétéra cette passion du jeu dans l'âme joueuse de cette petite ville, au point que, quand il fut parti, un spleen affreux, le spleen des passions trompées, tomba sur elle comme un sirocco maudit et la fit ressembler davantage à une ville anglaise. Chez lui, la table de whist était ouverte dès le matin. La journée, quand il n'était pas à la Vanillière ou dans quelque château des environs, avait la simplicité de celle des hommes qui sont brûlés par l'idée fixe. Il se levait à neuf heures, prenait son thé avec quelque ami venu pour le whist, qui commençait alors et ne finissait qu'à cinq heures de l'après-midi. Comme il y avait beaucoup de monde à ces réunions, on se relayait à chaque *robber*, et ceux qui ne jouaient point pariaient. Du reste, il n'y avait pas que des jeunes gens à ces espèces de matinées, mais les hommes les plus graves de la ville. Des *pères de famille*, comme disaient les femmes de trente ans, osaient passer leurs journées dans ce tripot, et elles beurraient, en toute occasion, d'intentions perfides, mille tartelettes au verjus sur le compte de cet Ecossais, comme s'il avait inoculé la peste à toute la contrée dans la personne de leurs maris. Elles étaient pourtant bien accoutumées à les voir jouer, mais non dans ces proportions d'obsti-

nation et de furie. Vers cinq heures, on se séparait,
pour se retrouver le soir dans le monde et s'y confor-
mer, en apparence, au jeu officiel et commandé par
l'usage des maîtresses de maison chez lesquelles on
allait, mais, sous main et en réalité, pour jouer le jeu
convenu le matin même, *au whist de Karkoël*. Je vous
laisse à penser à quel degré de force ces hommes, qui
ne faisaient plus qu'une chose, àtteignirent. Ils éle-
vèrent ce whist jusqu'à la hauteur de la plus difficile
et de la plus magnifique escrime. Il y eut sans doute des
pertes fort considérables ; mais ce qui empêcha les
catastrophes et les ruines que le jeu traîne toujours
après soi, ce furent précisément sa fureur et la supériorité de ceux qui jouaient. Toutes ces forces finissaient
par s'équilibrer entre elles ; et puis, dans un rayon si
étroit ; on était trop souvent partner les uns des autres
pour ne pas, au bout d'un certain temps, comme on dit
en termes de jeu, se rattraper.

« L'influence de Marmor de Karkoël, contre laquelle
regimbèrent en dessous les femmes raisonnables, ne
diminua point, mais augmenta au contraire. On le
conçoit. Elle venait moins de Marmor et d'une manière
d'être entièrement personnelle, que d'une passion qu'il
avait trouvée là, vivante, et que sa présence, à lui qui la
partageait, avait exaltée. Le meilleur moyen, le seul
peut-être de gouverner les hommes, c'est de les tenir
par leurs passions. Comment ce Karkoël n'eut-il pas
été puissant ? Il avait ce qui fait la force des gouverne-
ments, et, de plus, il ne songeait pas à gouverner. Aussi
arriva-t-il à cette domination qui ressemble à un ensor-
cellement. On se l'arrachait. Tout le temps qu'il resta
dans cette ville, il fut toujours reçu avec le même
accueil, et cet accueil était une fiévreuse recherche. Les
femmes, qui le redoutaient, aimaient mieux le voir
chez elles que de savoir leurs fils ou leurs maris chez
lui, et elles le recevaient comme les femmes reçoivent,
même sans l'aimer, un homme qui est le centre d'une
attention, d'une préoccupation, d'un mouvement quelconque. L'été, il allait passer quinze jours, un mois, à la
campagne. Le marquis de Saint-Albans l'avait pris
sous son admiration spéciale, — protection ne dirait

pas assez. A la campagne, comme à la ville, c'étaient des whists éternels. Je me rappelle avoir assisté (j'étais un écolier en vacances alors) à une superbe partie de pêche au saumon, dans les eaux brillantes de la Douve, pendant tout le temps de laquelle Marmor de Karkoël joua, en canot, au whist à *deux morts* (double *dummy*), avec un gentilhomme du pays. Il fût tombé dans la rivière qu'il eût joué encore!... Seule, une femme de cette société ne recevait pas l'Ecossais à la campagne, et à peine à la ville. C'était la comtesse du Tremblay.

« Qui pouvait s'en étonner ? Personne. Elle était veuve, et elle avait une fille charmante. En province, dans cette société envieuse et alignée où chacun plonge dans la vie de tous, on ne saurait prendre trop de précautions contre des inductions faciles à faire de ce qu'on voit à ce qu'on ne voit pas. La comtesse du Tremblay les prenait en n'invitant jamais Marmor à son château de Stasseville, et en ne le recevant à la ville que fort publiquement et les jours qu'elle recevait toutes ses connaissances. Sa politesse était pour lui froide, impersonnelle. C'était une conséquence de ces bonnes manières qu'on doit avoir avec tous, non pour eux, mais pour soi. Lui, de son côté, répondait par une politesse du même genre; et cela était si peu affecté, si naturel dans tous les deux, qu'on a pu y être pris pendant quatre ans. Je l'ai déjà dit : hors le jeu, Karkoël ne semblait pas exister. Il parlait peu. S'il avait quelque chose à cacher, il le couvrait très bien de ses habitudes de silence. Mais la comtesse avait, elle, si vous vous le rappelez, l'esprit très extérieur et très mordant. Pour ces sortes d'esprits, toujours en dehors, brillants, agressifs, se retenir, se voiler, est chose difficile. Se voiler, n'est-ce pas même une manière de se trahir ? Seulement, si elle avait les écailles fascinantes et la triple langue du serpent, elle en avait aussi la prudence. Rien donc n'altéra l'éclat et l'emploi féroces de sa plaisanterie habituelle. Souvent, quand on parlait de Karkoël devant elle, elle lui décochait de ces mots qui sifflent et qui percent, et que Mlle de Beaumont, sa rivale d'épigrammes, lui enviait. Si ce fut là un mensonge de plus, jamais mensonge ne fut mieux osé.

Tenait-elle cette effrayante faculté de dissimuler de son organisation sèche et contractile ? Mais pourquoi s'en servait-elle, elle, l'indépendance en personne par sa position et la fierté moqueuse du caractère ? Pourquoi, si elle aimait Karkoël et si elle en était aimée, le cachait-elle sous les ridicules qu'elle lui jetait de temps à autre, sous ces plaisanteries apostates, renégates, impies, qui dégradent l'idole adorée... les plus grands sacrilèges en amour ?

« Mon Dieu! qui sait ? il y avait peut-être en tout cela du bonheur pour elle... — Si l'on jetait, docteur, — fit le narrateur, en se tournant vers le docteur Beylasset, qui était accoudé sur un meuble de Boule, et dont le beau crâne chauve renvoyait la lumière d'un candélabre que les domestiques venaient, en cet instant, d'allumer au-dessus de sa tête, si l'on jetait sur la comtesse de Stasseville un de ces bons regards *physiologistes*, — comme vous en avez, vous autres médecins, et que les moralistes devraient vous emprunter, — il était évident que tout, dans les impressions de cette femme, devait *rentrer, porter en dedans*, comme cette ligne *hortensia passé* qui formait ses lèvres, tant elle les rétractait; comme ces ailes du nez, qui se creusaient au lieu de s'épanouir, immobiles et non pas frémissantes; comme ces yeux qui, à certains moments, se renfonçaient sous leurs arcades sourcilières et semblaient remonter vers le cerveau. Malgré son apparente délicatesse et une souffrance physique dont on suivait l'influence visible dans tout son être, comme on suit les rayonnements d'une fêlure dans une substance trop sèche, elle était le plus frappant diagnostic de la volonté, de cette pile de Volta intérieure à laquelle aboutissent nos nerfs. Tout l'attestait, en elle, plus qu'en aucun être vivant que j'aie jamais contemplé. Cet influx de la volonté sommeillante circulait — qu'on me passe le mot, car il est bien pédant! — *puissanciellement* jusque dans ses mains, aristocratiques et princières pour la blancheur mate, l'opale irisée des ongles et l'élégance, mais qui, pour la maigreur, le gonflement et l'implication des mille torsades bleuâtres des veines, et surtout pour le mouvement d'appréhension avec lequel elles saisissaient les objets, ressemblaient à des griffes fabuleuses, comme l'étonnante poésie des Anciens en attribuait à certains monstres au visage et au sein de femme. Quand, après avoir lancé une de ces plaisanteries, un de ces traits étincelants et fins comme les arêtes empoisonnées dont se servent les sauvages, elle passait le bout de sa langue vipérine sur ses lèvres sibilantes, on sentait que dans une grande occasion, dans le dernier moment de la destinée, par exemple, cette femme frêle et forte tout ensemble était capable de deviner le procédé des nègres, et de pousser la résolution jusqu'à avaler cette langue si souple, pour mourir. A la voir, on ne pouvait douter qu'elle ne fût, en femme, une de ces organisations comme il y en a dans tous les règnes de la nature, qui, de préférence ou d'instinct, recherchent le fond au lieu de la surface des choses ; un de ces êtres destinés à des cohabitations occultes, qui plongent dans la vie comme les grands nageurs plongent et nagent sous l'eau, comme les mineurs respirent sous la terre, passionnés pour le mystère, en raison même de leur profondeur, le créant autour d'elles et l'aimant jusqu'au mensonge, car le mensonge, c'est du mystère redoublé, des voiles épaissis, des ténèbres faites à tout prix ! Peut-être ces sortes d'organisations aiment-elles le mensonge pour le mensonge, comme on aime l'art pour l'art, comme les Polonais aiment les batailles. — (Le docteur inclina gravement la tête en signe d'adhésion.) — Vous le pensez, n'est-ce pas ? et moi aussi ! Je suis convaincu que, pour certaines âmes, il y a le bonheur de l'imposture. Il y a une effroyable, mais enivrante félicité dans l'idée qu'on ment et qu'on trompe ; dans la pensée qu'on *se* sait *seul soi-même*, et qu'on joue à la société une comédie dont elle est la dupe, et dont on se rembourse les frais de mise en scène par toutes les voluptés du mépris.

— Mais c'est affreux, ce que vous dites là ! — interrompit tout à coup la baronne de Mascranny, avec le cri de la loyauté révoltée.

Toutes les femmes qui écoutaient (et il y en avait peut-être quelques-unes connaisseuses en plaisirs cachés) avaient éprouvé comme un frémissement aux

dernières paroles du conteur. J'en jugeai au dos nu de la
comtesse de Damnaglia, alors si près de moi. Cette
espèce de frémissement nerveux, tout le monde le
connaît et l'a ressenti. On l'appelle quelquefois avec
poésie *la mort qui passe*. Etait-ce alors la vérité qui
passait ?...

« Oui, — répondit le narrateur, c'est affreux ; mais
est-ce vrai ? Les natures *au cœur sur la main* ne se font
pas l'idée des jouissances solitaires de l'hypocrisie, de
ceux qui vivent et peuvent respirer, la tête lacée dans
un masque. Mais, quand on y pense, ne comprend-on
pas que leurs sensations aient réellement la profondeur
enflammée de l'enfer ? Or, l'enfer, c'est le ciel en creux.
Le mot *diabolique* ou *divin*, appliqué à l'intensité des
jouissances, exprime la même chose, c'est-à-dire des
sensations qui vont jusqu'au surnaturel. Mme de Stasseville était-elle de cette race d'âmes ?... Je ne l'accuse
ni ne la justifie. Je raconte comme je peux son histoire,
que personne n'a bien sue, et je cherche à l'éclairer
par une étude à la Cuvier sur sa personne. Voilà tout.

« Du reste, cette analyse que je fais maintenant de
la comtesse du Tremblay, sur le souvenir de son image,
empreinte dans ma mémoire comme un cachet d'onyx
fouillé par un burin profond sur de la cire, je ne la
faisais point alors. Si j'ai compris cette femme, ce n'a
été que bien plus tard... La toute-puissante volonté,
qu'*à la réflexion* j'ai reconnue en elle, depuis que l'expérience m'a appris à quel point le corps est la moulure
de l'âme, n'avait pas plus soulevé et tendu cette existence, encaissée dans de tranquilles habitudes, que la
vague ne gonfle et ne trouble un lac de mer, fortement
encaissé dans ses bords. Sans l'arrivée de Karkoël, de
cet officier d'infanterie anglaise que des compatriotes
avaient engagé à aller *manger sa demi-solde* dans une
ville normande, digne d'être anglaise, la débile et pâle
moqueuse qu'on appelait en riant *madame de Givre*
n'aurait jamais su elle-même quel impérieux vouloir
elle portait dans son sein de neige fondue, comme disait
Mlle Ernestine de Beaumont, mais sur lequel, au *moral*,
tout avait glissé comme sur le plus dur mamelon des
glaces polaires. Quand il arriva, qu'éprouva-t-elle ?

Apprit-elle tout à coup que, pour une nature comme la sienne, sentir fortement, c'est vouloir ? Entraîna-t-elle par la volonté un homme qui ne semblait plus devoir aimer que le jeu ?... Comment s'y prit-elle pour réaliser une intimité dont il est difficile, en province, d'esquiver les dangers ?... Tous mystères, restés tels à jamais, mais qui, soupçonnés plus tard, n'avaient encore été pressentis par personne à la fin de l'année 182... Et cependant, à cette époque, dans un des hôtels les plus paisibles de cette ville, où le jeu était la plus grande affaire de chaque journée et presque de chaque nuit ; sous les persiennes silencieuses et les rideaux de mousseline brodée, voiles purs, élégants, et à moitié relevés d'une vie calme, il devait y avoir depuis longtemps un roman qu'on aurait juré impossible. Oui, le roman était à cette vie correcte, irréprochable, réglée, moqueuse, froide jusqu'à la maladie, où l'esprit semblait tout et l'âme rien. Il y était, et la rongeait sous les apparences et la renommée, comme les vers qui seraient au cadavre d'un homme avant qu'il ne fût expiré. »

— Quelle abominable comparaison! — fit encore observer la baronne de Mascranny. — Ma pauvre Sibylle avait presque raison de ne pas vouloir de votre histoire. Décidément, vous avez un vilain genre d'imagination, ce soir.

— Voulez-vous que je m'arrête ? — répondit le conteur, avec une sournoise courtoisie et la petite rouerie d'un homme sûr de l'intérêt qu'il a fait naître.

— Par exemple! — reprit la baronne ; — est-ce que nous pouvons rester, maintenant, l'attention en l'air, avec une moitié d'histoire ?

— Ce serait aussi par trop fatigant! — dit, en défrisant une de ses longues anglaises d'un beau noir bleu, Mlle Laure d'Alzanne, la plus languissante image de la paresse heureuse, avec le gracieux effroi de sa nonchalance menacée.

— Et désappointant en plus! — ajouta gaiement le docteur. — Ne serait-ce pas comme si un coiffeur, après vous avoir rasé un côté du visage, fermait tranquillement son rasoir et vous signifiait qu'il lui est impossible d'aller plus loin ?...

— Je reprends donc, — reprit le conteur, avec la
simplicité de l'art suprême qui consiste surtout à se
bien cacher... — En 182..., j'étais dans le salon d'un
de mes oncles, maire de cette petite ville que je vous ai
décrite comme la plus antipathique aux passions et
à l'aventure; et, quoique ce fût un jour solennel, la
fête du roi, une Saint-Louis, toujours grandement fêtée
par ces ultras de l'émigration, par ces quiétistes politiques qui avaient inventé le mot mystique de l'amour
pur : *Vive le roi quand même!* on ne faisait, dans ce
salon, rien de plus que ce qu'on y faisait tous les jours.
On y jouait. Je vous demande bien pardon de vous
parler de moi, c'est d'assez mauvais goût, mais il le
faut. J'étais un adolescent encore. Cependant, grâce à
une éducation exceptionnelle, je soupçonnais plus des
passions et du monde qu'on n'en soupçonne d'ordinaire à l'âge que j'avais. Je ressemblais moins à un de
ces collégiens pleins de gaucherie, qui n'ont rien vu
que dans leurs livres de classe, qu'à une de ces jeunes
filles curieuses, qui s'instruisent en écoutant aux portes
et en rêvant beaucoup sur ce qu'elles y ont entendu.
Toute la ville se pressait, ce soir-là, dans le salon de
mon oncle, et, comme toujours, — car il n'y avait que
des choses éternelles dans ce monde de momies qui
ne secouaient leurs bandelettes que pour agiter des
cartes, — cette société se divisait en deux parties, la
partie qui jouait, et les jeunes filles qui ne jouaient pas.
Momies aussi que ces jeunes filles, qui devaient se
ranger, les unes auprès des autres, dans les catacombes du célibat, mais dont les visages, éclatants
d'une vie inutile et d'une fraîcheur qui ne serait pas
respirée, enchantaient mes avides regards. Parmi elles,
il n'y avait peut-être que Mlle Herminie de Stasseville
à qui la fortune eût permis de croire à ce miracle d'un
mariage d'amour, sans déroger. Je n'étais pas assez
âgé, ou je l'étais trop, pour me mêler à cet essaim de
jeunes personnes, dont les chuchotements s'entre-
coupaient de temps à autre d'un rire bien franc ou
doucement contenu. En proie à ces brûlantes timidités
qui sont en même temps des voluptés et des supplices,
je m'étais réfugié et assis auprès du dieu du *chelem*, ce

Marmor de Karkoël, pour lequel je m'étais pris de belle passion. Il ne pouvait y avoir entre lui et moi d'amitié. Mais les sentiments ont leur hiérarchie secrète. Il n'est pas rare de voir, dans les êtres qui ne sont pas développés, de ces sympathies que rien de positif, de démontré, n'explique, et qui font comprendre que les jeunes gens ont besoin de chefs comme les peuples qui, malgré leur âge, sont toujours un peu des enfants. Mon chef, à moi, eût été Karkoël. Il venait souvent chez mon père, grand joueur comme tous les hommes de cette société. Il s'était souvent mêlé à nos récréations gymnastiques, à mes frères et à moi, et il avait déployé devant nous une vigueur et une souplesse qui tenaient du prodige. Comme le duc d'Enghien, il sautait en se jouant une rivière de dix-sept pieds. Cela seul, sans doute, devait exercer sur la tête de jeunes gens comme nous, élevés pour devenir des hommes de guerre, un grand attrait de séduction; mais là n'était pas le secret pour moi de l'aimant de Karkoël. Il fallait qu'il agît sur mon imagination avec la puissance des êtres exceptionnels sur les êtres exceptionnels, car la vulgarité préserve des influences supérieures, comme un sac de laine préserve des coups de canon. Je ne saurais dire quel rêve j'attachais à ce front, qu'on eût cru sculpté dans cette substance que les peintres d'aquarelle appellent *terre de Sienne;* à ces yeux sinistres, aux paupières courtes; à toutes ces marques que des passions inconnues avaient laissées sur la personne de l'Ecossais, comme les quatre coups de barre du bourreau aux articulations d'un roué; et surtout à ces mains d'un homme, du plus amolli des civilisés, chez qui le sauvage finissait au poignet, et qui savaient imprimer aux cartes cette vélocité de rotation qui ressemblait au tournoiement de la flamme, et qui avait tant frappé Herminie de Stasseville, la première fois qu'elle l'avait vu. Or, ce soir-là, dans l'angle où se dressait la table de jeu, la persienne était à moitié fermée. La partie était sombre comme l'espèce de demi-jour qui l'éclairait. C'était le whist des forts. Le Mathusalem des marquis, M. de Saint-Albans, était le partner de Marmor. La comtesse du Tremblay avait pris pour le sien le chevalier de Tharsis, officier au régiment de Provence avant la Révolution et chevalier de Saint-Louis, un de ces vieillards comme il n'y en a plus debout maintenant, un de ces hommes qui furent à cheval sur deux siècles, sans être pour cela des colosses. A un certain moment de la partie, et par le fait d'un mouvement de Mme du Tremblay de Stasseville pour relever ses cartes, une des pointes du diamant qui brillait à son doigt rencontra, dans cette ombre projetée par la persienne sur la table verte, qu'elle rendait plus verte encore, un de ces chocs de rayon, intersectés par la pierre, comme il est impossible à l'art humain d'en combiner, et il en jaillit un dard de feu blanc tellement électrique, qu'il fit presque mal aux yeux comme un éclair.

« — Eh! eh! qu'est-ce qui brille ? — dit, d'une voix flûtée, le chevalier de Tharsis, qui avait la voix de ses jambes.

« — Et, qui est-ce qui tousse ? — dit simultanément le marquis de Saint-Albans, tiré par une toux horriblement mate de sa préoccupation de joueur, en se retournant vers Herminie, qui brodait une collerette à sa mère.

« — C'est mon diamant et c'est ma fille, — fit la comtesse du Tremblay avec un sourire de ses lèvres minces, en répondant à tous les deux.

« — Mon Dieu! comme il est beau, votre diamant, Madame! — reprit le chevalier. — Jamais je ne l'avais vu étinceler comme ce soir; il forcerait les plus myopes à le remarquer.

« On était arrivé, en disant cela, à la fin de la partie, et le chevalier de Tharsis prit la main de la comtesse : — Voulez-vous permettre ?... — ajouta-t-il.

« La comtesse ôta languissamment sa bague, et la jeta au chevalier sur la table de jeu.

« Le vieil émigré l'examina en la tournant devant son œil comme un kaléidoscope. Mais la lumière a ses hasards et ses caprices. En roulant sur les facettes de la pierre, elle n'en détacha pas un second jet de lumière nuancée, semblable à celui qui venait si rapidement d'en jaillir.

« Herminie se leva et poussa la persienne, afin que le jour tombât mieux sur la bague de sa mère et qu'on en pût mieux apprécier la beauté.

« Et elle se rassit, le coude à la table, regardant aussi la pierre prismatique; mais la toux revint, une toux sifflante, qui lui rougit et lui injecta la nacre de ses beaux yeux bleus, d'un humide radical si pur.

« — Et où avez-vous pris cette affreuse toux, ma chère enfant ? — dit le marquis de Saint-Albans, plus occupé de la jeune fille que de la bague, du diamant humain que du diamant minéral.

« — Je ne sais, monsieur le marquis, — fit-elle, avec la légèreté d'une jeunesse qui croyait à l'éternité de la vie. — Peut-être à me promener le soir, au bord de l'étang de Stasseville.

« Je fus frappé alors du groupe qu'ils formaient à eux quatre.

« La lumière rouge du couchant immergeait par la fenêtre ouverte. Le chevalier de Tharsis regardait le diamant; M. de Saint-Albans, Herminie; Mme du Tremblay, Karkoël, qui regardait d'un œil distrait sa dame de carreau. Mais ce qui me frappa surtout, ce fut Herminie. La *Rose de Stasseville* était pâle, plus pâle que sa mère. La pourpre du jour mourant, qui versait son transparent reflet sur ses joues pâles, lui donnait l'air d'une tête de victime, réfléchie dans un miroir qu'on aurait dit étamé avec du sang.

« Tout à coup, j'eus froid dans les nerfs, et par je ne sais quelle évocation foudroyante et involontaire, un souvenir me saisit avec l'invincible brutalité de ces idées qui fécondent monstrueusement la pensée révoltée, en la violant.

« Il y avait quinze jours, à peu près, qu'un matin j'étais allé chez Marmor de Karkoël. Je l'avais trouvé seul. Il était de bonne heure. Nul des joueurs qui, d'ordinaire, jouaient le matin chez lui, n'était arrivé. Il était, quand j'entrai, debout devant son secrétaire, et il semblait occupé d'une opération fort délicate qui exigeait une extrême attention et une grande sûreté de main. Je ne le voyais pas; sa tête était penchée. Il tenait entre les doigts de sa main droite un petit flacon d'une substance noire et brillante, qui ressemblait à l'extrémité d'un poignard cassé, et, de ce flacon microscopique, il épanchait je ne sais quel liquide dans une bague ouverte.

« — Que diable faites-vous là ? — lui dis-je en m'avançant. Mais il me cria avec une voix impérieuse : « N'approchez pas ! restez où vous êtes ; vous me feriez trembler la main, et ce que je fais est plus difficile et plus dangereux que de casser à quarante pas un tire-bouchon avec un pistolet qui pourrait crever. »

« C'était une allusion à ce qui nous était arrivé, il y avait quelque temps. Nous nous amusions à tirer avec les plus mauvais pistolets qu'il nous fût possible de trouver, afin que l'habileté de l'homme se montrât mieux dans la faiblesse de l'instrument, et nous avions failli nous ouvrir le crâne avec le canon d'un pistolet qui creva.

« Il put insinuer les gouttes du liquide inconnu qu'il laissait tomber du bec effilé de son flacon. Quand ce fut fait, il ferma la bague et la jeta dans un des tiroirs de son secrétaire, comme s'il avait voulu la cacher.

« Je m'aperçus qu'il avait un masque de verre.

« — Depuis quand, — lui dis-je, en plaisantant, — vous occupez-vous de chimie ? et sont-ce des ressources contre les pertes au whist que vous composez ?

« — Je ne compose rien, — me répondit-il, — mais ce qui est *là-dedans* (et il montrait le flacon noir) est une ressource contre tout. C'est, — ajouta-t-il avec la sombre gaieté du pays des suicides d'où il était, — le jeu de cartes biseautées avec lequel on est sûr de gagner la dernière partie contre le Destin.

« — Quelle espèce de poison ? — lui demandai-je, en prenant le flacon dont la forme bizarre m'attirait.

« — C'est le plus admirable des poisons indiens, me répondit-il en ôtant son masque. — Le respirer peut être mortel, et, de quelque manière qu'on l'absorbe, s'il ne tue pas immédiatement, vous ne perdez rien pour attendre ; son effet est aussi sûr qu'il est caché. Il attaque lentement, presque languissamment, mais infailliblement, la vie dans ses sources, en

les pénétrant et en développant, au fond des organes
sur lesquels il se jette, de ces maladies connues de tous
et dont les symptômes, familiers à la science,
dépayseraient le soupçon et répondraient à l'accusation d'empoisonnement, si une telle accusation pouvait
exister. On dit, aux Indes, que des fakirs mendiants
le composent avec des substances extrêmement rares,
qu'eux seuls connaissent et qu'on ne trouve que sur
les plateaux du Thibet. Il dissout les liens de la vie
plus qu'il ne les rompt. En cela, il convient davantage
à ces natures d'Indiens, apathiques et molles, qui
aiment la mort comme un sommeil et s'y laissent tomber comme sur un lit de lotos. Il est fort difficile, du
reste, presque impossible de s'en procurer. Si vous
saviez ce que j'ai risqué, pour obtenir ce flacon d'une
femme qui disait m'aimer !... J'ai un ami, comme moi
officier dans l'armée anglaise, et revenu comme moi
des Indes où il a passé sept ans. Il a cherché ce poison
avec le désir furieux d'une fantaisie anglaise, — et plus
tard, quand vous aurez vécu davantage, vous comprendrez ce que c'est. Eh bien ! il n'a jamais pu en
trouver. Il a acheté, au prix de l'or, d'indignes contre-
façons. De désespoir, il m'a écrit d'Angleterre, et il
m'a envoyé une de ses bagues, en me suppliant d'y
verser quelques gouttes de ce nectar de la mort. Voilà
ce que je faisais quand vous êtes entré.

« Ce qu'il me disait ne m'étonnait pas. Les hommes
sont ainsi faits, que, sans aucun mauvais dessein, sans
pensée sinistre, ils aiment à avoir du poison chez eux,
comme ils aiment à avoir des armes. Ils thésaurisent
les moyens d'extermination autour d'eux, comme les
avares thésaurisent les richesses. Les uns disent : Si
je voulais détruire ! comme les autres : Si je voulais
jouir ! C'est le même idéalisme enfantin. Enfant, moi-
même, à cette époque, je trouvai tout simple que
Marmor de Karkoël, revenu des Indes, possédât cette
curiosité d'un poison comme il n'en existe pas ailleurs,
et, parmi ses kandjars et ses flèches, apportés au fond
de sa malle d'officier, ce flacon de pierre noire, cette
jolie babiole de destruction qu'il me montrait. Quand
j'eus bien tourné et retourné ce bijou, poli comme une

agate, qu'une Almée peut-être avait porté entre les deux globes de topaze de sa poitrine, et dans la substance poreuse duquel elle avait imprégné sa sueur d'or, je le jetai dans une coupe posée sur la cheminée, et je n'y pensai plus.

« Eh bien! le croiriez-vous? c'était le souvenir de ce flacon qui me revenait!... La figure souffrante d'Herminie, sa pâleur, cette toux qui semblait sortir d'un poumon spongieux, ramolli, où déjà peut-être s'envenimaient ces lésions profondes que la médecine appelle, — n'est-ce pas, docteur? — dans un langage plein d'épouvantements pittoresques, *des cavernes;* cette bague qui, par une coïncidence inexplicable, brillait tout à coup d'un éclat si étrange au moment où la jeune fille toussait, comme si le scintillement de la pierre homicide eût été la palpitation de joie du meurtrier; les circonstances d'une matinée qui était effacée de ma mémoire, mais qui y reparaissaient tout à coup : voilà ce qui m'afflua, comme un flot de pensées, au cerveau! De lien pour rattacher les circonstances passées à l'heure présente, je n'en avais pas. Le rapprochement involontaire qui se faisait dans ma tête était insensé. J'avais horreur de ma propre pensée. Aussi m'efforçai-je d'étouffer, d'éteindre en moi cette fausse lueur, ce flamboiement qui s'était allumé, et qui avait passé dans mon âme comme l'éclair de ce diamant qui était passé sur cette table verte!... Pour appuyer ma volonté et broyer sous elle la folle et criminelle croyance d'un instant, je regardais attentivement Marmor de Karkoël et la comtesse du Tremblay.

« Ils répondaient très bien l'un et l'autre par leur attitude et leur visage, que ce que j'avais osé penser était impossible! Marmor était toujours Marmor. Il continuait de regarder sa dame de carreau comme si elle eût représenté l'amour dernier, définitif, de toute sa vie. Mme du Tremblay, de son côté, avait sur le front, dans les lèvres et dans le regard, le calme qui ne la quittait jamais, même quand elle ajustait l'épigramme, car sa plaisanterie ressemblait à une balle, la seule arme qui tue sans se passionner, tandis que l'épée, au contraire, partage la passion de la main. Elle et lui,

lui et elle, étaient deux abîmes placés en face l'un de l'autre; seulement, l'un, Karkoël, était noir et ténébreux comme la nuit; et l'autre, cette femme pâle, était claire et inscrutable comme l'espace. Elle tenait toujours sur son partner des yeux indifférents et qui brillaient d'une impassible lumière. Seulement, comme le chevalier de Tharsis *n'en finissait pas* d'examiner la bague qui renfermait le mystère que j'aurais voulu pénétrer, elle avait pris à sa ceinture un gros bouquet de résédas, et elle se mit à le respirer avec une sensualité qu'on n'eût, certes, pas attendue d'une femme comme elle, si peu faite pour les rêveuses voluptés. Ses yeux se fermèrent après avoir tourné dans je ne sais quelle pâmoison indicible, et, d'une passion avide, elle saisit avec ses lèvres effilées et incolores plusieurs tiges de fleurs odorantes, et elle les broya sous ses dents, avec une expression idolâtre et sauvage, les yeux rouverts sur Karkoël. Etait-ce un signe, une entente quelconque, une complicité, comme en ont les amants entre eux, que ces fleurs mâchées et dévorées en silence ?... Franchement, je le crus. Elle remit tranquillement la bague à son doigt, quand le chevalier l'eut assez admirée, et le whist continua, renfermé, muet et sombre, comme si rien ne l'avait interrompu. »

Ici, encore, le conteur s'arrêta. Il n'avait plus besoin de se presser. Il nous tenait tous sous la griffe de son récit. Peut-être tout le mérite de son histoire était-il dans sa manière de la raconter... Quand il se tut, on entendit, dans le silence du salon, aller et venir les respirations. Moi, qui allongeais mes regards par-dessus mon rempart d'albâtre, l'épaule de la comtesse de Damnaglia, je vis l'émotion marbrer de ses nuances diverses tous ces visages. Involontairement, je cherchais celui de la jeune Sibylle, de la sauvage enfant qui s'était cabrée aux premiers mots de cette histoire. J'eusse aimé à voir passer les éclairs de la transe dans ces yeux noirs qui font penser au ténébreux et sinistre canal Orfano, à Venise, car il s'y noiera plus d'un cœur. Mais elle n'était plus sur le canapé de sa mère. Inquiète de ce qui allait suivre, la sollicitude de la baronne avait

sans doute fait à sa fille quelque signe de furtive
départie, et elle avait disparu.

« En fin de compte, — reprit le narrateur, — qu'y
avait-il dans tout cela qui fût de nature à m'émouvoir
si fort et à se graver dans ma mémoire comme une
eau-forte, car le temps n'a pas effacé un seul des
linéaments de cette scène ? Je vois encore la figure de
Marmor, l'expression du calme cristallisé de la comtesse, se fondant pour une minute dans la sensation
de ces résédas respirés et triturés avec un frissonne-
ment presque voluptueux. Tout cela m'est resté, et
vous allez comprendre pourquoi. Ces faits dont je ne
voyais pas très bien la relation entre eux, ces faits mal
éclairés d'une intuition que je me reprochais, dans
l'écheveau entortillé desquels le possible et l'incompréhensible apparaissaient, reçurent plus tard une goutte
de lumière qui en débrouilla pour jamais en moi le
chaos.

« Je vous ai dit, je crois, que j'avais été mis fort tard
au collège. Les deux dernières années de mon éducation s'y écoulèrent sans que je revinsse dans mon pays.
Ce fut donc au collège que j'appris, par les lettres de
ma famille, la mort de Mlle Herminie de Stasseville,
victime d'une maladie de langueur dont personne ne
s'était douté qu'à la dernière extrémité, et quand la
maladie avait été incurable. Cette nouvelle, qu'on me
transmettait sans aucun commentaire, me glaça le sang
du même froid que j'avais senti lorsque, dans le salon
de mon oncle, j'avais entendu pour la première fois
cette toux qui sonnait la mort, et qui avait dressé en
moi tout à coup de si épouvantables inductions. Ceux
qui ont l'expérience des choses de l'âme me compren-
dront, quand je dirai que je n'osai pas faire une seule
question sur cette perte soudaine d'une jeune fille,
enlevée à l'affection de sa mère et aux plus belles espérances de la vie. J'y pensai d'une manière trop tragique pour en parler à qui que ce fût. Revenu chez
mes parents, je trouvai la ville de *** bien changée;
car, en plusieurs années, les villes changent comme les
femmes : on ne les reconnaîtrait plus. C'était après
1830. Depuis le passage de Charles X, qui l'avait

traversée pour aller s'embarquer à Cherbourg, la plupart des familles nobles que j'avais connues pendant mon enfance vivaient retirées dans les châteaux circonvoisins. Les événements politiques avaient frappé d'autant plus ces familles, qu'elles avaient cru à la victoire de leur parti et qu'elles étaient retombées d'une espérance. En effet, elles avaient vu le moment où le droit d'aînesse, relevé par le seul homme·d'Etat qu'ait eu la Restauration, allait rétablir la société française sur la seule base de sa grandeur et de sa force; puis, tout à coup, cette idée, doublement juste de justesse et de justice, qui avait brillé aux regards de ces hommes, dupes sublimes de leur dévouement monarchique, comme un dédommagement à leurs souffrances et à leur ruine, comme un dernier lambeau de vair et d'hermine qui doublât leur cercueil et rendît moins dur leur dernier sommeil, périr sous le coup d'une opinion publique qu'on n'avait su ni éclairer ni discipliner. La petite ville, dont il a été si souvent question dans ce récit, n'était plus qu'un désert de persiennes fermées et de portes cochères qui ne s'ouvraient plus. La révolution de Juillet avait effrayé les Anglais, et ils étaient partis d'une ville dont les mœurs et les habitudes avaient reçu des événements une si forte rupture. Mon premier soin avait été de demander ce qu'était devenu M. Marmor de Karkoël. On me répondit qu'il était retourné aux Indes sur un ordre de son gouvernement. La personne qui me dit cela était précisément cet éternel chevalier de Tharsis, l'un des quatre de la fameuse *partie du diamant* (fameuse, du moins elle l'était pour moi), et son œil, en me renseignant, se fixa sur les miens avec l'expression d'un homme qui veut être interrogé. Aussi, presque involontairement, car les âmes se devinent bien avant que la volonté n'ait agi :

« — Et Mme du Tremblay de Stasseville ?... — lui dis-je.

« — Vous saviez donc quelque chose ?... — me répondit-il assez mystérieusement, comme si nous avions eu cent paires d'oreilles à nous écouter, et nous étions seuls.

« — Mais non, — lui dis-je, — je ne sais rien.

« — Elle est morte, — reprit-il, — de la poitrine, comme sa fille, un mois après le départ de ce diable de Marmor de Karkoël.

« — Pourquoi cette date ? — fis-je alors, — et pourquoi me parlez-vous de Marmor de Karkoël ?...

— « C'est donc la vérité, répondit-il, — que vous ne savez rien! Eh bien! mon cher, il paraît qu'elle était sa maîtresse. Du moins l'a-t-on fait entendre ici, quand on en parlait à voix basse. A présent, on n'ose plus en parler. C'était une hypocrite du premier ordre que cette comtesse. Elle l'était comme on est blonde ou brune, elle était née *cela*. Aussi pratiquait-elle le mensonge au point d'en faire une vérité, tant elle était simple et naturelle, sans effort et sans affectation en tout. A travers une habileté si profonde qu'on n'a su que depuis bien peu de temps que c'en était une, il a transpiré des bruits bientôt étouffés par la terreur qui les transmettait... A les entendre, cet Ecossais, qui n'aimait que les cartes, n'a pas été seulement l'amant de la comtesse, laquelle ne le recevait jamais chez elle comme tout le monde, et, mauvaise comme le démon, lui campait son épigramme comme à pas un de nous, quand l'occasion s'en présentait!... Mon Dieu, ceci ne serait rien, s'il n'y avait que cela! Mais le pis est, dit-on, que le dieu du *chelem* avait fait *chelem* toute la famille. Cette pauvre petite Herminie l'adorait en silence. Mlle Ernestine de Beaumont vous le dira si vous le voulez. C'était comme une fatalité. Lui, l'aimait-il ? Aimait-il la mère ? Les aimait-il toutes les deux ? Ne les aimait-il ni l'une ni l'autre ? Trouvait-il seulement la mère bonne pour entretenir sa mise au jeu ?... Qui sait ? Ici l'histoire est fort obscure. Tout ce qu'on certifie, c'est que la mère, dont l'âme était aussi sèche que le corps, s'était prise d'une haine pour sa fille, qui n'a pas peu contribué à la faire mourir.

« — On dit cela! — repris-je, plus épouvanté d'avoir pensé juste que je ne l'avais été d'avoir pensé faux, — mais qui peut savoir cela ?... Karkoël n'était pas un fat. Ce n'est pas lui qui se serait permis des confidences. On n'a pu jamais rien savoir de sa vie. Il n'aura pas commencé d'être confiant, ou indiscret, à propos de la comtesse de Stasseville.

« — Non, — répondit le chevalier de Tharsis. — Les deux hypocrites faisaient la paire. Il est parti comme il est venu, sans qu'aucun de nous ait pu dire : « Il était autre chose qu'un joueur. » Mais, si parfaite de ton et de tenue que fût dans le monde l'irréprochable comtesse, les femmes de chambre, pour lesquelles il n'est point d'héroïnes, ont raconté qu'elle s'enfermait avec sa fille, et qu'après de longues heures de tête-à-tête, elles sortaient plus pâles l'une que l'autre, mais la fille toujours davantage et les yeux abîmés de pleurs.

« — Vous n'avez pas d'autres détails et d'autres certitudes, chevalier ? — lui dis-je, pour le pousser et voir plus clair. — Mais vous n'ignorez pas ce que sont des propos de femmes de chambre... On en saurait probablement davantage par Mlle de Beaumont.

« — Mlle de Beaumont! — fit le Tharsis. — Ah! elles ne s'aimaient pas, la comtesse et elle, car c'était le même genre d'esprit toutes les deux! Aussi la survivante ne parle-t-elle de la morte qu'avec des yeux imprécatoires et des réticences perfides. Il est sûr qu'elle veut faire croire les choses les plus atroces... et qu'elle n'en sait qu'une, qui ne l'est pas... l'amour d'Herminie pour Karkoël.

« — Et ce n'est pas savoir grand-chose, chevalier, — repris-je. — Si l'on savait toutes les confidences que se font les jeunes filles entre elles, on mettrait sur le compte de l'amour la première rêverie venue. Or, vous avouerez qu'un homme comme ce Karkoël avait bien tout ce qui fait rêver.

« — C'est vrai, — dit le vieux Tharsis, — mais on a plus que des confidences de jeunes filles. Vous rappelez-vous... non! vous étiez trop enfant, mais on l'a assez remarqué dans notre société... que Mme Stasseville, qui n'avait jamais rien aimé, pas plus les fleurs que tout le reste, car je défie de pouvoir dire quels étaient les goûts de cette femme-là, portait toujours vers la fin de sa vie un bouquet de résédas à sa ceinture, et qu'en jouant au whist, et partout, elle en rompait les

tiges pour les mâchonner, si bien qu'un beau jour
Mlle de Beaumont demanda à Herminie, avec une
petite roulade de raillerie dans la voix, depuis quand sa
mère était herbivore ?...

« — Oui, je m'en souviens, — lui répondis-je. Et de
fait, je n'avais jamais oublié la manière fauve, et
presque amoureusement cruelle, dont la comtesse
avait respiré et mangé les fleurs de son bouquet, à cette
partie de whist qui avait été pour moi un événement.

« — Eh bien! — fit le bonhomme, — ces résédas
venaient d'une magnifique jardinière que Mme de
Stasseville avait dans son salon. Oh! le temps n'était
plus où les odeurs lui faisaient mal. Nous l'avions vue
ne pouvoir les souffrir, depuis ses dernières couches,
pendant lesquelles on avait failli la tuer, nous contait-
elle langoureusement, avec un bouquet de tubéreuses.
A présent, elle les aimait et les recherchait avec fureur.
Son salon asphyxiait comme une serre dont on n'a pas
encore soulevé les vitrages à midi. A cause de cela,
deux ou trois femmes délicates n'allaient plus chez elle.
C'étaient là des changements! Mais on les expliquait
par la maladie et par les nerfs. Une fois morte, et quand
il a fallu fermer son salon, — car le tuteur de son fils
a fourré au collège ce petit imbécile, que voilà riche
comme doit être un sot, — on a voulu mettre ces beaux
résédas en pleine terre et l'on a trouvé dans la caisse,
devinez quoi!... le cadavre d'un enfant qui avait
vécu... »

Le narrateur fut interrompu par le cri très vrai de
deux ou trois femmes, pourtant bien brouillées avec
le naturel. Depuis longtemps, il les avait quittées;
mais, ma foi, pour cette occasion il leur revint. Les
autres, qui se dominaient davantage, ne se permirent
qu'un haut-le-corps, mais il fut presque convulsif.

« — Quel oubli et quelle oubliette! — fit alors, avec
sa légèreté qui rit de tout, cette aimable petite pourri-
ture ambrée, le marquis de Gourdes, que nous appe-
lons *le dernier des marquis*, un de ces êtres qui plai-
santeraient derrière un cercueil et même dedans.

« — D'où venait cet enfant ? — ajouta le chevalier
de Tharsis, en pétrissant son tabac dans sa boîte

d'écaille. — De qui était-il ? Etait-il mort de mort
naturelle ? L'avait-on tué ?... Qui l'avait tué ?... Voilà
ce qu'il est impossible de savoir et ce qui fait faire,
mais bien bas, des suppositions épouvantables.

« — Vous avez raison, chevalier, — lui répondis-je,
renfonçant en moi plus avant ce que je croyais savoir
de plus que lui. — Ce sera toujours un mystère, et
même qu'il sera bon d'épaissir jusqu'au jour où l'on
n'en soufflera plus un seul mot.

« — En effet, — dit-il, — il n'y a que deux êtres
au monde qui savent réellement ce qu'il en est, et il
n'est pas probable qu'ils le publient, ajouta-t-il, avec
un sourire de côté. — L'un est ce Marmor de Karkoël,
parti pour les Grandes-Indes, la malle pleine de l'or
qu'il nous a gagné. On ne le reverra jamais. L'autre...

« — L'autre ? — fis-je étonné.

« — Ah! l'autre, — reprit-il, avec un clignement
d'œil qu'il croyait bien fin, — il y a encore moins de
danger pour l'autre. C'est le confesseur de la comtesse.
Vous savez, ce gros abbé de Trudaine, qu'ils ont, par
parenthèse, nommé dernièrement au siège de Bayeux.

« — Chevalier, — lui dis-je alors, frappé d'une idée
qui m'illumina, mieux que tout le reste, cette femme
naturellement cachée, qu'un observateur à lunettes
comme le chevalier de Tharsis appelait hypocrite,
parce qu'elle avait mis une énergique volonté par-
dessus ses passions, peut-être pour en redoubler l'ora-
geux bonheur, — chevalier, vous vous êtes trompé. Le
voisinage de la mort n'a pas entrouvert l'âme scellée
et murée de cette femme, digne de l'Italie du seizième
siècle plus que de ce temps. La comtesse du Tremblay
de Stasseville est morte... comme elle a vécu. La voix
du prêtre s'est brisée contre cette nature impénétrable qui a emporté son secret. Si le repentir le lui
eût fait verser dans le cœur du ministre de la miséri-
corde éternelle, on n'aurait rien trouvé dans la jardinière du salon. »

Le conteur avait fini son histoire, ce roman qu'il
avait promis et dont il n'avait montré que ce qu'il en
savait, c'est-à-dire les extrémités. L'émotion prolongeait le silence. Chacun restait dans sa pensée et

complétait, avec le genre d'imagination qu'il avait, ce roman authentique dont on n'avait à juger que quelques détails dépareillés. A Paris, où l'esprit jette si vite l'émotion par la fenêtre, le silence, dans un salon spirituel, après une histoire, est le plus flatteur des succès.

— Quel aimable dessous de cartes ont vos parties de whist! — dit la baronne de Saint-Albin, joueuse comme une vieille ambassadrice. — C'est très vrai ce que vous disiez. A moitié montré il fait plus d'impression que si l'on avait retourné toutes les cartes et qu'on eût vu tout ce qu'il y avait dans le jeu.

— C'est le fantastique de la réalité, — fit gravement le docteur.

— Ah! — dit passionnément Mlle Sophie de Revistal, — il en est également de la musique et de la vie. Ce qui fait l'expression de l'une et de l'autre, ce sont les silences bien plus que les accords.

Elle regarda son amie intime, l'altière comtesse de Damnaglia, au buste inflexible, qui rongeait toujours le bout d'ivoire, incrusté d'or, de son éventail. Que disait l'œil d'acier bleuâtre de la comtesse ?... Je ne la voyais pas, mais son dos, où perlait une sueur légère, avait une physionomie. On prétend que, comme Mme de Stasseville, la comtesse de Damnaglia a la force de cacher bien des passions et bien du bonheur.

— Vous m'avez gâté des fleurs que j'aimais, — dit la baronne de Mascranny, en se retournant de trois quarts vers le romancier. Et, cassant le cou à une rose bien innocente qu'elle prit à son corsage et dont elle éparpilla les débris dans une espèce d'horreur rêveuse :

— Voilà qui est fini! — ajouta-t-elle; — je ne porterai plus de résédas.

A UN DINER D'ATHÉES

Ceci est digne de gens sans Dieu.
(ALLEN.)

Le jour tombait depuis quelques instants dans les rues de la ville de ***. Mais, dans l'église de cette petite et expressive ville de l'Ouest, la nuit était tout à fait venue. La nuit *avance* presque toujours dans les églises. Elle y descend plus vite que partout ailleurs, soit à cause des reflets sombres des vitraux, quand il y a des vitraux, soit à cause de l'entrecroisement des piliers, si souvent comparés aux arbres des forêts, et aux ombres portées par les voûtes. Cette nuit des églises, qui devance un peu la mort définitive du jour au-dehors, n'en fait guère nulle part fermer les portes. Généralement, elles restent ouvertes, l'*Angelus* sonné, — et même quelquefois très tard, la veille des grandes fêtes par exemple, dans les villes dévotes, où l'on se confesse en grand nombre pour les communions du lendemain. Jamais, à aucune heure de la journée, les églises de province ne sont plus hantées par ceux qui les fréquentent qu'à cette heure vespérale où les travaux cessent, où la lumière agonise, et où l'âme chrétienne se prépare à la nuit, — à la nuit qui ressemble à la mort et pendant laquelle la mort peut venir. A cette heure-là, on sent vraiment très bien que la religion chrétienne est la fille des catacombes et qu'elle a toujours quelque chose en elle des mélancolies de son berceau. C'est à ce moment, en effet, que ceux qui croient encore à la prière aiment à venir s'agenouiller et s'accouder, le front dans leurs mains, en ces nuits mystérieuses des nefs vides, qui répondent certainement au plus profond besoin de l'âme humaine, car si pour nous autres mondains et passionnés, le tête-à-tête en cachette avec la femme aimée nous paraît plus intime et plus troublant dans les ténèbres, pourquoi n'en serait-il pas de même pour les âmes religieuses avec Dieu, quand il fait noir devant ses tabernacles, et qu'elles lui parlent, de bouche à oreille, dans l'obscurité ?

Or, c'est ainsi qu'elles semblaient lui parler dans l'église de *** ce jour-là, les âmes pieuses qui y étaient venues faire leurs prières du soir, selon leur coutume. Quoique dans la ville, grise d'un crépuscule brumeux d'automne, les réverbères ne fussent pas encore allumés, — ni la petite lampe grillagée de la statue de la Vierge, qu'on voyait à la façade de l'hôtel des dames de la Varengerie, et qui n'y est plus à présent, — il y avait plus de deux heures que les Vêpres étaient finies, — car c'était dimanche, ce jour-là, — et le nuage d'encens qui forme longtemps un dais bleuâtre dans l'en-haut des voûtes du chœur, après les Offices, s'y était évaporé. La nuit, épaisse déjà dans l'église, y étalait sa grande draperie d'ombre qui semblait, comme un voile tombant d'un mât, déferler des cintres. Deux maigres cierges, perchés au tournant de deux piliers de la nef, assez éloignés l'un de l'autre, et la lampe du sanctuaire, piquant sa petite étoile immobile dans le noir du chœur, plus profond que tout ce qui était noir à l'entour, faisaient ramper sur les ténèbres qui noyaient la nef et les bas-côtés, une lueur fantômale plutôt qu'une lumière. A cette filtration de clarté incertaine, il était possible de se voir douteusement et confusément, mais il était impossible de se reconnaître... On apercevait bien, ici et là, dans les pénombres, des groupes plus opaques que les fonds sur lesquels ils se détachaient vaguement, — des dos courbés, — quelques coiffes blanches de femmes du peuple agenouillées par terre, — deux ou trois mantelets qui avaient baissé leurs capuchons; mais c'était tout. On s'entendait mieux qu'on ne se voyait. Toutes ces bouches qui priaient à voix basse, dans ce grand vaisseau silencieux et sonore, et par le silence rendu plus sonore, faisaient ce susurrement singulier qui est comme le bruit d'une fourmilière d'âmes, visibles seulement à l'œil de Dieu. Ce susurrement continu et menu, coupé, par intervalles, de soupirs, ce murmure labial, — si impressionnant dans les ténèbres d'une église muette, — n'était troublé par rien, si ce n'est, parfois, par une des portes des bas-côtés, qui roulait sur ses gonds et claquait en se refermant derrière la personne qui venait d'entrer; — le bruit alerte et clair d'un sabot qui longeait l'orée des chapelles; — une chaise qui, heurtée dans l'obscurité, tombait; — et, de temps en temps, une ou deux toux, de ces toux retenues de dévotes qui les musiquent et qui les flûtent, par respect pour les saints échos de la maison du Seigneur. Mais ces bruits qui n'étaient que le passage rapide d'un son, n'interrompaient pas ces âmes attentives et ferventes dans le train-train de leurs prières et l'éternité de leur susurrement.

Et voilà pourquoi, de ce groupe de fidèles, recueillis et rassemblés chaque soir dans l'église de***, aucun ne prit garde à un homme qui en eût assurément étonné plus d'un, s'il avait fait assez de jour ou de clarté pour qu'il fût possible de le reconnaître. Ce n'était pas, lui, un hanteur d'église. On ne l'y voyait jamais. Il n'y avait pas mis le pied depuis qu'il était revenu, après des années d'absence, habiter momentanément sa ville natale. Pourquoi donc y entrait-il ce soir-là ?... Quel sentiment, quelle idée, quel projet l'avait décidé à franchir le seuil de cette porte, devant laquelle il passait plusieurs fois par jour comme si elle n'eût pas existé ?... C'était un homme haut en tout, qui avait dû courber sa fierté autant que sa grande taille pour passer sous la petite porte basse cintrée, et verdie par les humidités de ce pluvieux climat de l'Ouest, et qu'il avait prise pour entrer. Il ne manquait pas, après tout, de poésie dans sa tête de feu. Quand il entra dans ce lieu, qu'il avait probablement désappris, fut-il frappé de l'aspect presque tombal de cette église, qui, de construction, ressemble à une crypte, car elle est plus basse

que le pavé de la place sur laquelle elle est bâtie, et son
portail, à escalier intérieur de quelques marches, plus
élevé que le maître autel ?... Il n'avait pas lu sainte
Brigitte. S'il l'avait lue, il aurait, en entrant dans cette
atmosphère nocturne, pleine de mystérieux chuchotements, pensé à la vision de son Purgatoire, à ce dor-
toir, morne et terrible, où l'on ne voit personne et où
l'on entend des voix basses et des soupirs qui sortent
des murs... Quelle que fût, du reste, son impression,
toujours est-il qu'il s'arrêta, peu sûr de lui-même et de
ses souvenirs, s'il en avait, au milieu de la contre-allée
dans laquelle il s'était engagé. Pour qui l'eût observé,
il cherchait évidemment quelqu'un ou quelque chose,
qu'il ne trouvait pas dans ces ombres... Cependant,
quand ses yeux s'y furent un peu faits et qu'il put
retrouver autour de lui les contours des choses, il finit
par apercevoir une vieille mendiante, croulée, plutôt
qu'agenouillée, pour dire son chapelet, à l'extrémité du
banc des pauvres, et il lui demanda, en la touchant à
l'épaule, la chapelle de la Vierge et le confessionnal
d'un prêtre de la paroisse qu'il lui nomma. Renseigné
par cette vieille habituée du *banc des pauvres* qui, depuis
cinquante ans peut-être, semblait faire partie du mobi-
lier de l'église de *** et lui appartenir autant que les
marmousets de ses gargouilles, l'homme en question
arriva, sans trop d'encombre, à travers les chaises
dérangées et dispersées par les Offices de la journée, et
se planta juste debout devant le confessionnal qui est
au fond de la chapelle. Il y resta les bras croisés, comme
les ont presque toujours, dans les églises, les hommes
qui n'y viennent pas pour prier et qui veulent pourtant
y avoir une attitude convenable et grave. Plusieurs
dames de la congrégation du Saint-Rosaire, alors en
oraison autour de cette chapelle, si elles avaient
remarqué cet homme, n'auraient pu le *distinguer* autrement que par je ne dirai pas l'impiété, mais la *non piété*
de son attitude. D'ordinaire, il est vrai, les soirs de
confession, il y avait auprès de la quenouille de la
Vierge, ornée de ses rubans, un cierge tors de cire
jaune allumé et qui éclairait la chapelle ; mais, comme
on avait communié en foule le matin et qu'il n'y avait

plus personne au confessionnal, le prêtre de ce confessionnal, qui y faisait solitairement sa méditation, en était sorti, avait éteint le cierge de cire jaune, et était rentré dans son espèce de cellule en bois pour y reprendre sa méditation, sous l'influence de cette obscurité qui empêche toute distraction extérieure et qui féconde le recueillement. Etait-ce ce motif, était-ce hasard, caprice, économie ou quelque autre raison de ce genre, qui avait déterminé l'action très simple de ce prêtre? Mais, à coup sûr, cette circonstance sauva l'incognito, s'il tenait à le garder, de l'homme entré dans la chapelle, et qui, d'ailleurs, n'y demeura que peu d'instants... Le prêtre, qui avait éteint son cierge avant son arrivée, l'ayant aperçu à travers les barreaux de sa porte à claire-voie, rouvrit toute grande cette porte, sans quitter le fond du confessionnal dans lequel il était assis; et l'homme, décroisant ses bras, tendit au prêtre un objet indiscernable qu'il avait tiré de sa poitrine :

— Tenez, mon père! — dit-il d'une voix basse, mais distincte. — Voilà assez longtemps que je *le* traîne avec moi!

Et il n'en fut pas dit davantage. Le prêtre, comme s'il eût su de quoi il s'agissait, prit l'objet et referma tranquillement la porte de son confessionnal. Les dames de la congrégation du Saint-Rosaire crurent que l'homme qui avait parlé au prêtre allait s'agenouiller et se confesser, et furent extrêmement étonnées de le voir descendre le degré de la chapelle d'un pied leste, et regagner la contre-allée par où il était venu.

Mais, si elles furent surprises, il fut encore plus surpris qu'elles, car, au beau milieu de cette contre-allée qu'il remontait pour sortir de l'église, il fut saisi brusquement par deux bras vigoureux, et un rire, abominablement scandaleux dans un lieu si saint, partit presque à deux pouces de sa figure. Heureusement pour les dents qui riaient qu'il les reconnut, si près de ses yeux!

— Sacré nom de Dieu! — fit en même temps le rieur à mi-voix, mais pas de manière cependant qu'on n'entendît pas, près de là, le blasphème et l'autre irrévérente

parole, — qu'est-ce que tu *fous* donc, Mesnil, dans une
église, à pareille heure ? Nous ne sommes plus en
Espagne, comme au temps où nous chiffonnions si
joliment les guimpes des religieuses d'Avila.

Celui qu'il avait appelé « Mesnil » eut un geste de
colère.

— Tais-toi ! — dit-il, en réprimant l'éclat d'une voix
qui ne demandait qu'à retentir. — Es-tu ivre ?... Tu
jures dans une église comme dans un corps de garde.
Allons ! pas de sottises ! et sortons d'ici décemment
tous deux.

Et il doubla le pas, enfila, suivi de *l'autre*, la petite
porte basse, et quand, dehors et à l'air libre de la rue,
ils eurent pu reprendre la plénitude de leur voix :

— Que tous les tonnerres de l'enfer te brûlent,
Mesnil ! — continua *l'autre*, qui paraissait comme
enragé. — Vas-tu donc te faire capucin ?... Vas-tu donc
manger de la messe ?... Toi, Mesnilgrand, toi, le capitaine de Chamboran, comme un calotin, dans une
église !

— Tu y étais bien, toi ! — dit Mesnil, avec tranquillité.

— J'y étais pour t'y suivre. Je t'ai vu y entrer, plus
étonné de ça, ma parole d'honneur, que si j'avais vu
violer ma mère. Je me suis dit : Qu'est-ce donc qu'il va
faire dans cette grange à prêtraille ?... Puis j'ai pensé
qu'il y avait là quelque damnée anguille de jupe sous
roche, et j'ai voulu voir pour quelle grisette ou pour
quelle grande dame de la ville tu y allais.

— Je n'y suis allé que pour moi seul, *mon cher*, —
dit Mesnil, avec l'insolence froide du plus complet
mépris, de ce mépris qui se soucie bien de ce qu'on
pense.

— Alors, tu m'étonnes plus diablement que jamais !

— Mon cher, — reprit Mesnil, en s'arrêtant, — les
hommes... comme moi, n'ont été faits, de toute éternité, que pour étonner les hommes... comme toi.

Et, tournant le dos et hâtant le pas, comme quelqu'un
qui *n'entend* pas être suivi, il monta la rue de Gisors et
regagna la place Thurin, dans un des angles de laquelle
il demeurait.

Il demeurait chez son père, le vieux M. de Mesnil-grand comme on l'appelait par la ville, quand on en parlait. C'était un vieillard riche et avare (prétendait-on), dur à la détente, — c'était le mot dont on se servait, — qui depuis longues années vivait retiré de toutes compagnies, excepté pendant les trois mois que son fils, qui habitait Paris, venait passer dans la ville de ***. Alors, ce vieux M. de Mesnilgrand, qui ne voyait pas un chat d'ordinaire, se mettait à inviter et à recevoir les anciens amis et camarades de régiment de son fils et à se gaver de ces somptueux dîners d'avare, à faire partout, disaient les rabelaisiens de l'endroit, fort mal-proprement et fort ingratement aussi, car la chère (cette *chère de vilain* vantée par les proverbes) y était excellente.

Pour vous en donner une idée, il y avait, à cette époque-là, dans la ville de ***, un fameux receveur particulier des finances, qui avait, quand il y arriva, produit l'effet d'un carrosse à six chevaux entrant dans une église. C'était un assez mince financier que ce gros homme, mais la nature s'était amusée à en faire, de vocation, un grand cuisinier. On racontait qu'en 1814, il avait apporté à Louis XVIII, détalant vers Gand, d'une main la caisse de son arrondissement, et de l'autre un coulis de truffes qui semblait avoir été cuisiné par les sept diables des péchés capitaux, tant il était délicieux; Louis XVIII avait, comme de juste, pris la caisse sans dire seulement merci; mais, de reconnaissance pour le coulis, il avait orné l'estomac prépotent de ce maître queux de génie, poussé en pleines finances, de son grand cordon noir de Saint-Michel, qu'on n'accordait guère qu'à des savants ou à des artistes. Avec ce large cordon moiré, toujours plaqué sur son gilet blanc, et son crachat d'or allumant sa bedaine, ce Turcaret de M. Deltocq (il s'appelait Deltocq), qui, les jours de Saint-Louis, portait l'épée et l'habit de velours à la française, orgueilleux et insolent comme trente-six cochers anglais poudrés d'argent, et qui croyait que tout devait céder à l'empire de ses sauces, était pour la ville de ***, un personnage de vanité et de faste presque solaire... Eh bien! c'est avec ce haut personnage dînatoire, qui se vantait de pouvoir faire quarante-neuf potages maigres d'espèces différentes, mais qui ne savait pas combien il en pouvait faire de gras, — c'était l'infini! — que la cuisinière du vieux M. de Mesnilgrand luttait, et à qui elle donnait des inquiétudes, pendant le séjour à *** de son fils, au vieux M. de Mesnilgrand!

Il en était fier, de son fils; — mais aussi, il en était triste, ce grand vieillard de père, et il y avait de quoi! Son *jeune homme*, comme il l'appelait, quoiqu'il eût quarante ans passés, avait eu la vie brisée du même coup qui avait mis l'Empire en miettes et renversé la fortune de Celui qui alors n'était plus que l'EMPEREUR, comme s'il avait perdu son nom dans sa fonction et dans sa gloire! Parti comme vélite à dix-huit ans, de l'étoffe dans laquelle se taillaient les maréchaux à cette époque, le fils Mesnilgrand avait fait les guerres de l'Empire, ayant sur son kolback tous les panaches de l'espérance; mais le tonnerre final de Waterloo avait brûlé jusqu'à ras de terre ses dernières ambitions. Il était de ceux que la Restauration ne reprit pas à son service, parce qu'ils n'avaient pu résister à la fascination du retour de l'île d'Elbe, qui fit oublier leurs serments aux hommes les plus forts, comme s'ils avaient perdu leur libre arbitre. Le chef d'escadron Mesnilgrand, celui dont les officiers de Chamboran, ce régiment romanesquement brave, disaient : « On peut être aussi brave que Mesnilgrand; mais davantage, c'est impossible! » vit de ses camarades de régiment, qui n'avaient pas des états de service comparables aux siens, devenir, à sa moustache, colonels des plus beaux régiments de la Garde Royale; et, quoiqu'il ne fût pas jaloux, ce lui fut une cruelle angoisse... C'était une nature de l'intensité la plus redoutable. La discipline militaire d'un temps où elle fut presque romaine, fut seule capable d'endiguer les passions de ce violent qui — de ses passions inexprimablement terribles — avait révolté sa ville natale avant dix-huit ans, et failli mourir. Avant dix-huit ans, en effet, des excès de femmes, des excès insensés, lui avaient donné une maladie nerveuse, une espèce de *tabes* dorsal pour lequel il avait fallu lui brûler la colonne vertébrale avec des moxas. Cette médication effrayante qui épouvanta la ville de *** comme ses excès l'avaient épouvantée, fut un genre de supplice exemplaire dont les pères de famille de la ville infligèrent la vue à leurs fils, pour les moraliser, comme on moralise les peuples par la terreur. Ils les menèrent *voir brûler* le jeune Mesnilgrand, qui n'échappa aux morsures du feu, dirent les médecins, que grâce à une organisation *d'enfer;* c'était le mot, puisqu'elle avait si bien résisté à la flamme. Aussi quand, avec cette organisation si prodigieusement exceptionnelle, qui, après les moxas, résista plus tard aux fatigues, aux blessures et à tous les fléaux qui puissent fondre sur un homme de guerre, Mesnilgrand, robuste encore, se vit, en pleine maturité, sans le grand avenir militaire qu'il avait rêvé, sans but désormais, les bras cassés et l'épée clouée au fourreau, ses sentiments s'exaspérèrent jusqu'à la fureur la plus aiguë... S'il fallait, pour le faire comprendre, chercher dans l'histoire un homme à qui comparer Mesnilgrand, on serait obligé de remonter jusqu'au fameux Charles le Téméraire, duc de Bourgogne. Un moraliste ingénieux, préoccupé du non-sens de nos destinées, a, pour l'expliquer, prétendu que les hommes ressemblent à des portraits dont les uns ont la tête ou la poitrine coupée par leurs cadres, sans proportion avec leur grandeur naturelle, et dont les autres disparaissent, rapetissés et réduits à l'état de nains par l'absurde immensité du leur. Mesnilgrand, fils d'un simple hobereau bas-normand, qui devait mourir dans l'obscurité de la vie privée, après avoir manqué la grande gloire historique pour laquelle il était né, se rencontra avoir, — et pour quoi en faire? — l'épouvantable puissance de furie continue, d'envenimement et d'ulcération enragée, qu'avait ce Téméraire, que l'histoire appelle aussi le Terrible. Waterloo, qui l'avait jeté sur le pavé, fut pour lui, en une fois, ce que Granson et Morat avaient été, en deux, pour cette foudre humaine qui s'éteignit dans les neiges de Nancy. Seulement, il n'y eut pas de neige et de Nancy pour Mesnilgrand, le chef d'escadron *dégommé,* comme disent les gens qui déshonorent tout, avec leur bas vocabulaire. A cette époque, on crut qu'il se tuerait, ou qu'il deviendrait fou. Il ne se tua point, et sa tête résista. Il ne devint pas fou. Il l'était déjà, dirent les rieurs, car il y a toujours des rieurs. S'il ne se tua pas, — et, sa nature étant donnée, ses amis *auraient pu* lui demander, mais ne lui *demandèrent pas* pourquoi, — il n'était pas homme à se laisser manger le cœur par le vautour, sans essayer d'écraser le bec du vautour. Comme Alfiéri, cet incroyable volontaire d'Alfiéri, qui, ne sachant rien que dompter des chevaux, apprit le grec à quarante ans et fit même des vers grecs, Mesnilgrand se jeta, ou plutôt se précipita dans la peinture, c'est-à-dire dans ce qu'il y avait *de plus éloigné de lui*, exactement comme on monte au septième étage pour se tuer mieux, en tombant de plus haut, quand on veut se jeter par la fenêtre. Il ne savait pas un mot de dessin, et il devint peintre comme Géricault, qu'il avait, je crois, connu aux Mousquetaires. Il travailla... avec la furie de la fuite devant l'ennemi, disait-il, avec un rire amer, exposa, fit éclat, n'exposa plus, crevant ses toiles après les avoir peintes, et recommençant de travailler avec un infatigable acharnement. Cet officier, qui avait toujours vécu le bancal à la main, emporté par son cheval à travers l'Europe, passa sa vie piqué devant un chevalet, sabrant la toile de son pinceau, et tellement dégoûté de la guerre, — le dégoût de ceux qui adorent! — que ce qu'il peignait le plus, c'étaient des paysages, des paysages comme ceux qu'il avait ravagés. Tout en les peignant, il mâchait je ne sais quel mastic d'opium, mêlé au tabac qu'il fumait jour et nuit, car il s'était fait construire une espèce de houka de son invention, dans lequel il pouvait fumer, même en dormant. Mais ni les narcotiques, ni les stupéfiants, ni aucun des poisons avec lesquels l'homme se paralyse et se tue en détail, ne purent endormir ce monstre de fureur, qui ne s'assoupissait jamais en lui et qu'il appelait le crocodile de sa fontaine, un crocodile phosphorescent dans une fontaine de feu! D'aucuns, qui le connaissaient mal, le crurent longtemps carbonaro. Mais, pour ceux qui le connaissaient mieux, il y avait trop de déclamation et de libéralisme bête dans le carbonarisme, pour qu'un homme aussi absolu tombât dans des niaiseries qu'il jugeait, avec la ferme judiciaire de son pays. Et de fait, en dehors de ses passions, dont l'extravagance avait été quelquefois sans limites, il avait le sentiment net de la réalité qui distingue les hommes de race normande. Il ne donna jamais dans l'illusion des conspirations. Il avait prédit au général Berton sa destinée. D'un autre côté, les idées démocratiques sur lesquelles les Impérialistes s'appuyèrent sous la Restauration, pour mieux conspirer, lui répugnaient d'instinct. Il était profondément aristocrate. Il ne l'était pas seulement de naissance, de caste, de rang social; il l'était *de nature*, comme il était *lui*, et pas un autre, et comme il l'eût été encore, aurait-il été le dernier cordonnier de sa ville. Il l'était enfin, comme dit Henri Heine, « par sa grande manière de sentir », et non point bourgeoisement, à la façon des parvenus qui aiment les distinctions extérieures. Il ne portait pas ses décorations. Son père, le voyant à la veille de devenir colonel, quand s'écroula l'Empire, lui avait constitué un majorat de baron; mais il n'en prit jamais le titre, et, sur ses cartes et pour tout le monde, il ne fut que « le chevalier de Mesnilgrand ». Les titres, vidés des privilèges politiques dont ils étaient bourrés autrefois, et qui en faisaient de vraies armes de guerre, ne valaient pas plus à ses yeux que des écorces d'orange quand l'orange n'y est plus, et il s'en moquait bien, même devant ceux qui les respectaient. Il en donna la preuve, un jour, dans cette petite ville de ***, entichée de noblesse, où les anciens seigneurs terriens du pays, ruinés et volés par la Révolution, avaient, peut-être pour se consoler, l'inoffensive manie de s'attribuer entre eux des titres de comte et de marquis, que leurs familles très anciennes, et n'ayant nul besoin de cela pour être très nobles, n'avaient jamais portés. Mesnilgrand, qui trouvait cette usurpation ridicule, prit un moyen hardi pour la faire cesser. Un soir de réunion dans une des maisons les plus aristocratiques de la ville, il dit au domestique : « Annoncez le duc de Mesnilgrand. » Et le domestique, étonné, annonça d'une voix

de Stentor : « Monsieur le duc de Mesnilgrand! » Ce
fut un haut-le-corps général. « Ma foi, dit-il, voyant
l'effet qu'il avait produit, en tant que tout le monde se
donne un titre, j'ai mieux aimé prendre celui-là! » On
ne souffla mot. Et même quelques-uns de bonne
humeur se mirent à rire dans les petits coins; mais on
ne recommença plus. Il y a toujours des Chevaliers
errants dans le monde. Ils ne redressent plus les torts
avec la lance, mais les ridicules avec la raillerie, et
Mesnilgrand était de ces Chevaliers-là.

Il avait le don du sarcasme. Mais ce n'était pas le
seul don que le Dieu de la force lui eût fait. Quoique,
dans son économie animale, le caractère fût sur le
premier plan, comme chez presque tous les hommes
d'action, l'esprit, resté en seconde ligne, n'en était pas
moins, pour lui et contre les autres, une puissance. Nul
doute que si le chevalier de Mesnilgrand avait été un
homme heureux, il n'eût été très spirituel; mais, malheureux, il avait des opinions de désespéré et, quand
il était gai, chose rare, une gaieté de désespéré; et rien
ne casse mieux que la pensée fixe du malheur le kaléidoscope de l'esprit et ne l'empêche mieux de tourner,
en éblouissant. Seulement, ce qu'il avait par-dessus
tout, c'était, avec les passions qui fermentaient dans
son sein, une extraordinaire éloquence. Le mot qu'on
a dit de Mirabeau et qu'on peut dire de tous les ora-
teurs : « Si vous l'eussiez entendu!... » semblait fait
spécialement pour lui. Il fallait le voir, à la moindre discussion, sa poitrine de volcan soulevée, passant du
pâle à un pâle plus profond, le front labouré de houles
de rides — comme la mer dans l'ouragan de sa colère, —
les pupilles jaillissant de leur cornée, comme pour
frapper ceux à qui il parlait, — deux balles flam-
boyantes! Il fallait le voir haletant, palpitant, l'haleine
courte, la voix plus pathétique à mesure qu'elle se
brisait davantage, l'ironie faisant trembler l'écume sur
ses lèvres, longtemps vibrantes après qu'il avait parlé,
plus sublime d'épuisement, après ces accès, que Talma
dans Oreste, plus magnifiquement tué et cependant ne
mourant pas, n'étant pas achevé par sa colère, mais la
reprenant le lendemain, une heure après, une minute

après, phénix de fureur, renaissant toujours de ses cendres!... Et en effet, n'importe à quel moment on touchât à de certaines cordes, immortellement tendues en lui, il s'en échappait des résonances à renverser celui qui aurait eu l'imprudence de les effleurer. « Il est venu passer hier la soirée à la maison, disait une jeune fille à une de ses amies. Ma chère, il y a rugi tout le temps. C'est un démoniaque. On finira par ne plus le recevoir du tout, M. de Mesnilgrand. » Sans ces rugissements de *mauvais ton*, pour lesquels ne sont faits ni les salons, ni les âmes qui les habitent, peut-être aurait-il intéressé les jeunes filles qui en parlaient avec cette moqueuse sévérité. Lord Byron commençait à devenir fort à la mode dans ce temps-là, et quand Mesnilgrand était silencieux et contenu, il y avait en lui quelque chose des héros de Byron. Ce n'était pas la beauté régulière que les jeunes personnes à âme froide recherchent. Il était rudement laid; mais son visage pâle et ravagé, sous ses cheveux châtains restés très jeunes, son front ridé prématurément, comme celui de Lara ou du Corsaire, son nez épaté de léopard, ses yeux glauques, légèrement bordés d'un filet de sang comme ceux des chevaux de race très ardents, avaient une expression devant laquelle les plus moqueuses de la ville de *** se sentaient troublées. Quand il était là, les plus ricaneuses ne ricanaient plus. Grand, fort, bien tourné, quoiqu'il se voûtât un peu du haut du corps, comme si la vie qu'il portait eût été une armure trop lourde, le chevalier de Mesnilgrand avait, sous son costume moderne, l'air perdu qu'on retrouve dans certains majestueux portraits de famille. « C'est un portrait qui marche », disait encore une jeune fille qui le voyait entrer dans un salon pour la première fois. D'ailleurs, Mesnilgrand couronnait tous ces avantages par un avantage supérieur à tous les autres, aux yeux de ces fillettes : il était toujours divinement mis. Etait-ce là une dernière coquetterie de sa vie d'*homme à femmes*, à ce désespéré, et qui survivait à cette vie finie, enterrée, comme le soleil couché envoie un dernier rayon rose au flanc des nuages derrière lesquels il a sombré ?... Etait-ce un reste du luxe satrapesque, *étalé autrefois*

par cet officier de Chamboran qui avait fait payer au
vieil avare, son père, quand son régiment fut licencié,
vingt mille francs seulement de peaux de tigre pour ses
chabraques et ses bottes rouges ? Mais, le fait est
qu'aucun jeune homme de Paris ou de Londres ne
l'eût emporté par l'élégance sur ce misanthrope, qui
n'était plus du monde, et qui, pendant les trois mois de
son séjour à ***, ne faisait que quelques visites, et puis
après n'en faisait plus.

Il y vivait, comme à Paris, livré à sa peinture jusqu'à
la nuit. Il se promenait peu dans cette ville propre et
charmante, à l'aspect rêveur, bâtie pour des rêveurs,
cette ville de poètes, où il n'y en avait peut-être pas un.
Quelquefois, il y passait dans quelques rues, et le bouti-
quier disait à l'étranger qui remarquait sa hautaine
tournure : « C'est le commandant Mesnilgrand »,
comme si le commandant Mesnilgrand devait être
connu de toute la terre! Qui l'avait vu une fois ne
l'oubliait plus. Il imposait, comme tous les hommes qui
ne demandent plus rien à la vie; car qui ne demande
rien à la vie est plus haut qu'elle, et c'est elle alors qui
fait des bassesses avec nous. Il n'allait point au café
avec les autres officiers que la Restauration avait rayés
de ses cadres de service, et auxquels il ne manquait
jamais de donner une poignée de main, quand il les
rencontrait. Les cafés de province répugnaient à son
aristocratie. C'était pour lui affaire de goût que de ne
pas entrer là. Cela ne scandalisait personne. Les camarades étaient toujours sûrs de le rencontrer chez son
père, devenu, pendant son séjour, magnifique, d'avare
qu'il était pendant son absence, et qui leur donnait des
festins appelés par eux des Balthazars, quoiqu'ils
n'eussent jamais lu la Bible.

Il y assistait en face de son fils, et quoiqu'il fût vieux
et semblât-il, par la tenue, un personnage de comédie,
on voyait que le père avait dû être, dans le temps,
digne de procréer cette géniture dont il avait l'orgueil...
C'était un grand vieillard très sec, droit comme un mât
de vaisseau, qui tenait altièrement tête à la vieillesse.
Toujours vêtu d'une longue redingote de couleur
sombre, qui le faisait paraître encore plus grand qu'il

n'était, il avait extérieurement l'austérité du penseur ou d'un homme pour lequel le monde n'avait ni pompes, ni œuvres. Il portait, sans le quitter jamais, depuis des années, un bonnet de coton avec un large serre-tête lilas; mais nul plaisant n'aurait songé à rire de ce bonnet de coton, la coiffure traditionnelle du *Malade imaginaire*. Le vieux M. de Mesnilgrand ne prêtait pas plus à la comédie qu'à personne. Il aurait coupé le rire sur les lèvres joyeuses de Regnard, et rendu plus pensif le regard pensif de Molière. Quelle qu'eût été la jeunesse de ce Géronte ou de cet Harpagon presque majestueux, cela remontait trop loin pour qu'on s'en souvînt. Il avait donné (disait-on) du côté de la Révolution, quoiqu'il fût le parent de Vicq-d'Azir, le médecin de Marie-Antoinette, mais ce n'avait pas été long. L'homme du fait (les Normands appellent leur bien *leur fait;* expression profonde!), le possesseur, le terrien, avaient en lui promptement redressé l'homme d'idée. Seulement, de la Révolution, il était sorti athée politique, comme il y était entré athée religieux, et ces deux athéismes combinés en avaient fait un négateur carabiné, qui aurait effrayé Voltaire. Il parlait peu, du reste, de ses opinions, excepté dans ces dîners d'hommes qu'il donnait pour fêter son fils, où, se trouvant en famille d'idées, il laissait échapper des lueurs d'opinion qui auraient justifié ce qu'on disait de lui par la ville. Pour les gens religieux et les nobles dont elle était pleine, c'était, en effet, un vieux réprouvé qu'il était impossible de voir et qui s'était fait justice, en n'allant chez personne... Sa vie était très simple. Il ne sortait jamais. Les limites de son jardin et de sa cour étaient pour lui le bout du monde. Assis, l'hiver, sous le grand manteau de la cheminée de sa cuisine, où il avait fait rouler un vaste fauteuil rouge brun de velours d'Utrecht, à larges oreilles, silencieux devant les domestiques qu'il gênait de sa présence, car devant lui ils n'osaient pas parler haut, et ils s'entretenaient à voix basse, comme dans une église; l'été, il les délivrait de sa présence, et il se tenait dans sa salle à manger, qui était fraîche, lisant les journaux ou quelques bouquins d'une ancienne bibliothèque de moines, achetés par lui à la

criée, ou classant des quittances devant un petit secrétaire d'érable, à coins cuivrés, qu'il avait fait descendre
là, pour ne pas être obligé de monter un étage, quand
ses fermiers venaient, et quoique ce ne fût pas là un
meuble de salle à manger. S'il se passait autre chose
que des calculs d'intérêts dans sa cervelle, c'est ce que
personne ne savait. Sa face, à nez court, un peu écrasée,
blanche comme la céruse et trouée de petite vérole, ne
laissait rien filtrer de ses pensées, aussi énigmatiques
que celles d'un chat, qui fait ronron au coin du feu. La
petite vérole, qui l'avait criblé, lui avait rougi les yeux
et retourné les cils en dedans, qu'il était obligé de
couper; et cette horrible opération, qu'il fallait répéter
souvent, lui avait rendu la vue clignotante, si bien que,
quand il vous parlait, il était obligé de mettre la main
sur ses sourcils comme un garde-vue, pour s'assurer
le regard, en se renversant un peu en arrière, ce qui lui
donnait tout à la fois un grand air d'impertinence et de
fierté. On n'eût certainement, avec aucun lorgnon,
obtenu un effet d'impertinence supérieur à celui
qu'obtenait le vieux M. de Mesnilgrand avec sa main
tremblante, posée de champ sur ses sourcils pour vous
ajuster et vous voir mieux, quand il vous interpellait...
Sa voix était celle d'un homme qui avait toujours eu le
droit du commandement sur les autres, une voix de
tête plus que de poitrine, comme celle d'un homme qui
a lui-même plus de tête que de cœur; mais il ne s'en
servait pas beaucoup. On aurait dit qu'il en était aussi
avare que de ses écus. Il l'économisait, non pas comme
le centenaire Fontenelle économisait la sienne, quand
il interrompait sa phrase, lorsqu'il passait une voiture,
pour la reprendre après que le roulement de la voiture
avait cessé. Le vieux M. de Mesnilgrand n'était pas,
comme le vieux Fontenelle, un bonhomme de porcelaine fêlée, perpétuellement occupé à surveiller ses
fêlures. C'était, lui, un antique dolmen, de granit pour
la solidité, et s'il parlait peu, c'est que les dolmens
parlent peu, comme les jardins de La Fontaine. Quand
cela lui arrivait, du reste, c'était d'une brière façon, à la
Tacite. En conversation, il gravait le mot. Il avait le
style lapidaire, — et même lapidant, car il était né caus-

tique, et les pierres qu'il jetait dans le jardin des autres atteignaient toujours quelqu'un. Autrefois, comme beaucoup de pères, il avait poussé des cris de cormoran contre les dépenses et les folies de son fils; mais depuis que Mesnil — ainsi qu'il disait par abréviation familière — était resté pris comme un Titan sous la montagne renversée de l'Empire, il avait pour lui le respect d'un homme qui a pesé la vie dans tous les trébuchets du mépris et qui trouvait que rien n'est plus beau, après tout, que la force humaine écrasée par la stupidité du destin!

Et il le lui témoignait à sa manière, et cette manière était expressive. Quand son fils parlait devant lui, il y avait de l'attention passionnée sur cette froide face blafarde, qui semblait une lune dessinée au crayon blanc sur papier gris, et dont les yeux, rougis par la petite vérole, eussent été passés à la sanguine. D'ailleurs, la meilleure preuve qu'il pût donner du cas qu'il faisait de son fils Mesnil, c'était, pendant le séjour chez lui de ce fils, le complet oubli de son avarice, de cette passion qui lâche le moins, de sa poigne froide, l'homme qu'elle a pris. C'étaient ces fameux dîners qui empêchaient M. Deltocq de dormir et qui agitaient les lauriers... de ses jambons, au-dessus de sa tête. C'étaient ces dîners comme le Diable peut seul en tripoter pour ses favoris... Et de fait, les convives de ces dîners-là n'étaient-ils pas les très grands favoris du Diable ?... « Tout ce que la ville et l'arrondissement ont de gueux et de scélérats se trouve là, marmottaient les royalistes et les dévots, qui avaient encore les passions de 1815. Il doit s'y dire furieusement d'infamies — et peut-être s'y en faire », ajoutaient-ils. Les domestiques, qu'on ne renvoyait pas au dessert, comme aux soupers du baron d'Holbach, colportaient en effet des bruits abominables par la ville sur ce qu'on disait en ces ripailles; et la chose même devint si forte dans l'opinion, que la cuisinière du vieux M. de Mesnilgrand fut circonvenue par ses amies et menacée de ceci : que, pendant la visite du fils Mesnilgrand à son père, M. le curé ne la laisserait plus approcher des Sacrements. On éprouvait alors, dans la ville de ***, pour

ces agapes si tympanisées de la place Thurin, une
horreur presque égale à l'horreur que les chrétiens, au
Moyen Age, ressentaient pour ces repas des Juifs, dans
lesquels ils profanaient des hosties et égorgeaient des
enfants. Il est vrai que cette horreur était un peu tem-
pérée par les convoitises d'une sensualité très éveillée,
et par tous les récits qui faisaient venir l'eau à la bouche
des gourmands de la ville, quand on parlait devant eux
des dîners du vieux M. de Mesnilgrand. En province
et dans une petite ville, tout se sait. La halle y est mieux
que la maison de verre du Romain : elle y est une maison sans murs. On savait, à un perdreau ou à une
bécassine près, ce *qu'il y aurait* ou ce *qu'il y avait eu* à
chaque dîner hebdomadaire de la place Thurin. Ces
repas, qui avaient ordinairement lieu tous les vendredis,
raflaient le meilleur poisson et le meilleur coquillage
à la halle, car on y faisait impudemment *chère de commissaire*, en ces festins affreux et malheureusement
exquis. On y mariait fastueusement le poisson à la
viande, pour que la loi de l'abstinence et de la morti-
fication, prescrite par l'Eglise, fût mieux transgressée...
Et cette idée-là était bien l'idée du vieux M. de Mesnilgrand et de ses satanés convives! Cela leur assaisonnait
leur dîner de faire gras les jours maigres, et, par-dessus
leur gras, de faire un maigre délicieux. Un vrai maigre
de cardinal! Ils ressemblaient à cette Napolitaine qui
disait que son sorbet était bon, mais qui l'aurait
trouvé meilleur s'il avait été un péché. Et que dis-je ?
un péché! Il aurait fallu qu'il en fût plusieurs pour ces
impies, car tous, tant qu'ils étaient, qui venaient
s'asseoir à cette table maudite, c'étaient des impies, —
des impies de haute graisse et de crête écarlate, de
mortels ennemis du prêtre, dans lequel ils voyaient
toute l'Eglise, des athées, — absolus et furieux, —
comme on l'était à cette époque; l'athéisme d'alors
étant un athéisme très particulier. C'était, en effet, celui
d'une période d'hommes d'action de la plus immense
énergie, qui avaient passé par la Révolution et les
guerres de l'Empire, et qui s'étaient vautrés dans tous
les excès de ces temps terribles. Ce n'était pas du tout
l'athéisme du xviiiᵉ siècle, dont il était pourtant sorti.

L'athéisme du XVIIIe siècle avait des prétentions à la vérité et à la pensée. Il était raisonneur, sophiste, déclamatoire, surtout impertinent. Mais il n'avait pas les insolences des soudards de l'Empire et des régicides apostats de 93. Nous qui sommes venus après ces gens-là, nous avons aussi notre athéisme, absolu, concentré, savant, glacé, haïsseur, haïsseur implacable! ayant pour tout ce qui est religieux la haine de l'insecte pour la poutre qu'il perce. Mais, lui, non plus que l'autre, cet athéisme-là, ne peut donner l'idée de l'athéisme forcené des hommes du commencement du siècle, qui, élevés comme des chiens par les voltairiens, leurs pères, avaient, depuis qu'ils étaient hommes, mis leurs mains jusqu'à l'épaule dans toutes les horreurs de la politique et de la guerre et de leurs doubles corruptions. Après trois ou quatre heures de buveries et de mangeries blasphématoires, la salle à manger hurlante du vieux M. de Mesnilgrand avait de bien autres vibrations et une bien autre physionomie que ce piètre cabinet de restaurant, où quelques mandarins chinois de la littérature ont fait dernièrement leur petite orgie à cinq francs par tête, contre Dieu. C'étaient ici de tout autres bombances! Et comme elles ne recommenceront probablement jamais, du moins dans les mêmes termes, il est intéressant et nécessaire, pour l'histoire des mœurs, de les rappeler.

Ceux qui les faisaient, ces bombances sacrilèges, sont morts et bien morts; mais à cette époque ils vivaient, et même c'est l'époque où ils vivaient le plus, car la vie est plus forte, quand ce ne sont pas les facultés qui baissent, mais les malheurs qui ont grandi. Tous ces amis de Mesnilgrand, tous ces commensaux de la maison de son père, avaient la même plénitude de forces actives qu'ils eussent jamais eues, et ils en avaient davantage, puisqu'ils les avaient exercées, puisqu'ils avaient bu à la bonde du tonneau de tous les excès du désir et de la jouissance, sans avoir été foudroyés par ces spiritueux renversants; mais ils ne tenaient plus entre leurs dents et leurs mains crispées la bonde du tonneau qu'ils avaient mordue, — comme Cynégire son vaisseau, pour le retenir. Les circon-

stances leur avaient arraché des dents cette mamelle
qu'ils avaient tétée, sans l'épuiser, et ils n'en avaient
que plus soif, de l'avoir tétée! C'était, pour eux aussi,
comme pour Mesnilgrand, l'*heure de l'enragement*. Ils
n'avaient pas la hauteur de l'âme de Mesnil, de ce
Roland le Furieux dont l'Arioste, s'il avait eu un
Arioste, aurait dû ressembler de génie tragique à Shakespeare. Mais à leur niveau d'âme, à leur étage de passion et d'intelligence, ils avaient, comme lui, leur vie
finie avant la mort, — qui n'est pas la fin de la vie, et qui
souvent vient bien longtemps avant sa fin. C'étaient des
désarmés avec la force de porter des armes. Ils n'étaient
pas, tous ces officiers, que des licenciés de l'armée de
la Loire; c'étaient les licenciés de la vie et de l'Espérance. L'Empire perdu, la Révolution écrasée par
cette réaction qui n'a pas su la tenir sous son pied,
comme saint Michel y tient le dragon, tous ces hommes,
rejetés de leurs positions, de leurs emplois, de leurs
ambitions, de tous les bénéfices de leur passé, étaient
retombés impuissants, défaits, humiliés, dans leur ville
natale, où ils étaient revenus « crever misérablement
comme des chiens », disaient-ils avec rage. Au Moyen
Age, ils auraient fait des pastoureaux, des routiers,
des capitaines d'aventure; mais on ne choisit pas son
temps; mais, les pieds pris dans les rainures d'une civilisation qui a ses proportions géométriques et ses précisions impérieuses, force leur était de rester tranquilles,
de ronger leur frein, d'écumer sur place, de manger et
de boire leur sang, et d'en ravaler le dégoût! Ils avaient
bien la ressource des duels; mais que sont quelques
coups de sabre ou de pistolet, quand il leur eût fallu
des hémorragies de sang versé, à noyer la terre, pour
calmer l'apoplexie de leurs fureurs et de leurs ressentiments ? Vous vous doutez bien, après cela, des *oremus*
qu'ils adressaient à Dieu, quand ils en parlaient, car
s'ils n'y croyaient pas, d'autres y croyaient : leurs
ennemis! et c'était assez pour maugréer, blasphémer
et canonner dans leurs discours tout ce qu'il y a de saint
et de sacré parmi les hommes. Mesnilgrand disait d'eux
un soir, en les regardant autour de la table de son père,
et aux lueurs d'un punch gigantesque : « qu'on en

monterait un beau corsaire! » — « Rien n'y manquerait,
— ajoutait-il, en guignant deux ou trois défroqués,
mêlés à ces soldats sans uniforme, — pas même des
aumôniers, si c'était là une fantaisie de corsaires que
des aumôniers! » Mais, après la levée du blocus continental et l'époque folle de paix qui suivit, si ce ne fut
pas le corsaire qui manqua, ce fut l'armateur.

Eh bien! ces convives du vendredi, qui scandali-
saient hebdomadairement la ville de ***, vinrent, suivant leur usage, dîner à l'hôtel Mesnilgrand le vendredi
en suivant le dimanche où Mesnil avait été si brusquement appréhendé dans l'église par un de ses anciens
camarades, étonné et furieux de l'y voir. Cet ancien
camarade était le capitaine Rançonnet, du 8e dragons,
lequel, par parenthèse, arriva un des premiers au dîner
de ce jour-là, n'ayant pas revu Mesnilgrand de toute la
semaine et n'ayant pu encore digérer sa visite à l'église
et la manière dont Mesnil l'avait reçu et planté là,
quand il lui avait demandé des explications. Il comptait
bien revenir sur cette chose stupéfiante dont il avait été
témoin, et qu'il tenait à éclaircir, en présence de tous
les conviés du vendredi qu'il régalerait de cette histoire.
Le capitaine Rançonnet n'était pas le plus mauvais
garçon des *mauvais garçons* de la bande des vendredis.
Mais il était l'un des plus fanfarons, et tout à la fois des
plus naïfs d'impiété. Quoiqu'il ne fût pas sot, il en
était devenu bête. Il avait toujours l'idée de Dieu dans
l'esprit, comme une mouche dans le nez. Il était, de la
tête aux pieds, un officier du temps, avec tous les
défauts et les qualités de ce temps, pétri par la guerre
et pour la guerre, et ne croyant qu'à elle, et n'aimant
qu'elle; un de ces dragons qui font sonner leurs gros
talons, — comme dit la vieille chanson dragonne. Des
vingt-cinq qui dînaient ce jour-là à l'hôtel Mesnilgrand,
il était peut-être celui qui aimait le plus Mesnil, quoiqu'il eût perdu le *fil* de *son* Mesnil, depuis qu'il l'avait
vu entrer dans une église. Est-il besoin d'en avertir?...
la majorité de ces vingt-cinq convives se composait
d'officiers, mais il n'y avait pas à ce dîner que des militaires. Il y avait des médecins, — les plus matérialistes
des médecins de la ville, — quelques anciens moines,

fuyards de leur abbaye et en rupture de vœux, contemporains du père Mesnilgrand, — deux ou trois prêtres
soi-disant mariés, mais en réalité concubinaires, et,
brochant sur le tout, un ancien représentant du peuple,
qui avait voté la mort du Roi... Bonnets rouges ou
schakos, les uns révolutionnaires à tous crins, les autres
bonapartistes effrénés, prêts à se chamailler et à s'arracher les entrailles, mais tous athées, et, sur ce point seul
de la négation de Dieu et du mépris de toutes les
Eglises, de la plus touchante unanimité. Ce sanhédrin
de diables à plusieurs espèces de cornes était présidé
par ce grand diable en bonnet de coton, le père Mesnilgrand, à la face blême et terrible sous cette coiffure, qui
n'avait plus rien de bouffon avec pareille tête *par-dessous*, et qui se tenait droit au milieu de sa table, comme
l'Evêque mitré de la messe du Sabbat, vis-à-vis de son
fils Mesnil, au visage fatigué de lion au repos, mais
dont les muscles étaient toujours près de jouer dans son
mufle ridé et de lancer des éclairs!...

    Quant à lui, disons-le, il se distinguait — impérialement — de tous les autres. Ces officiers, anciens *beaux*
de l'Empire, où il y eut tant de *beaux*, avaient, certes!
de la beauté et même de l'élégance; mais leur beauté
était régulière, *tempéramenteuse*, purement ou impurement physique, et leur élégance soldatesque. Quoique
en habits bourgeois, ils avaient conservé le raide de
l'uniforme, qu'ils avaient porté toute leur vie. Selon
une expression de leur vocabulaire, ils étaient un peu
trop *ficelés*. Les autres convives, gens de science,
comme les médecins, ou revenus de tout, comme ces
vieux moines, qui se souciaient bien d'un habit, après
avoir porté et foulé aux pieds les ornements sacrés de la
splendeur sacerdotale, ressemblaient par le vêtement à
d'indignes pleutres... Mais lui, Mesnilgrand, était —
eussent dit les femmes — adorablement mis. Comme
on était au matin encore, il portait un amour de redingote noire, et il était cravaté (comme on se cravatait
alors) d'un foulard blanc, de nuance écrue, semé d'imperceptibles étoiles d'or brodées à la main. Etant
chez lui, il ne s'était pas botté. Son pied nerveux et fin,
qui faisait dire : « Mon prince! » aux pauvres assis aux

bornes des rues quand il passait près d'eux, était chaussé de bas de soie à jour et de ces escarpins, très découverts et à talon élevé, qu'affectionnait Chateaubriand, l'homme le plus préoccupé de son pied qu'il y eût alors en Europe, après le grand-duc Constantin. Sa redingote ouverte, coupée par Staub, laissait voir un pantalon de prunelle à reflets scabieuse et un simple gilet de casimir noir à châle, sans chaîne d'or; car, ce jour-là, Mesnilgrand n'avait de bijoux d'aucune sorte, si ce n'est un camée antique d'un grand prix, représentant la tête d'Alexandre, qui fixait sur sa poitrine les plis étendus de sa cravate sans nœud, — presque militaire, — un hausse-col. Rien qu'en le voyant en cette tenue, d'un goût si sûr, on sentait que l'artiste avait passé par le soldat et l'avait transfiguré, et que l'homme de cette mise n'était pas de la même espèce que les autres qui étaient là, quoiqu'il fût *à tu et à toi* avec beaucoup d'entre eux. Le patricien de nature, l'officier né *graine d'épinards*, comme ils disaient de lui dans leur langue militaire, se révélait et tranchait bien sur ce vigoureux repoussoir de soldats énergiques, excessivement vaillants, mais vulgaires et inaptes aux commandements supérieurs. Maître de maison, — en seconde ligne, puisque son père faisait les honneurs de sa table, — Mesnilgrand, s'il ne s'élevait pas quelqu'une de ces discussions qui l'enlevaient par les cheveux, comme Persée enleva la tête de la Gorgone, et lui faisaient vomir les flots de sa fougueuse éloquence, Mesnilgrand parlait peu en ces réunions bruyantes, dont le ton n'était pas complètement le sien et qui, dès les huîtres, montaient à des diapasons de voix, d'aperçus et d'idées si aigus, qu'une note de plus n'était pas possible et que le plafond — ce bouchon de la salle — risqua bien souvent d'en sauter, après tous les autres bouchons.

Ce fut à midi précis qu'on se mit à table, selon la coutume ironique de ces irrévérents moqueurs, qui profitaient des moindres choses pour montrer leur mépris de l'Eglise. Une idée de ce pieux pays de l'Ouest est de croire que le Pape se met à table à midi, et qu'avant de s'y mettre, il envoie sa bénédiction à tout l'univers chrétien. Eh bien! cet auguste *Bene-dicite* paraissait comique à ces libres penseurs. Aussi, pour s'en gausser, le vieux M. de Mesnilgrand ne manquait jamais, quand le premier coup de midi sonnait au double clocher de la ville, de dire du plus haut de sa voix de tête, avec ce sourire voltairien qui fendait parfois en deux son immobile face lunaire : « A table, Messieurs! Des chrétiens comme nous ne doivent pas se priver de la bénédiction du Pape! » Et ce mot, ou l'équivalent, était comme un tremplin tendu aux impiétés qui allaient y bondir, à travers toutes les conversations échevelées d'un dîner d'hommes, et d'hommes comme eux. En thèse géné-rale, on peut dire que tous les dîners d'hommes où ne préside pas l'harmonieux génie d'une maîtresse de maison, où ne plane pas l'influence apaisante d'une femme qui jette sa grâce, comme un caducée, entre les grosses vanités, les prétentions criantes, les colères sanguines et bêtes, même chez les gens d'esprit, des hommes attablés entre eux, sont presque toujours d'effroyables mêlées de personnalités, prêtes à finir toutes comme le festin des Lapithes et des Centaures, où il n'y avait peut-être pas de femmes non plus. En ces sortes de repas découronnés de femmes, les hommes les plus polis et les mieux élevés perdent de leur charme de politesse et de leur distinction natu-relle; et quoi d'étonnant ?... Ils n'ont plus la galerie à laquelle ils veulent plaire, et ils contractent immédia-tement quelque chose de sans-gêne, qui devient grossier au moindre attouchement, au moindre choc des esprits les uns par les autres. L'égoïsme, l'*inexilable* égoïsme, que l'art du monde est de voiler sous des formes aimables, met bientôt les coudes sur la table, en attendant qu'il vous les mette dans les côtes. Or, s'il en est ainsi pour les plus athéniens des hommes, que devait-il en être pour les convives de l'hôtel Mes-nilgrand, pour ces espèces de belluaires et de gladia-teurs, ces gens de clubs jacobins et de bivouacs mili-taires, qui se croyaient toujours un peu au bivouac ou au club, et parfois encore en pire lieu ?... Difficile-ment peut-on s'imaginer, quand on ne les a pas

entendues, les conversations à bâtons rompus et à
vitres et à verres cassés de ces hommes, grands mangeurs, grands buveurs, bourrés de victuailles échauf-
fantes, incendiés de vins capiteux, et qui, avant le
troisième service, avaient lâché la bride à tous les
propos et fait feu des quatre pieds dans leurs assiettes.
Ce n'étaient pas toujours des impiétés, du reste, qui
étaient le fond de ces conversations, mais c'en étaient
les fleurs; et on peut dire qu'il y en avait dans tous
les vases!... Songez donc! c'était le temps où Paul-
Louis Courier, qui aurait très bien figuré à ces dîners-
là, écrivait cette phrase pour fouetter le sang à la
France : « La question est maintenant de savoir si
nous serons capucins ou laquais. » Mais ce n'était
pas tout. Après la politique, la haine des Bourbons,
le spectre noir de la Congrégation, les regrets du passé
pour ces vaincus, toutes ces avalanches qui roulaient
en bouillonnant d'un bout à l'autre de cette table
fumante, il y avait d'autres sujets de conversation, à
tempêtes et à tintamarres. Par exemple, il y avait les
femmes. La femme est l'éternel sujet de conversation
des hommes entre eux, surtout en France, le pays le
plus fat de la terre. Il y avait les femmes en général
et les femmes en particulier, — les femmes de l'univers
et celle de la porte à côté, — les femmes des pays que
beaucoup de ces soldats avaient parcourus, en faisant
les beaux dans leurs grands uniformes victorieux, et
celles de la ville, chez lesquelles ils n'allaient peut-être
pas, et qu'ils nommaient insolemment par nom et
prénom, comme s'ils les avaient intimement connues,
sur le compte de qui, parbleu! ils ne se gênaient pas,
et dont, au dessert, ils pelaient en riant la réputation,
comme ils pelaient une pêche, pour, après, en casser
le noyau. Tous prenaient part à ces bombardements
de femmes, même les plus vieux, les plus coriaces,
les plus dégoûtés de la femelle, ainsi qu'ils disaient
cyniquement, car les hommes peuvent renoncer à
l'amour malpropre, mais jamais à l'amour-propre de
la femme, et, fût-ce sur le bord de leur fosse ouverte,
ils sont toujours prêts à tremper leurs museaux dans
ces galimafrées de fatuité!

Et ils les y trempèrent, ce jour-là, jusqu'aux oreilles, à ce dîner qui fut, comme déchaînement de langues, le plus corsé de tous ceux que le vieux M. de Mesnilgrand eût donnés. Dans cette salle à manger, présentement muette, mais dont les murs nous en diraient de si belles s'ils pouvaient parler, puisqu'ils auraient ce que je n'ai pas, moi, l'impassibilité des murs, l'heure des vanteries qui arrive si vite dans les dîners d'hommes, d'abord décente, — puis indécente bientôt, — puis déboutonnée, — enfin chemise levée et sans vergogne, amena les anecdotes, et chacun raconta la sienne... Ce fut comme une confession de démons ! Tous ces insolents railleurs, qui n'auraient pas eu assez de brocards pour la confession d'un pauvre moine, dite à haute voix, aux pieds de son supérieur, en présence des frères de son Ordre, firent absolument la même chose, non pour s'humilier, comme le moine, mais pour s'enorgueillir et se vanter de l'abomination de leur vie, — et tous, plus ou moins, crachèrent en haut leur âme contre Dieu, leur âme qui, à mesure qu'ils la crachèrent, leur retomba sur la figure.

Or, au milieu de ce débordement de forfanteries de toute espèce, il y en eut une qui parut... est-ce *plus piquante* qu'il faut dire ? Non, *plus piquante* ne serait pas un mot assez fort, mais plus poivrée, plus épicée, plus digne du palais de feu de ces frénétiques qui, en fait d'histoires, eussent avalé du vitriol. Celui qui la raconta, de tous ces diables, était le plus froid cependant... Il l'était comme le derrière de Satan, car le derrière de Satan, malgré l'enfer qui le réchauffe, est très froid, — disent les sorcières qui le baisent à la messe noire du Sabbat. C'était un certain et ci-devant abbé Reniant, — un nom fatidique ! — lequel, dans cette société à l'envers de la Révolution, qui défaisait tout, s'était fait, de son chef, de prêtre sans foi, médecin sans science, et qui pratiquait clandestinement un empirisme suspect et, qui sait ? peut-être meurtrier. Avec les hommes instruits, il ne convenait pas de son industrie. Mais, il avait persuadé aux gens des basses classes de la ville et des environs qu'il en savait plus

long que tous les médecins à brevets et à diplômes...
On disait mystérieusement qu'il avait des secrets pour
guérir. Des *secrets!* ce grand mot qui répond à tout
parce qu'il ne répond à rien, le cheval de bataille de
tous les empiriques, qui sont maintenant tout ce qui
reste des sorciers, si puissants jadis sur l'imagination
populaire. Ce ci-devant abbé Reniant — « car, disait-il
avec colère, ce diable de titre d'abbé était comme une
teigne sur son nom que toutes les calottes de *brai*
n'auraient pu jamais en arracher! » — ne se livrait
point par amour du gain à ces fabrications cachées de
remèdes, qui pouvaient être des empoisonnements :
il avait de quoi vivre. Mais il obéissait au démon dangereux des expériences, qui commence par traiter la
vie humaine comme une matière à expérimentations,
et qui finit par faire des Sainte-Croix et des Brinvil-
liers! Ne voulant pas avoir affaire avec les médecins
patentés, comme il les appelait d'un ton de mépris, il
était le propre apothicaire de ses drogues, et il vendait
ou donnait ses breuvages, — car bien souvent il les
donnait, — à condition pourtant qu'on lui en rap-
portât les bouteilles. Ce coquin, qui n'était pas un sot,
savait intéresser les passions de ses malades à sa
médecine. Il donnait du vin blanc, mêlé à je ne sais
quelles herbailles, aux hydropiques par ivrognerie,
et aux filles *embarrassées*, disaient les paysans en cli-
gnant de l'œil, des tisanes qui *tout de même faisaient
fondre leurs embarras*. C'était un homme de taille
moyenne, de mine frigide et discrète, vêtu dans le
genre du vieux M. de Mesnilgrand (mais en bleu),
portant, autour d'une figure de la couleur du lin qui
n'a pas été blanchi, des cheveux en rond (la seule
chose qu'il eût gardée du prêtre) d'une odieuse nuance
filasse, et droits comme des chandelles; peu parleur,
et compendieux quand il se mettait à parler. Froid et
propret comme la crémaillère d'une cheminée hol-
landaise, en ces dîners où l'on disait tout et où il
sirotait mièvrement son vin dans son angle de table
quand les autres lampaient le leur, et plaisait peu à
ces bouillants, qui le comparaient à du vin tourné
de Sainte-Nitouche, un vignoble de leur invention.

Mais cet air-là ne donna que plus de ragoût à son histoire, quand il dit modestement que, pour lui, ce qu'il avait fait de mieux contre *l'infâme* de M. de Voltaire, ç'avait été un jour — dame! on fait ce qu'on peut! — de donner un paquet d'hosties à des cochons!

A ce mot-là, il y eut un tonnerre d'interjections triomphantes. Mais le vieux M. de Mesnilgrand le coupa de sa voix incisive et grêle :

— C'est, sans doute, — dit-il, — la dernière fois, l'abbé, que vous avez donné la communion ?

Et le pince-sans-rire mit sa main blanche et sèche au-dessus de ses yeux, pour voir le Reniant, posé maigrement derrière son verre entre les deux larges poitrines de ses deux voisins, le capitaine Rançonnet, empourpré et flambant comme une torche, et le capitaine au 6e cuirassiers, Travers de Mautravers, qui ressemblait à un caisson.

— Il y avait déjà longtemps que je ne la donnais plus, — reprit le ci-devant prêtre, — et que j'avais jeté ma souquenille aux orties du chemin. C'était en pleine révolution, le temps où vous étiez ici, citoyen Le Carpentier, en tournée de représentant du peuple. Vous vous rappelez bien une jeune fille d'Hémevès que vous fîtes mettre à la maison d'arrêt ? une enragée! une épileptique!

— Tiens! — dit Mautravers, — il y a une femme mêlée aux hosties! L'avez-vous aussi donnée aux cochons!

— Tu te crois spirituel, Mautravers ? — fit Rançonnet. — Mais n'interromps donc pas l'abbé. L'abbé, finissez-nous l'histoire.

— Ah! l'histoire, — reprit Reniant, — sera bientôt contée. Je disais donc, monsieur Le Carpentier, cette fille d'Hémevès, vous en souvenez-vous ? On l'appelait la Tesson... Joséphine Tesson, si j'ai bonne mémoire, une grosse maflée, — une espèce de Marie Alacoque pour le tempérament sanguin, — l'âme damnée des chouans et des prêtres, qui lui avaient allumé le sang, qui l'avaient fanatisée et rendue folle... Elle passait sa vie à les cacher, les prêtres... Quand il s'agissait d'en

sauver un, elle eût bravé trente guillotines. Ah! les
ministres du Seigneur! comme elle les nommait, elle
les cachait chez elle, et partout. Elle les eût cachés
sous son lit, dans son lit, sous ses jupes, et, s'ils avaient
pu y tenir, elle les aurait tous fourrés et tassés, le Diable
m'emporte! là où elle avait mis leur boîte à hosties —
entre ses tetons!

— Mille bombes! — fit Rançonnet, exalté.

— Non, pas mille, mais deux seulement, monsieur Rançonnet, — dit, en riant de son calembour,
le vieux apostat libertin; — mais elles étaient de fier
calibre!

Le calembour trouva de l'écho. Ce fut une risée.

— Singulier ciboire qu'une gorge de femme! —
fit le docteur Bleny, rêveur.

— Ah! le ciboire de la nécessité! — reprit Reniant,
à qui le flegme était déjà revenu. Tous ces prêtres
qu'elles cachait, persécutés, poursuivis, traqués, sans
église, sans sanctuaire, sans asile quelconque, lui
avaient donné à garder leur Saint-Sacrement, et ils
l'avaient campé dans sa poitrine, croyant qu'on ne
viendrait jamais le chercher là!... Oh! ils avaient une
fameuse foi en elle. Ils la disaient une sainte. Ils lui
faisaient croire qu'elle en était une. Ils lui montaient
la tête et lui donnaient soif du martyre. Elle, intrépide, ardente, allait et venait, et vivait hardiment
avec sa boîte à hosties sous sa bavette. Elle la portait
de nuit, par tous les temps, la pluie, le vent, la neige,
le brouillard, à travers des chemins de perdition,
aux prêtres cachés qui faisaient communier les mou-
rants, en *catimini*... Un soir, nous l'y surprîmes, dans
une ferme où mourait un chouan, moi et quelques
bons garçons des Colonnes Infernales de Rossignol.
Il y en eut un qui, tenté par ses maîtres avant-postes
de chair vive, voulut prendre des libertés avec elle;
mais il n'en fut pas le bon marchand, car elle lui
imprima ses dix griffes sur la figure, à une telle profondeur qu'il a dû en rester marqué pour toute sa
vie! Seulement, tout en sang qu'elle le mît, le mâtin
ne lâcha pas ce qu'il tenait, et il arracha la boîte à
bons dieux qu'il avait trouvée dans sa gorge; et j'y

comptai bien une douzaine d'hosties que, malgré ses cris et ses ruées, car elle se rua sur nous comme une furie, je fis jeter immédiatement dans l'auge aux cochons.

Et il s'arrêta faisant jabot, pour une si belle chose, comme un pou sur une tumeur qui se donnerait des airs.

— Vous avez donc vengé messieurs les porcs de l'Evangile, dans le corps desquels Jésus-Christ fit entrer des démons, — dit le vieux M. de Mesnilgrand de sa sarcastique voix de tête. — Vous avez mis le bon Dieu dans ceux-ci à la place du Diable : c'est un prêté pour un rendu.

— Et en eurent-ils une indigestion, monsieur Reniant, ou bien les amateurs qui en mangèrent, — demanda profondément un hideux petit bourgeois nommé Le Hay, usurier à cinquante pour cent de son état, et qui avait l'habitude de dire qu'*en tout il faut considérer la fin.*

Il y eut comme un temps d'arrêt dans ce flot d'impiétés grossières.

— Mais toi, tu ne dis rien, Mesnil, de l'histoire de l'abbé Reniant ? — fit le capitaine Rançonnet, qui guettait l'occasion d'accrocher n'importe à quoi son histoire de la visite de Mesnilgrand à l'église.

Mesnil ne disait rien, en effet. Il était accoudé, la joue dans sa main, sur le bord de la table, écoutant sans horripilation, mais sans goût, toutes ces horreurs, débitées par des endurcis, et sur lesquelles il était blasé et bronzé... Il en avait tant entendu toute sa vie dans les milieux qu'il avait traversés! Les milieux, pour l'homme, c'est presque une destinée. Au Moyen Age, le chevalier de Mesnilgrand aurait été un croisé brûlant de foi. Au XIXe siècle, c'était un soldat de Bonaparte, à qui son incrédule de père n'avait jamais parlé de Dieu, et qui, particulièrement en Espagne, avait vécu dans les rangs d'une armée qui se permettait tout, et qui commettait autant de sacrilèges qu'à la prise de Rome les soldats du connétable de Bourbon. Heureusement, les milieux ne sont absolument une fatalité que pour les âmes et les génies vulgaires. Pour les personnalités vraiment fortes, il y

a quelque chose, ne fût-ce qu'un atome, qui échappe
au milieu et résiste à son action toute-puissante.
Cet atome dormait invincible dans Mesnilgrand. Ce
jour-là, il n'aurait rien dit; il aurait laissé passer avec
l'indifférence du bronze ce torrent de fange impie qui
roulait devant lui en bouillonnant, comme un bitume
de l'enfer; mais, interpellé par Rançonnet :

— Que veux-tu que je te dise ? — fit-il, avec une
lassitude qui touchait à la mélancolie. — M. Reniant
n'a pas fait là une chose si crâne pour que, toi, tu
puisses tant l'admirer! S'il avait cru que c'était Dieu,
le Dieu vivant, le Dieu vengeur qu'il jetait aux porcs,
au risque de la foudre sur le coup ou de l'enfer, sûrement, pour plus tard, il y aurait eu là du moins de la
bravoure, du mépris *de plus que la mort*, puisque Dieu,
s'il est, peut éterniser la torture. Il y aurait eu là une
crânerie, folle, sans doute, mais enfin une crânerie à
tenter un crâne aussi crâne que toi! Mais la chose n'a
pas cette beauté-là, mon cher. M. Reniant ne croyait
pas que ces hosties fussent Dieu. Il n'avait pas là-
dessus le moindre doute. Pour lui, ce n'étaient que des
morceaux de *pain à chanter*, consacrés par une superstition imbécile, et pour lui, comme pour toi-même,
mon pauvre Rançonnet, vider la boîte aux hosties
dans l'auge aux cochons, n'était pas plus héroïque
que d'y vider une tabatière ou un cornet de pains à
cacheter.

— Eh! eh! — fit le vieux M. de Mesnilgrand, se
renversant sur le dossier de sa chaise, ajustant son
fils sous sa main en visière, comme il l'eût regardé
tirer un coup de pistolet bien en ligne, toujours intéressé par ce que disait son fils, même quand il n'en
partageait pas l'idée et ici il la partageait. Aussi
doubla-t-il son : Eh! eh!

— Il n'y a donc ici, mon pauvre Rançonnet, — reprit
Mesnil, — disons le mot... qu'une cochonnerie. Mais
ce que je trouve beau, moi, et très beau, ce que je me
permets d'admirer, Messieurs, quoique je ne croie
pas non plus à grand-chose, c'est cette fille Tesson,
comme vous l'appelez, monsieur Reniant, qui porte ce
qu'elle croit son Dieu sur son cœur; qui, de ses

deux seins de vierge fait un tabernacle à ce Dieu de
toute pureté; et qui respire, et qui vit, et qui traverse
tranquillement toutes les vulgarités et tous les dangers
de la vie avec cette poitrine intrépide et brûlante,
surchargée d'un Dieu, tabernacle et autel à la fois, et
autel qui, à chaque minute, pouvait être arrosé de son
propre sang!... Toi, Rançonnet, toi, Mautravers, toi,
Sélune, et moi aussi, nous avons tous eu l'Empereur
sur la poitrine, puisque nous avions sa Légion d'Honneur, et cela nous a parfois donné plus de courage au
feu de l'y avoir. Mais elle, ce n'est pas l'image de son
Dieu qu'elle a sur la sienne; c'en est, pour elle, la
réalité. C'est le Dieu substantiel, qui se touche, qui se
donne, qui se mange, et qu'elle porte, au prix de sa vie,
à ceux qui ont faim de ce Dieu-là! Eh bien, ma parole
d'honneur! je trouve cela tout simplement sublime...
Je pense de cette fille comme en pensaient les prêtres,
qui lui donnaient leur Dieu à porter. Je voudrais
savoir ce qu'elle est devenue. Elle est peut-être morte;
peut-être vit-elle, misérable, dans quelque coin de
campagne; mais je sais bien que, fussé-je maréchal
de France, si je la rencontrais, cherchât-elle son pain,
les pieds nus dans la fange, je descendrais de cheval
et lui ôterais respectueusement mon chapeau, à cette
noble fille, comme si c'était vraiment Dieu qu'elle
eût encore sur le cœur! Henri IV, un jour, ne s'est
pas agenouillé dans la boue, devant le Saint-Sacrement qu'on portait à un pauvre, avec plus d'émotion
que moi je ne m'agenouillerais devant cette fille-là.

Il n'avait plus la joue sur sa main. Il avait rejeté
sa tête en arrière. Et, pendant qu'il parlait de s'agenouiller, il grandissait, et, comme la fiancée de Corinthe
dans la poésie de Gœthe, il semblait, sans s'être levé
de sa chaise, grandi du buste jusqu'au plafond.

— C'est donc la fin du monde! — dit Mautravers,
en cassant un noyau de pêche avec son poing fermé,
comme avec un marteau. — Des chefs d'escadron de
hussards à genoux, maintenant, devant des dévotes!

— Et encore, — dit Rançonnet, — encore, si c'était
comme l'infanterie devant la cavalerie, pour se relever
et passer sur le ventre à l'ennemi! Après tout, ce ne

sont pas là de désagréables maîtresses que ces diseuses d'*oremus*, que toutes ces mangeuses de bon Dieu, qui se croient damnées à chaque bonheur qu'elles nous donnent et que nous leur faisons partager. Mais, capitaine Mautravers, il y a pis pour un soldat que de mettre à mal quelques bigotes : c'est de devenir dévot soi-même, comme une poule mouillée de pékin, quand on a traîné le bancal!... Pas plus tard que dimanche dernier, où pensez-vous, Messieurs, qu'à la tombée du jour j'ai surpris le commandant Mesnilgrand, ici présent ?...

Personne ne répondit. On cherchait; mais, de tous les points de la table, les yeux convergeaient vers le capitaine Rançonnet.

— Par mon sabre! — dit Rançonnet, — je l'ai rencontré... non pas rencontré, car je respecte trop mes bottes pour les traîner dans le crottin de leurs chapelles; mais je l'ai aperçu, de dos, qui se glissait dans l'église, en se courbant sous la petite porte basse du coin de la place. Etonné, ébahi. Eh! sacre-bleu! me suis-je dit, ai-je la berlue ?... Mais c'est la tournure de Mesnilgrand, ça!... Mais que va-t-il donc faire dans une église, Mesnilgrand ?... L'idée me rega-lopa au cerveau de nos anciennes farces amoureuses avec les satanées béguines des églises d'Espagne. Tiens! fis-je, ce n'est donc pas fini ? Ce sera encore de la vieille influence de jupon. Seulement, que le Diable m'arrache les yeux avec ses griffes si je ne vois pas la couleur de celui-ci! Et j'entrai dans leur boutique à messes... Malheureusement, il y faisait noir comme dans la gueule de l'enfer. On y marchait et on y tré-buchait sur de vieilles femmes à genoux, qui y mar-mottaient leurs patenôtres. Impossible de rien distin-guer devant soi, lorsque à force de tâtonner pourtant dans cet infernal mélange d'obscurité et de carcasses de vieilles dévotes en prières, ma main rattrapa mon Mesnil, qui filait déjà le long de la contre-allée. Mais, croirez-vous bien qu'il ne voulut jamais me dire ce qu'il était venu faire dans cette galère d'église ?... Voilà pourquoi je vous le dénonce aujourd'hui, Mes-sieurs, pour que vous le forciez à s'expliquer.

— Allons, parle, Mesnil. Justifie-toi. Réponds à Rançonnet, — cria-t-on de tous les coins de la salle.

— Me justifier! — dit Mesnil, gaiement. — Je n'ai pas à me justifier de faire ce qui me plaît. Vous qui clabaudez à cœur de journée contre l'Inquisition, est-ce que vous êtes des inquisiteurs en sens inverse, à présent? Je suis entré dans l'église, dimanche soir, parce que cela m'a plu.

— Et pourquoi cela t'a-t-il plu?... — fit Mautravers, car si le Diable est logicien, un capitaine de cuirassiers peut bien l'être aussi.

— Ah! voilà! — dit Mesnilgrand, en riant. — J'y allais... qui sait? peut-être à confesse. J'ai du moins fait ouvrir la porte d'un confessionnal. Mais tu ne peux pas dire, Rançonnet, que ma confession ait trop duré?...

Ils voyaient bien qu'il se jouait d'eux... Mais il y avait dans cette jouerie quelque chose de mystérieux qui les agaçait.

— Ta confession! mille millions de flammes! Ton plongeon serait donc fait? — dit tristement Rançonnet, terrassé, qui prenait la chose au tragique. Puis, se rejetant devant sa pensée et se renversant comme un cheval cabré: — Mais non, — cria-t-il, — tonnerre de tonnerres! c'est impossible! Voyez-vous, vous autres, le chef d'escadron Mesnilgrand à confesse, comme une vieille bonne femme, à deux genoux sur le strapontin, le nez au guichet, dans la guérite d'un prêtre? Voilà un spectacle qui ne m'entrera jamais dans le crâne! Trente mille balles plutôt.

— Tu es bien bon; je te remercie, — fit Mesnilgrand avec une douceur comique, la douceur d'un agneau.

— Parlons sérieusement, — dit Mautravers, — je suis comme Rançonnet. Je ne croirai jamais à une capucinade d'un homme de ton calibre, mon brave Mesnil. Même à l'heure de la mort, les gens comme toi ne font pas un saut de grenouille effrayée dans un baquet d'eau bénite.

— A l'heure de la mort, je ne sais pas ce que vous ferez, Messieurs, — répondit lentement Mesnilgrand;

— mais quant à moi, avant de partir pour l'autre monde, je veux faire à tout risque mon porte-manteau.

Et, ce mot d'officier de cavalerie fut si gravement dit qu'il y eut un silence, comme celui du pistolet qui tirait, il n'y a qu'une minute, et tapageait, et dont la détente a cassé.

— Laissons cela, du reste, — continua Mesnilgrand. — Vous êtes, à ce qu'il paraît, encore plus abrutis que moi par la guerre et par la vie que nous avons menée tous... Je n'ai rien à dire à l'incrédulité de vos âmes; mais puisque toi, Rançonnet, tu tiens à toute force à savoir pourquoi ton camarade Mesnilgrand, que tu crois aussi athée que toi, est entré l'autre soir à l'église, je veux bien et je vais te le dire. Il y a une histoire là-dessous... Quand elle sera dite, tu comprendras peut-être, même sans croire à Dieu, qu'il y soit entré.

Il fit une pause, comme pour donner plus de solennité à ce qu'il allait raconter, puis il reprit :

— Tu parlais de l'Espagne, Rançonnet. C'est justement en Espagne que mon histoire s'est passée. Plusieurs d'entre vous y ont fait la guerre fatale qui, dès 1808, commença le désastre de l'Empire et tous nos malheurs. Ceux qui l'ont faite, cette guerre-là, ne l'ont pas oubliée, et toi, par parenthèse, moins que personne, commandant Sélune! Tu en as le souvenir gravé assez avant sur la figure pour que tu ne puisses pas l'effacer.

Le commandant Sélune, assis auprès du vieux M. de Mesnilgrand, faisait face à Mesnil. C'était un homme d'une forte stature militaire et qui méritait de s'appeler *le Balafré* encore plus que le duc de Guise, car il avait reçu en Espagne, dans une affaire d'avant-poste, un immense coup de sabre courbe, si bien appliqué sur sa figure qu'elle en avait été fendue, nez et tout, en écharpe, de la tempe gauche jusqu'au-dessous de l'oreille droite. A l'état normal, ce n'aurait été qu'une terrible blessure d'un assez noble effet sur le visage d'un soldat; mais le chirurgien qui avait rapproché les lèvres de cette plaie béante, pressé ou maladroit, les avait mal rejointes, et à la guerre comme

à la guerre! On était en marche, et, pour en finir plus
vite, il avait coupé avec des ciseaux le bourrelet de
chair qui débordait de deux doigts l'un des côtés de la
plaie fermée; ce qui fit, non pas un sillon dans le visage
de Sélune, mais un épouvantable ravin. C'était horrible,
mais, après tout, grandiose. Quand le sang montait au
visage de Sélune, qui était violent, la blessure rougissait,
et c'était comme un large ruban rouge qui lui traversait sa face bronzée. « Tu portes, — lui disait Mesnil au
jour de leurs communes ambitions, — ta croix de grand-
officier de la Légion d'honneur sur la figure, avant de
l'avoir sur la poitrine; mais sois tranquille, elle y
descendra. »

Elle n'y était pas descendue; l'Empire avait fini
avant. Sélune n'était que chevalier.

— Eh bien, Messieurs, — continua Mesnilgrand,
— nous avons vu des choses bien atroces en Espagne,
n'est-ce pas? et même nous en avons fait; mais je ne
crois pas avoir vu rien de plus abominable que ce que
je vais avoir l'honneur de vous raconter.

— Pour mon compte, — dit nonchalamment
Sélune, avec la fatuité d'un vieil endurci qui n'entend
pas qu'on l'émeuve de rien, — pour mon compte, j'ai
vu un jour quatre-vingts religieuses jetées l'une sur
l'autre, à moitié mortes, dans un puits, après avoir été
préalablement très bien violées chacune par deux
escadrons.

— Brutalité de soldats! — fit Mesnilgrand froidement; — mais voici du raffinement d'officier.

Il trempa sa lèvre dans son verre, et son regard cer-
clant la table et l'étreignant :

— Y a-t-il quelqu'un d'entre vous, Messieurs, —
demanda-t-il, — qui ait connu le major Ydow?

Personne ne répondit, excepté Rançonnet.

— Il y a moi, — dit-il. — Le major Ydow! si je l'ai
connu! Eh! parbleu! il était avec moi au 8e dragons.

— Puisque tu l'as connu, — reprit Mesnilgrand, —
tu ne l'as pas connu seul. Il était arrivé au 8e dragons,
arboré d'une femme...

— La Rosalba, dite « la Pudica », — fit Rançonnet,
sa fameuse... — Et il dit le mot crûment.

— Oui, — repartit Mesnilgrand, pensivement, — car une pareille femme ne méritait pas le nom de maîtresse, même de celle d'Ydow... Le major l'avait amenée d'Italie, où, avant de venir en Espagne, il servait dans un corps de réserve, avec le grade de capitaine. Comme il n'y a ici que toi, Rançonnet, qui l'ait connu, ce major Ydow, tu me permettras bien de le présenter à ces messieurs et de leur donner une idée de ce diable d'homme, dont l'arrivée au 8e dragons tapagea beaucoup quand il y entra, avec cette femme en sautoir... Il n'était pas Français, à ce qu'il paraît. Ce n'est pas tant pis pour la France. Il était né je ne sais où et de je ne sais qui, en Illyrie ou en Bohême, je ne suis pas bien sûr... Mais, où qu'il fût né, il était étrange, ce qui est une manière d'être étranger partout. On l'aurait cru le produit d'un mélange de plusieurs races. Il disait, lui, qu'il fallait prononcer son nom à la grecque : 'Αιδον, pour Ydow, parce qu'il était d'origine grecque; et sa beauté l'aurait fait croire, car il était beau, et, le Diable m'emporte! peut-être trop pour un soldat. Qui sait si on ne tient pas moins à se faire casser la figure, quand on l'a aussi belle ? On a pour soi le respect qu'on a pour les chefs-d'œuvre. Tout chef-d'œuvre qu'il fût, cependant, il allait au feu avec les autres; mais quand on avait dit cela du major Ydow, on avait tout dit. Il faisait son devoir, mais il ne faisait jamais plus que son devoir. Il n'avait pas ce que l'Empereur appelait *le feu sacré*. Malgré sa beauté, dont je convenais très bien, d'ailleurs, je lui trouvais au fond une mauvaise figure, sous ses traits superbes. Depuis que j'ai traîné dans les musées, où vous n'allez jamais, vous autres, j'ai rencontré la ressemblance du major Ydow. Je l'ai rencontrée très frappante dans un des bustes d'Antinoüs... tenez! de celui-là auquel le caprice ou le mauvais goût du sculpteur a incrusté deux émeraudes dans le marbre des prunelles. Au lieu de marbre blanc les yeux vert de mer du major éclairaient un teint chaudement olivâtre et un angle facial irréprochable; mais, dans la lueur de ces mélancoliques étoiles du soir, qui étaient ses yeux, ce qui dormait si voluptueusement ce n'était pas Endymion : c'était un

tigre... et, un jour, je l'ai vu s'éveiller!... Le major Ydow
était, en même temps, brun et blond. Ses cheveux bouclaient très noirs et très serrés autour d'un front petit,
aux tempes renflées, tandis que sa longue et soyeuse
moustache avait le blond fauve et presque jaune de la
martre zibeline... Signe (dit-on) de trahison ou de per-
fidie, qu'une chevelure et une barbe de couleur différente. Traître ? le major l'aurait peut-être été plus tard.
Il eût peut-être, comme tant d'autres, trahi l'Empereur ;
mais il ne devait pas en avoir le temps. Quand il vint au
8e dragons, il n'était probablement que faux, et encore
pas assez pour ne pas en avoir l'air, comme le voulait le
vieux malin de Souwarow, qui s'y connaissait... Fut-ce
cet air-là qui commença son impopularité parmi ses
camarades ? Toujours est-il qu'il devint, en très peu de
temps, la bête noire du régiment. Très fat d'une beauté
à laquelle j'aurais préféré, moi, bien des laideurs de ma
connaissance, il ne semblait n'être, en somme, comme
disent soldatesquement les soldats, qu'un miroir à... à
ce que tu viens de nommer, Rançonnet, à propos de
la Rosalba. Le major Ydow avait trente-cinq ans. Vous
comprenez bien qu'avec cette beauté qui plaît à toutes
les femmes, même au plus fières, — c'est leur infirmité,
— le major Ydow avait dû être horriblement gâté par
elles et chamarré de tous les vices qu'elles donnent ;
mais il avait aussi, disait-on, ceux qu'elles ne donnent
pas et dont on ne se chamarre point... Certes, nous
n'étions pas, comme tu le dirais, Rançonnet, des capucins dans ce temps-là. Nous étions même d'assez mauvais sujets, joueurs, libertins, coureurs de filles,
duellistes, ivrognes au besoin, et mangeurs d'argent
sous toutes les espèces. Nous n'avions guère le droit
d'être difficiles. Eh bien! tels que nous étions alors, il
passait pour bien pire que nous. Nous, il y avait des
choses, — pas beaucoup! mais enfin il y en avait bien
une ou deux, dont, si démons que nous fussions, nous
n'aurions pas été capables. Mais, lui (prétendait-on),
il était capable de tout. Je n'étais pas dans le 8e dragons.
Seulement, j'en connaissais tous les officiers. Ils parlaient de lui cruellement. Ils l'accusaient de servilité avec
les chefs et de basse ambition. Ils suspectaient son carac-

tère. Ils allèrent même jusqu'à le soupçonner d'espionnage, et même il se battit courageusement deux fois pour ce soupçon entre-exprimé ; mais l'opinion n'en fut pas changée. Il est toujours resté sur cet homme une brume qu'il n'a pu dissiper. De même qu'il était brun et blond à la fois, ce qui est assez rare, il était aussi à la fois heureux au jeu et heureux en femmes ; ce qui n'est pas l'usage non plus. On lui faisait payer bien cher ces bonheurs-là, du reste. Ces doubles succès, ses airs à la Lauzun, la jalousie qu'inspirait sa beauté, car les hommes ont beau faire les forts et les indifférents quand il s'agit de laideur, et répéter le mot consolant qu'ils ont 'inventé : qu'un homme est toujours assez beau quand il ne fait pas peur à son cheval, ils sont, entre eux, aussi petitement et lâchement jaloux que les femmes entre elles, — tout cet ensemble d'avantages étaient l'explication, sans doute, de l'antipathie dont il était l'objet ; antipathie qui, par haine, affectait les formes du mépris, car le mépris outrage plus que la haine, et la haine le sait bien !... Que de fois ne l'ai-je pas entendu traiter, entre le haut et le bas de la voix, de « dangereuse canaille », quoique, s'il eût fallu prouver clairement qu'il en était une, on ne l'eût certainement pas pu... Et de fait, Messieurs, encore au moment où je vous parle, il est incertain pour moi que le major Ydow fût ce qu'on disait qu'il était... Mais, tonnerre ! — ajouta Mesnilgrand avec une énergie mêlée à une horreur étrange, — ce qu'on ne disait pas et qu'il a été un jour, je le sais, et cela me suffit !

— Cela nous suffira aussi probablement, — dit gaiement Rançonnet ; — mais, sacrebleu ! quel diable de rapport peut-il y avoir entre l'église où je t'ai vu entrer dimanche soir et ce damné major du 8e dragons, qui aurait pillé toutes les églises et toutes les cathédrales d'Espagne et de la chrétienté, pour faire des bijoux à sa coquine de femme avec l'or et les pierres précieuses des saints sacrements ?

— Reste donc dans le rang, Rançonnet ! — fit Mesnil, comme s'il eût commandé un mouvement à son escadron, — et tiens-toi tranquille ! Tu seras donc toujours la même tête chaude, et partout impatient

comme devant l'ennemi? Laisse-moi manœuvrer,
comme je l'entends, mon histoire.

— Eh bien, marche! — fit le bouillant capitaine, qui,
pour se calmer, lampa un verre de Picardan. Et Mesnilgrand reprit :

— Il est bien probable que sans cette femme qui le
suivait, et qu'on appelait sa femme, quoiqu'elle ne fût
que sa maîtresse et qu'elle ne portât pas son nom, le
major Ydow eût peu frayé avec les officiers du 8e dragons. Mais cette femme, qu'on supposait tout ce qu'elle
était pour s'être agrafée à un pareil homme, empêcha
qu'on ne fît autour du major le désert qu'on aurait fait
sans elle. J'ai vu cela dans les régiments. Un homme y
tombe en suspicion ou en discrédit, on n'a plus avec
lui que de stricts rapports de service; on ne *camarade*
plus; on n'a plus pour lui de poignées de main; au café
même, ce caravansérail d'officiers, dans l'atmosphère
chaude et familière du café, où toutes les froideurs se
fondent, on reste à distance, contraint et poli jusqu'à ce
qu'on ne le soit plus et qu'on éclate, s'il vient le
moment d'éclater. Vraisemblablement, c'est ce qui
serait arrivé au major; mais une femme, c'est l'aimant
du diable! Ceux qui ne l'auraient pas vu pour lui, le
virent pour elle. Qui n'aurait pas, au café, offert un
verre de *schnick* au major, dédoublé de sa femme, le lui
offrait en pensant à sa moitié, en calculant que c'était
là un moyen d'être invité chez lui, où il serait possible
de la rencontrer... Il y a une proportion d'arithmétique
morale, écrite, avant qu'elle le fût par un philosophe
sur du papier, dans la poitrine de tous les hommes,
comme un encouragement du Démon : « c'est qu'il y
a plus loin d'une femme à son premier amant, que de
son premier au dixième », et c'était, à ce qu'il semblait,
plus vrai avec la femme du major qu'avec personne.
Puisqu'elle s'était donnée à lui, elle pouvait bien se
donner à un autre, et, ma foi! tout le monde pouvait
être cet autre-là! En un temps fort court, au 8e dragons,
on sut combien il y avait peu d'audace dans cette espérance. Pour tous ceux qui ont le flair de la femme, et
qui en respirent la vraie odeur à travers tous les voiles
blancs et parfumés de vertu dans lesquels elle s'entor-

tille, la Rosalba fut reconnue tout de suite pour la plus corrompue des femmes corrompues, — dans le mal, une perfection!

« Et je ne la calomnie point, n'est-ce pas, Rançonnet ?... Tu l'as eue peut-être, et si tu l'as eue, tu sais maintenant s'il fut jamais une plus brillante, une plus fascinante cristallisation de tous les vices! Où le major l'avait-il prise ?... D'où sortait-elle ? Elle était si jeune! On n'osa pas, tout d'abord, se le demander; mais ce ne fut pas long, l'hésitation! L'incendie — car elle n'incendia pas que le 8e dragons, mais mon régiment de hussards à moi, mais aussi, tu t'en souviens, Rançonnet, tous les états-majors du corps d'expédition dont nous faisions partie, — l'incendie qu'elle alluma prit très vite d'étranges proportions... Nous avions vu bien des femmes; maîtresses d'officiers, et suivant les régiments, quand les officiers pouvaient se payer le luxe d'une femme dans leurs bagages : les colonels fermaient les yeux sur cet abus, et quelquefois se le permettaient. Mais de femmes à la façon de cette Rosalba, nous n'en avions pas même l'idée. Nous étions accoutumés à de belles filles, si vous voulez, mais presque toujours du même type, décidé, hardi, presque masculin, presque effronté; le plus souvent de belles brunes plus ou moins passionnées, qui ressemblaient à de jeunes garçons, très piquantes et très voluptueuses sous l'uniforme que la fantaisie de leurs amants leur faisait porter quelquefois... Si les femmes d'officiers, légitimes et honnêtes, se reconnaissent des autres femmes par quelque chose de particulier, commun à elles toutes, et qui tient au milieu militaire dans lequel elles vivent, ce quelque chose-là est bien autrement marqué dans les maîtresses. Mais, la Rosalba du major Ydow n'avait rien de semblable aux aventurières de troupes et aux suiveuses de régiment dont nous avions l'habitude. Au premier abord, c'était une grande jeune fille pâle, — mais qui ne restait pas longtemps pâle, comme vous allez voir, — avec une forêt de cheveux blonds. Voilà tout. Il n'y avait pas de quoi s'écrier. Sa blancheur de teint n'était pas plus blanche que celle de toutes les femmes à qui un sang frais et sain passe sous la peau. Ses che-

veux blonds n'étaient pas de ce blond étincelant, qui a
les fulgurances métalliques de l'or ou les teintes molles
et endormies de l'ambre gris, que j'ai vu à quelques
Suédoises. Elle avait le visage classique qu'on appelle
un visage de camée, mais qui ne différait par aucun
signe particulier de cette sorte de visage, si impatien-
tant pour les âmes passionnées, avec son invariable
correction et son unité. Au prendre ou au laisser,
c'était certainement ce qu'on peut appeler une belle
fille, dans l'ensemble de sa personne... Mais les philtres
qu'elle faisait boire n'étaient point dans sa beauté... Ils
étaient ailleurs... Ils étaient où vous ne devineriez
jamais qu'ils fussent... dans ce monstre d'impudicité
qui osait s'appeler Rosalba, qui osait porter ce nom
immaculé de Rosalba, qu'il ne faudrait donner qu'à
l'innocence, et qui, non contente d'être la Rosalba, la
Rose et Blanche, s'appelait encore la Pudique, la
Pudica, par-dessus le marché !

— Virgile aussi s'appelait « le pudique », et il a
écrit le *Corydon ardebat Alexim*, — insinua Reniant,
qui n'avait pas oublié son latin.

— Et ce n'était pas une ironie, — continua Mesnilgrand, — que ce surnom de Rosalba, qui ne fut point
inventé par nous, mais que nous lûmes dès le premier
jour sur son front, où la nature l'avait écrit avec toutes
les roses de sa création. La Rosalba n'était pas seulement une fille de l'air le plus étonnamment pudique
pour ce qu'elle était; c'était positivement la pudeur
elle-même. Elle eût été pure comme les Vierges du ciel,
qui rougissent peut-être sous le regard des Anges,
qu'elle n'eût pas été plus la Pudeur. Qui donc a dit —
ce doit être un Anglais — que le monde est l'œuvre du
Diable, devenu fou ? C'était sûrement ce Diable-là qui,
dans un accès de folie, avait créé la Rosalba, pour se
faire le plaisir... du Diable, de fricasser, l'une après
l'autre, la volupté dans la pudeur et la pudeur dans la
volupté, et de pimenter, avec un condiment céleste, le
ragoût infernal des jouissances qu'une femme puisse
donner à des hommes mortels. La pudeur de la Rosalba
n'était pas une simple physionomie, laquelle, par
exemple, aurait, celle-là, renversé de fond en comble le

système de Lavater. Non, chez elle, la pudeur n'était pas le *dessus du panier;* elle était aussi bien le dessous que le dessus de la femme, et elle frissonnait et palpitait en elle autant dans le sang qu'à la peau. Ce n'était pas non plus une hypocrisie. Jamais le vice de Rosalba ne rendit cet hommage, pas plus qu'un autre, à la vertu. C'était réellement une vérité. La Rosalba était pudique comme elle était voluptueuse, et le plus extraordinaire, c'est qu'elle l'était en même temps. Quand elle disait ou faisait les choses les plus... osées, elle avait d'adorables manières de dire : « J'ai honte! » que j'entends encore. Phénomène inouï! on était toujours au début avec elle, même après le dénouement. Elle fût sortie d'une orgie de bacchantes, comme l'innocence de son premier péché. Jusque dans la femme vaincue, pâmée, à demi morte, on retrouvait la vierge confuse, avec la grâce toujours fraîche de ses troubles et le charme auroral de ses rougeurs... Jamais je ne pourrai vous faire comprendre les raffolements que ces contrastes vous mettaient au cœur, le langage périrait à exprimer cela! »

Il s'arrêta. Il y pensait, et ils y pensaient. Avec ce qu'il venait de dire, il avait, le croira-t-on ? transformé en rêveurs ces soldats qui avaient vu tous les genres de feux, ces moines débauchés, ces vieux médecins, tous ces écumeurs de la vie et qui en étaient revenus. L'impétueux Rançonnet, lui-même, ne souffla mot. Il se souvenait.

« Vous sentez bien, — reprit Mesnilgrand, — que le phénomène ne fut connu que plus tard. Tout d'abord, quand elle arriva au 8e dragons, on ne vit qu'une fille extrêmement jolie quoique belle, dans le genre, par exemple, de la princesse Pauline Borghèse, la sœur de l'Empereur, à qui, du reste, elle ressemblait. La princesse Pauline avait aussi l'air idéalement chaste, et vous savez tous de quoi elle est morte... Mais, Pauline n'avait pas en toute sa personne une goutte de pudeur pour teinter de rose la plus petite place de son corps charmant, tandis que la Rosalba en avait assez dans les veines pour rendre écarlates toutes les places du sien. Le mot naïf et étonné de la Borghèse, quand on lui demanda comment elle avait bien pu poser nue devant Canova : « Mais l'atelier était chaud! il y avait un poêle! » la Rosalba ne l'eût jamais dit. Si on lui eût adressé la même question, elle se serait enfuie en cachant son visage divinement pourpre dans ses mains divinement rosées. Seulement, soyez bien sûrs qu'en s'en allant, il y aurait eu par derrière à sa robe un pli dans lequel auraient niché toutes les tentations de l'enfer!

« Telle donc elle était, cette Rosalba, dont le visage de vierge nous pipa tous, quand elle arriva au régiment. Le major Ydow aurait pu nous la présenter comme sa femme légitime, et même comme sa fille, que nous l'aurions cru. Quoique ses yeux d'un bleu limpide fussent magnifiques, ils n'étaient jamais plus beaux que quand ils étaient baissés. L'expression des paupières l'emportait sur l'expression du regard. Pour des gens qui avaient roulé la guerre et les femmes, et quelles femmes! ce fut une sensation nouvelle que cette créature à qui, comme on dit avec une expression vulgaire, mais énergique, « on aurait donné le bon Dieu sans confession ». Quelle sacrée jolie fille! se soufflaient à l'oreille les anciens, les vieux routiers; mais quelle mijaurée! Comment s'y prend-elle pour rendre le major heureux ?... Il le savait, lui, et il ne le disait pas... Il buvait son bonheur en silence, comme les vrais ivrognes, qui boivent seuls. Il ne renseignait personne sur la félicité cachée qui le rendait discret et fidèle pour la première fois de sa vie, lui, le Lauzun de garnison, le fat le plus carabiné et le plus fastueux, et qu'à Naples, rapportaient des officiers qui l'y avaient connu, on appelait le tambour-major de la séduction! Sa beauté, dont il était si vain, aurait fait tomber toutes les filles d'Espagne à ses pieds, qu'il n'en eût pas ramassé une. A cette époque, nous étions sur les frontières de l'Espagne et du Portugal, les Anglais devant nous, et nous occupions dans nos marches les villes les moins hostiles au roi Joseph. Le major Ydow et la Rosalba y vivaient ensemble, comme ils eussent fait dans une ville de garnison en temps de paix. Vous vous souvenez des acharnements de cette guerre d'Espagne, de cette guerre furieuse et lente, qui ne ressemblait à aucune

autre, car nous ne nous battions pas ici simplement
pour la conquête, mais pour implanter une dynastie et
une organisation nouvelle dans un pays qu'il fallait
d'abord conquérir. Aucun de vous n'a oublié qu'au
milieu de ces acharnements il y avait des pauses, et que,
dans l'entre-deux des batailles les plus terribles, au sein
de cette contrée envahie dont une partie était à nous,
nous nous amusions à donner des fêtes aux Espagnoles
le plus *afrancesadas* des villes que nous occupions.
C'est dans ces fêtes que la femme du major Ydow,
comme on disait, déjà fort remarquée, passa à l'état
de célébrité. Et de fait, elle se mit à briller au milieu de
ces filles brunes d'Espagne, comme un diamant dans
une torsade de jais. Ce fut là qu'elle commença de produire sur les hommes ces effets d'acharnement qui
tenaient, sans doute, à la composition diabolique de
son être, et qui faisaient d'elle la plus enragée des cour-
tisanes, avec la figure d'une des plus célestes madones
de Raphaël.

« Alors les passions s'allumèrent et allèrent leur
train, faisant leur feu dans l'ombre. Au bout d'un
certain temps, tous flambèrent, même des vieux, même
des officiers généraux qui avaient l'âge d'être sages,
tous flambèrent pour « la Pudica », comme on trouva
piquant de l'appeler. Partout et autour d'elle les prétentions s'affichèrent; puis les coquetteries, puis l'éclat
des duels, enfin tout le tremblement d'une vie de
femme devenue le centre de la galanterie la plus passionnée, au milieu d'hommes indomptables qui avaient
toujours le sabre à la main. Elle fut le sultan de ces
redoutables odalisques, et elle jeta le mouchoir à qui
lui plut, et beaucoup lui plurent. Quant au major
Ydow, il laissa faire et laissa dire... Etait-il assez fat
pour n'être pas jaloux, ou, se sentant haï et méprisé,
pour jouir, dans son orgueil de possesseur, des passions
qu'inspiraient à ses ennemis la femme dont il était le
maître ?... Il n'était guère possible qu'il ne s'aperçût de
quelque chose. J'ai vu parfois son œil d'émeraude passer au noir de l'escarboucle, en regardant tel de nous
que l'opinion du moment soupçonnait d'être l'amant
de sa moitié; mais il se contenait... Et, comme on

pensait toujours de lui ce qu'il y avait de plus insultant,
on imputait son calme indifférent ou son aveuglement
volontaire à des motifs de la plus abjecte espèce. On
pensait que sa femme était encore moins un piédestal à
sa vanité qu'une échelle à son ambition. Cela se disait
comme ces choses-là se disent, et il ne les entendait pas.
Moi qui avais des raisons pour l'observer, et qui trouvais sans justice la haine et le mépris qu'on lui portait,
je me demandais s'il y avait plus de faiblesse que de
force, ou de force que de faiblesse, dans l'attitude
sombrement impassible de cet homme, trahi journelle-
ment par sa maîtresse, et qui ne laissait rien paraître
des morsures de sa jalousie. Par Dieu! nous avons tous,
Messieurs, connu de ces hommes assez fanatisés d'une
femme pour croire en elle, quand tout l'accuse, et qui,
au lieu de se venger quand la certitude absolue d'une
trahison pénètre dans leur âme, préfèrent s'enfoncer
dans leur bonheur lâche, et en tirer, comme une couver-
ture par-dessus leur tête, l'ignominie!

« Le major Ydow était-il de ceux-là ? Peut-être.
Mais, certes! la Pudica était bien capable d'avoir soufflé
en lui ce fanatisme dégradant. La Circé antique, qui
changeait les hommes en bêtes, n'était rien en comparaison de cette Pudica, de cette Messaline-Vierge, avant,
pendant et après. Avec les passions qui brûlaient au
fond de son être et celles dont elle embrasait tous ces
officiers, peu délicats en matière de femmes, elle fut
bien vite compromise, mais elle ne se compromit pas.
Il faut bien entendre cette nuance. Elle ne donnait pas
prise sur elle ouvertement par sa conduite. Si elle avait
un amant, c'était un secret entre elle et son alcôve.
Extérieurement, le major Ydow n'avait pas l'étoffe du
plus petit bout de scène à lui faire. L'aurait-elle aimé,
par hasard ?... Elle demeurait avec lui, et elle aurait pu
sûrement, si elle avait voulu, s'attacher à la fortune d'un
autre. J'ai connu un maréchal de l'Empire assez fou
d'elle pour lui tailler un manche d'ombrelle dans son
bâton de maréchal. Mais c'est encore ici comme ces
hommes dont je vous parlais. Il y a des femmes qui
aiment... ce n'est pas leur amant que je veux dire,
quoique ce soit leur amant aussi. Les carpes regrettent

leur bourbe, disait Mme de Maintenon. La Rosalba
ne voulut pas regretter la sienne. Elle n'en sortit pas,
et moi j'y entrai. »

— Tu coupes les transitions avec ton sabre! — fit
le capitaine Mautravers.

— Parbleu! — repartit Mesnilgrand, — qu'ai-je à
respecter ? Vous savez tous la chanson qu'on chantait
au XVIIIe siècle :

> *Quand Boufflers parut à la cour,*
> *On crut voir la reine d'amour.*
> *Chacun s'empressait à lui plaire,*
> *Et chacun l'avait... à son tour!*

« J'eus donc mon tour. J'en avais eu, des femmes,
et par paquets! Mais qu'il y en eût une seule comme
cette Ròsalba, je ne m'en doutais pas. La bourbe fut
un paradis. Je ne m'en vais pas vous faire des analyses
à la façon des romanciers. J'étais un homme d'action,
brutal sur l'article, comme le comte Almaviva, et je
n'avais pas d'amour pour elle dans le sens élevé et
romanesque qu'on donne à ce mot, moi tout le premier... Ni l'âme, ni l'esprit, ni la vanité, ne furent pour
quelque chose dans l'espèce de bonheur qu'elle me
prodigua; mais ce bonheur n'eut pas du tout la légèreté
d'une fantaisie. Je ne croyais pas que la sensualité pût
être profonde. Ce fut la plus profonde des sensualités.
Figurez-vous une de ces belles pêches, à chair rouge,
dans lesquelles on mord à belles dents, ou plutôt ne
vous figurez rien... Il n'y a pas de figures pour exprimer
le plaisir qui jaillissait de cette pêche humaine, rougissant sous le regard le moins appuyé comme si vous
l'aviez mordue. Imaginez ce que c'était quand, au lieu
du regard, on mettait la lèvre ou la dent de la passion
dans cette chair émue et sanguine. Ah! le corps de cette
femme était sa seule âme! Et c'est avec ce corps-là
qu'elle me donna, un soir, une fête qui vous fera juger
d'elle mieux que tout ce que je pourrais ajouter. Oui,
un soir, n'eut-elle pas l'audace et l'indécence de me
recevoir, n'ayant pour tout vêtement qu'une mousseline des Indes transparente, une nuée, une vapeur, à
travers laquelle on voyait ce corps, dont la forme était

la seule pureté et qui se teignait du double vermillon mobile de la volupté et de la pudeur!... Que le Diable m'emporte si elle ne ressemblait pas, sous sa nuée blanche, à une statue de corail vivant! Aussi, depuis ce temps, je me suis soucié de la blancheur des autres femmes comme de ça! »

Et Mesnilgrand envoya d'une chiquenaude une peau d'orange à la corniche, par-dessus la tête du représentant Le Carpentier, qui avait fait tomber celle du roi.

« Notre liaison dura quelque temps, — continuat-il, — mais ne croyez pas que je me blasai d'elle. On ne s'en blasait pas. Dans la sensation, qui est *finie*, comme disent les philosophes en leur infâme baragouin, elle transportait l'infini! Non, si je la quittai, ce fut pour une raison de dégoût moral, de fierté pour moi, de mépris pour elle, pour elle qui, au plus fort des caresses les plus insensées, ne me faisait pas croire qu'elle m'aimât... Quand je lui demandais : *M'aimestu ?* ce mot qu'il est impossible de ne pas dire, même à travers toutes les preuves qu'on vous donne que vous êtes aimé, elle répondait : « Non! » ou secouait énigmatiquement la tête. Elle se roulait dans ses pudeurs et dans ses hontes, et elle restait là-dessous, au milieu de tous les désordres de sens soulevés, impénétrable comme le sphinx. Seulement, le sphinx était froid, et elle ne l'était pas... Eh bien, cette impénétrabilité qui m'impatientait et m'irritait, puis encore la certitude que j'eus bientôt des fantaisies à la Catherine II qu'elle se permettait, furent la double cause du vigoureux coup de caveçon que j'eus la force de donner pour sortir des bras tout-puissants de cette femme, l'abreuvoir de tous les désirs! Je la quittai, ou plutôt je ne revins plus à elle. Mais je gardai l'idée qu'une seconde femme comme celle-là n'était pas possible; et de penser cela me rendit désormais fort tranquille et fort indifférent avec toutes les femmes. Ah! elle m'a parachevé comme officier. Après elle, je n'ai plus pensé qu'à mon service. Elle m'avait trempé dans le Styx.

— Et tu es devenu tout à fait Achille! — dit le vieux M. de Mesnilgrand, avec orgueil.

— Je ne sais pas ce que je suis devenu, — reprit

Mesnilgrand; — mais je sais bien qu'après notre rupture, le major Ydow, qui était avec moi dans les mêmes termes qu'avec tous les officiers de la division, nous apprit un jour, au café, que sa femme était enceinte, et qu'il aurait bientôt la joie d'être père. A cette nouvelle inattendue, les uns se regardèrent, les autres sourirent; mais il ne le vit pas, ou, l'ayant vu, il n'y prit garde, résolu qu'il était, probablement, à ne faire jamais attention qu'à ce qui était une injure directe. Quand il fut sorti : « L'enfant est-il de toi, Mesnil? » me demanda à l'oreille un de mes camarades; et, dans ma conscience une voix secrète, une voix plus précise que la sienne, me répéta la même question. Je n'osais me répondre. Elle, la Rosalba, dans nos tête-à-tête les plus abandonnés, ne m'avait jamais dit un mot de cet enfant, qui pouvait être de moi, ou du major, ou même d'un autre...

— L'enfant du drapeau! — interrompit Mautravers, comme s'il eût donné un coup de pointe avec sa latte de cuirassier.

— Jamais, — reprit Mesnilgrand, — elle n'avait fait la moindre allusion à sa grossesse; mais quoi d'étonnant ? C'était, je vous l'ai dit, un sphinx que la Pudica, un sphinx qui dévorait le plaisir silencieusement et gardait son secret. Rien du cœur ne traversait les cloisons physiques de cette femme, ouverte au plaisir seul... et chez qui la pudeur était sans doute la première peur, le premier frisson, le premier embrasement du plaisir! Cela me fit un effet singulier de la savoir enceinte. Convenons-en, Messieurs, à présent que nous sommes sortis de la vie bestiale des passions : ce qu'il y a de plus affreux dans les amours partagées, — cette gamelle! — ce n'est pas seulement la malpropreté du partage, mais c'est de plus l'égarement du sentiment paternel; c'est cette anxiété terrible qui vous empêche d'écouter la voix de la nature, et qui l'étouffe dans un doute dont il est impossible de sortir. On se dit : Est-ce à moi, cet enfant ?... Incertitude qui vous poursuit comme la punition du partage, de l'indigne partage auquel on s'est honteusement soumis! Si on pensait longtemps à cela, quand on a du cœur, on deviendrait

fou; mais la vie, la vie puissante et légère, vous reprend
de son flot et vous emporte, comme le bouchon en
liège d'une ligne rompue. — Après cette déclaration
faite à nous tous par le major Ydow, le petit tressail-
lement paternel que j'avais cru sentir dans mes entrailles
s'apaisa. Rien ne bougea plus... Il est vrai qu'à quelques
jours plus tard j'avais bien autre chose à penser qu'au
bambin de la Pudica. Nous nous battions à Talavera,
où le commandant Titan, du 9e hussards, fut tué à la
première charge, et où je fus obligé de prendre le
commandement de l'escadron.

« Cette rude peignée de Talavera exaspéra la guerre
que nous faisions. Nous nous trouvâmes plus souvent
en marche, plus serrés, plus inquiétés par l'ennemi, et
forcément il fut moins question de la Pudica entre nous.
Elle suivait le régiment en char-à-bancs, et ce fut là,
dit-on, qu'elle accoucha d'un enfant que le major
Ydow, qui croyait en sa paternité, se mit à aimer comme
si réellement cet enfant avait été le sien. Du moins,
quand cet enfant mourut, car il mourut quelques mois
après sa naissance, le major eut un chagrin très exalté,
un chagrin à folies, et on n'en rit pas dans le régiment.
Pour la première fois, l'antipathie dont il était l'objet
se tut. On le plaignit beaucoup plus que la mère qui,
si elle pleura sa géniture, n'en continua pas moins
d'être la Rosalba que nous connaissions tous, cette
singulière catin arrosée de pudeur par le Diable, qui
avait, malgré ses mœurs, conservé la faculté, qui tenait
du prodige, de rougir jusqu'à l'épine dorsale deux cents
fois par jour! Sa beauté ne diminua pas. Elle résistait
à toutes les avaries. Et, cependant, la vie qu'elle menait
devait faire très vite d'elle ce qu'on appelle entre cava-
liers une vieille chabraque, si cette vie de perdition
avait duré. »

— Elle n'a donc pas duré? Tu sais donc, toi, ce que
cette chienne de femme-là est devenue? — fit Rançonnet, haletant d'intérêt excité, et oubliant pour une
minute cette visite à l'église qui le tenait si dru.

— Oui, — dit Mesnilgrand, — concentrant sa voix
comme s'il avait touché au point le plus profond de
son histoire. Tu as cru, comme tout le monde, qu'elle

avait sombré avec Ydow dans le tourbillon de guerre et d'événements qui nous a enveloppés et, pour la plupart de nous, dispersés et fait disparaître. Mais je vais aujourd'hui te révéler le destin de cette Rosalba.

Le capitaine Rançonnet s'accouda sur la table en prenant dans sa large main son verre, qu'il y laissa, et qu'il serra comme la poignée d'un sabre, tout en écoutant.

— La guerre ne cessait pas, — reprit Mesnilgrand.

— Ces patients dans la fureur, qui ont mis cinq cents ans à chasser les Maures, auraient mis, s'il l'avait fallu, autant de temps à nous chasser. Nous n'avancions dans le pays qu'à la condition de surveiller chaque pas que nous y faisions. Les villages envahis étaient immédiatement fortifiés par nous, et nous les retournions contre l'ennemi. Le petit bourg d'Alcudia, dont nous nous emparâmes, fut notre garnison assez de temps. Un vaste couvent y fut transformé en caserne; mais l'état-major se répartit dans les maisons du bourg, et le major Ydow eut celle de l'alcade. Or, comme cette maison était la plus spacieuse, le major Ydow y recevait quelquefois le soir le corps des officiers, car nous ne voyions plus que nous. Nous avions rompu avec les *afrancesados*, nous défiant d'eux, tant la haine pour les Français gagnait du terrain! Dans ces réunions entre nous, quelquefois interrompues par les coups de feu de l'ennemi à nos avant-postes, la Rosalba nous faisait les honneurs de quelque punch, avec cet air incomparablement chaste que j'ai toujours pris pour une plaisanterie du Démon. Elle y choisissait ses victimes; mais je ne regardais pas à mes successeurs. J'avais ôté mon âme de cette liaison, et, d'ailleurs, je ne traînais après moi, comme l'a dit je ne sais plus qui, la chaîne rompue d'aucune espérance trompée. Je n'avais ni dépit, ni jalousie, ni ressentiment. Je regardais vivre et agir cette femme, qui m'intéressait comme spectateur, et qui cachait les déportements du vice le plus impudent sous les déconcertements les plus charmants de l'innocence. J'allais donc chez elle, et devant le monde elle m'y parlait avec la simplicité presque timide d'une jeune fille, rencontrée par hasard à la

fontaine ou dans le fond du bois. L'ivresse, le tournoiement de tête, la rage des sens qu'elle avait allumée en
moi, toutes ces choses terribles n'étaient plus. Je les
tenais pour dissipées, évanouies, impossibles! Seulement, lorsque je retrouvais inépuisable cette nuance
d'incarnat qui lui teignait le front pour un mot ou pour
un regard, je ne pouvais m'empêcher d'éprouver la
sensation de l'homme qui regarde dans son verre vidé
la dernière goutte du champagne rosé qu'il vient de
boire, et qui est tenté de faire rubis sur l'ongle, avec
cette dernière goutte oubliée.

« Je le lui dis, un soir. Ce soir-là, j'étais seul chez elle.

« J'avais quitté le café de bonne heure, et j'y avais
laissé le corps d'officiers engagé dans des parties de
cartes et de billard, et jouant un jeu très vif. C'était le
soir, mais un soir d'Espagne où le soleil torride avait
peine à s'arracher du ciel. Je la trouvai à peine vêtue,
les épaules au vent, embrasées par une chaleur afri-
caine, les bras nus, ces beaux bras dans lesquels j'avais
tant mordu et qui, dans de certains moments d'émotion
que j'avais si souvent fait naître, devenaient, comme
disent les peintres, du *ton* de l'intérieur des fraises.
Ses cheveux, appesantis par la chaleur, croulaient
lourdement sur sa nuque dorée, et elle était belle ainsi,
déchevelée, négligée, languissante à tenter Satan et
à venger Eve! A moitié couchée sur un guéridon, elle
écrivait... Or, si elle écrivait, la Pudica, c'était, pas de
doute! à quelque amant, pour quelque rendez-vous,
pour quelque infidélité nouvelle au major Ydow, qui
les dévorait toutes, comme elle dévorait le plaisir, en
silence. Lorsque j'entrai, sa lettre était écrite, et elle
faisait fondre pour la cacheter, à la flamme d'une bougie, de la cire bleue pailletée d'argent, que je vois
encore, et vous allez savoir, tout à l'heure, pourquoi
le souvenir de cette cire bleue pailletée d'argent m'est
resté si clair.

« — Où est le major? — me dit-elle, me voyant
entrer, troublée déjà, — mais elle était toujours troublée, cette femme qui faisait croire à l'orgueil et aux
sens des hommes qu'elle était émue devant eux!

« — Il joue frénétiquement ce soir, — lui répondis-

je, en riant et en regardant avec convoitise cette friandise de flocon rose qui venait de lui monter au front;
— et moi, j'ai ce soir une autre frénésie.

« Elle me comprit. Rien ne l'étonnait. Elle était faite aux désirs qu'elle allumait chez les hommes, qu'elle aurait ramenés en face d'elle de tous les horizons.

« — Bah! — fit-elle lentement, quoique la teinte d'incarnat que je voulais boire sur son adorable et exécrable visage se fût foncée à la pensée que je lui donnais. — Bah! vos frénésies à vous sont finies. — Et elle mit le cachet sur la cire bouillante de la lettre, qui s'éteignit et se figea.

« — Tenez! — dit-elle, insolemment provocante, — voilà votre image! C'était brûlant il n'y a qu'une seconde, et c'est froid.

« Et, tout en disant cela, elle retourna la lettre et se pencha pour en écrire l'adresse.

« Faut-il que je le répète jusqu'à satiété ? Certes! je n'étais pas jaloux de cette femme : mais nous sommes tous les mêmes. Malgré moi, je voulus voir à qui elle écrivait, et, pour cela, ne m'étant pas assis encore, je m'inclinai par-dessus sa tête; mais mon regard fut intercepté par l'entre-deux de ses épaules, par cette fente enivrante et duvetée où j'avais fait ruisseler tant de baisers, et, ma foi! magnétisé par cette vue, j'en fis tomber un de plus dans ce ruisseau d'amour, et cette sensation l'empêcha d'écrire... Elle releva sa tête de la table où elle était penchée, comme si on lui eût piqué les reins d'une pointe de feu, se cambrant sur le dossier de son fauteuil, la tête renversée; elle me regardait, dans ce mélange de désir et de confusion qui était son charme, les yeux en l'air et tournés vers moi, qui étais derrière elle, et qui fis descendre dans la rose mouillée de sa bouche entrouverte ce que je venais de faire tomber dans l'entre-deux de ses épaules.

« Cette sensitive avait des nerfs de tigre. Tout à coup, elle bondit : — Voilà le major qui monte, — me dit-elle. — Il aura perdu, il est jaloux quand il a perdu. Il va me faire une scène affreuse. Voyons! mettez-vous là... je vais le faire partir. — Et, se levant, elle ouvrit un grand placard dans lequel elle pendait ses robes, et elle m'y poussa. Je crois qu'il y a bien peu d'hommes qui n'aient été mis dans quelque placard, à l'arrivée du mari ou du possesseur en titre...

— Je te trouve heureux avec ton placard! — dit Sélune; — je suis entré un jour dans un sac à charbon, moi! C'était, bien entendu, avant ma sacrée blessure. J'étais dans les hussards blancs, alors. Je vous demande dans quel état je suis sorti de mon sac à charbon!

— Oui, — reprit amèrement Mesnilgrand, — c'est encore là un des revenants-bons de l'adultère et du partage! En ces moments-là, les plus fendants ne sont pas fiers, et, par générosité pour une femme épouvantée, ils deviennent aussi lâches qu'elle, et font cette lâcheté de se cacher. J'en ai, je crois, mal au cœur encore d'être entré dans ce placard, en uniforme et le sabre au côté, et, comble de ridicule! pour une femme qui n'avait pas d'honneur à perdre et que je n'aimais pas!

« Mais je n'eus pas le temps de m'appesantir sur cette bassesse d'être là, comme un écolier dans les ténèbres de mon placard et les frôlements sur mon visage de ses robes, qui sentaient son corps à me griser. Seulement, ce que j'entendis me tira bientôt de ma sensation voluptueuse. Le major était entré. Elle l'avait deviné, il était d'une humeur massacrante, et, comme elle l'avait dit, dans un accès de jalousie, et d'une jalousie d'autant plus explosive qu'avec nous tous il la cachait. Disposé au soupçon et à la colère comme il l'était, son regard alla probablement à cette lettre restée sur la table, et à laquelle mes deux baisers avaient empêché la Pudica de mettre l'adresse.

« — Qu'est-ce que c'est que cette lettre ?... fit-il, — d'une voix rude.

« — C'est une lettre pour l'Italie, — dit tranquillement la Pudica.

« Il ne fut pas dupe de cette placide réponse.

« — Cela n'est pas vrai! — dit-il grossièrement, car vous n'aviez pas besoin de gratter beaucoup le Lauzun dans cet homme pour y retrouver le soudard; et je compris, à ce seul mot, la vie intime de ces deux êtres, qui engloutissaient entre eux deux des scènes de toute espèce, et dont, ce jour-là, j'allais avoir un spécimen. Je l'eus, en effet, du fond de mon placard. Je ne les voyais pas, mais je les entendais; et les entendre, pour moi, c'était les voir. Il y avait leurs gestes dans leurs paroles et dans les intonations de leurs voix, qui montèrent en quelques instants au diapason de toutes les fureurs. Le major insista pour qu'on lui montrât cette lettre sans adresse, et la Pudica, qui l'avait saisie, refusa opiniâtrément de la donner. C'est alors qu'il voulut la prendre de force. J'entendis les froissements et les piétinements d'une lutte entre eux, mais vous devinez bien que le major fut plus fort que sa femme. Il prit donc la lettre et la lut. C'était un rendez-vous d'amour à un homme, et la lettre disait que cet homme avait été heureux et qu'on lui offrait le bonheur encore... Mais cet homme-là n'était pas nommé. Absurdement curieux comme tous les jaloux, le major chercha en vain le nom de l'homme pour qui on le trompait... Et la Pudica fut vengée de cette prise de lettre, arrachée à sa main meurtrie, et peut-être ensanglantée, car elle avait crié pendant la lutte : « Vous me déchirez la main, misérable! » Ivre de ne rien savoir, défié et moqué par cette lettre qui ne le renseignait que sur une chose, c'est qu'elle avait un amant, — un amant de plus, — le major Ydow tomba dans une de ces rages qui déshonorent le caractère d'un homme, et cribla la Pudica d'injures ignobles, d'injures de cocher. Je crus qu'il la rouerait de coups. Les coups allaient venir, mais un peu plus tard. Il lui reprocha, — en quels termes! d'être... tout ce qu'elle était. Il fut brutal, abject, révoltant; et elle, à toute cette fureur, répondit en vraie femme qui n'a plus rien à ménager, qui connaît jusqu'à l'axe l'homme à qui elle s'est accouplée, et qui sait que la bataille éternelle est au fond de cette bauge de la vie à deux. Elle fut moins ignoble, mais plus atroce, plus insultante et plus cruelle dans sa froideur, que lui dans sa colère. Elle fut insolente, iro-nique, riant du rire hystérique de la haine dans son paroxysme le plus aigu, et répondant au torrent d'in-jures que le major lui vomissait à la face par de ces mots comme les femmes en trouvent, quand elles veulent nous rendre fous, et qui tombent sur nos violences et dans nos soulèvements comme des grenades à feu dans de la poudre. De tous ces mots outrageants à froid qu'elle aiguisait, celui avec lequel elle le dardait le plus, c'est qu'elle ne l'aimait pas — qu'elle ne l'avait jamais aimé : « Jamais! jamais! jamais! » répétait-elle, avec une furie joyeuse, comme si elle lui eût dansé des entrechats sur le cœur! — Or, cette idée — qu'elle ne l'avait jamais aimé — était ce qu'il y avait de plus féroce, de plus affolant pour ce fat heureux, pour cet homme dont la beauté avait fait ravage, et qui, derrière son amour pour elle, avait encore sa vanité! Aussi arriva-t-il une minute où, n'y tenant plus, sous le dard de ce mot, impitoyablement répété, qu'elle ne l'avait jamais aimé, et qu'il ne voulait pas croire, et qu'il repoussait toujours :

« — Et notre enfant? — objecta-t-il, l'insensé! comme si c'était une preuve, et comme s'il eût invoqué un souvenir!

« — Ah! notre enfant! — fit-elle, en éclatant de rire. — Il n'était pas de toi!

« J'imaginai ce qui dut se passer dans les yeux verts du major, en entendant son miaulement étranglé de chat sauvage. Il poussa un juron à fendre le ciel.

« — Et de qui est-il? garce maudite! — demanda-t-il, avec quelque chose qui n'était plus une voix.

« Mais elle continua de rire comme une hyène.

« — Tu ne le sauras pas! — dit-elle, en le narguant. Et elle le cingla de ce *tu ne le sauras pas!* mille fois répété, mille fois infligé à ses oreilles; et quand elle fut lasse de le dire, — le croiriez-vous? — elle le lui chanta comme une fanfare! Puis, quand elle l'eut assez fouetté avec ce mot, assez fait tourner comme une toupie sous le fouet de ce mot, assez roulé avec ce mot dans les spirales de l'anxiété et de l'incertitude, cet homme, hors de lui, et qui n'était plus entre ses mains qu'une marionnette qu'elle allait casser; quand, cynique à force de haine, elle lui eut dit, en les nommant par tous leurs noms, les amants qu'elle avait eus, et qu'elle eut fait le tour du corps d'officiers tout entier : « Je les ai eus tous, — cria-t-elle, — mais ils ne m'ont pas eue, eux! Et cet enfant que tu es assez bête pour croire le

tien, a été fait par le seul homme que j'aie jamais aimé!
que j'aie jamais idolâtré! Et tu ne l'as pas deviné!
Et tu ne le devines pas encore ? »

« Elle mentait. Elle n'avait jamais aimé un homme.
Mais elle sentait bien que le coup de poignard pour
le major était dans ce mensonge, et elle l'en dagua, elle
l'en larda, elle l'en hacha, et quand elle en eut assez
d'être le bourreau de ce supplice, elle lui enfonça, pour
en finir, comme on enfonce un couteau jusqu'au
manche, son dernier aveu dans le cœur :

« — Eh bien! — fit-elle, — puisque tu ne devines
pas, jette ta langue aux chiens, imbécile! C'est le
capitaine Mesnilgrand.

« Elle mentait probablement encore, mais je n'en
étais pas si sûr, et mon nom, ainsi prononcé par elle,
m'atteignit comme une balle à travers mon placard.
Après ce nom, il y eut un silence comme après un
égorgement. — L'a-t-il tuée au lieu de lui répondre ?
pensé-je, lorsque j'entendis le bruit d'un cristal, jeté
violemment sur le sol, et qui y volait en mille pièces.

« Je vous ai dit que le major Ydow avait eu, pour
l'enfant qu'il croyait le sien, un amour paternel
immense et, quand il l'avait perdu, un de ces chagrins
à folies, dont notre néant voudrait éterniser et maté-
rialiser la durée. Dans l'impossibilité où il était, avec
sa vie militaire en campagne, d'élever à son fils un
tombeau qu'il aurait visité chaque jour, — cette ido-
lâtrie de la tombe! — le major Ydow avait fait
embaumer le cœur de son fils pour mieux l'emporter
avec lui partout, et il l'avait déposé pieusement dans
une urne de cristal, habituellement placée sur une
encoignure, dans sa chambre à coucher. C'était cette
urne qui volait en morceaux.

« — Ah! il n'était pas à moi, abominable gouge!
— s'écria-t-il. Et j'entendis, sous sa botte de dragon,
grincer et s'écraser le cristal de l'urne, et piétiner le
cœur de l'enfant qu'il avait cru son fils!

« Sans doute, elle voulut le ramasser, elle! l'enlever,
le lui prendre, car je l'entendis qui se précipita; et les
bruits de la lutte recommencèrent, mais avec un autre,
— le bruit des coups.

« — Eh bien ! puisque tu le veux, le voilà, le cœur de ton marmot, catin déhontée ! — dit le major. Et il lui battit la figure de ce cœur qu'il avait adoré, et le lui lança à la tête comme un projectile. L'abîme appelle l'abîme, dit-on. Le sacrilège créa le sacrilège. La Pudica, hors d'elle, fit ce qu'avait fait le major. Elle rejeta à sa tête le cœur de cet enfant, qu'elle aurait peut-être gardé s'il n'avait pas été de lui, l'homme exécré, à qui elle eût voulu rendre torture pour torture, ignominie pour ignominie ! C'est la première fois, certainement, que si hideuse chose se soit vue ! un père et une mère se souffletant tour à tour le visage, avec le cœur mort de leur enfant !

« Cela dura quelques minutes, ce combat impie... Et c'était si étonnamment tragique, que je ne pensai pas tout de suite à peser de l'épaule sur la porte du placard, pour la briser et intervenir... quand un cri comme je n'en ai jamais entendu, ni vous non plus, Messieurs, — et nous en avons pourtant entendu d'assez affreux sur les champs de bataille ! — me donna la force d'enfoncer la porte du placard, et je vis... ce que je ne reverrai jamais ! La Pudica, terrassée, était tombée sur la table où elle avait écrit, et le major l'y retenait d'un poignet de fer, tous voiles relevés, son beau corps à nu, tordu, comme un serpent coupé, sous son étreinte. Mais que croyez-vous qu'il faisait de son autre main, Messieurs ?... Cette table à écrire, la bougie allumée, la cire à côté, toutes ces circonstances avaient donné au major une idée infernale, — l'idée de cacheter cette femme, comme elle avait cacheté sa lettre, — et il était dans l'acharnement de ce monstrueux cachetage, de cette effroyable vengeance d'amant perversement jaloux !

« — Sois punie par où tu as péché, fille infâme ! — cria-t-il.

« Il ne me vit pas. Il était penché sur sa victime, qui ne criait plus, et c'était le pommeau de son sabre qu'il enfonçait dans la cire bouillante et qui lui servait de cachet !

« Je bondis sur lui ; je ne lui dis même pas de se défendre et je lui plongeai mon sabre jusqu'à la garde

dans le dos, entre les épaules, et j'aurais voulu, du
même coup, lui plonger ma main et mon bras avec
mon sabre à travers le corps, pour le tuer mieux ! »

— Tu as bien fait, Mesnil ! dit le commandant
Sélune ; — il ne méritait pas d'être tué par devant,
comme un de nous, ce brigand-là !

— Eh ! mais c'est l'aventure d'Abailard, transposée
à Héloïse ! — fit l'abbé Reniant.

— Un beau cas de chirurgie, — dit le docteur Bleny,
— et rare !

Mais Mesnilgrand, lancé, passa outre :

« Il était, — reprit-il, — tombé mort sur le corps de
sa femme évanouie.. Je l'en arrachai, le jetai là, et
poussai du pied son cadavre. Au cri que la Pudica
avait jeté, à ce cri sorti comme d'une vulve de louve,
tant il était sauvage ! et qui me vibrait encore dans les
entrailles, une femme de chambre était montée.
« Allez chercher le chirurgien du 8ᵉ dragons ; il y a
ici de la besogne pour lui, ce soir ! » Mais je n'eus pas
le temps d'attendre le chirurgien. Tout à coup, un
boute-selle furieux sonna, appelant aux armes. C'était
l'ennemi qui nous surprenait et qui avait égorgé au
couteau, silencieusement, nos sentinelles. Il fallait
sauter à cheval. Je jetai un dernier regard sur ce corps
superbe et mutilé, immobilement pâle pour la première
fois sous les yeux d'un homme. Mais, avant de partir,
je ramassai ce pauvre cœur, qui gisait à terre dans la
poussière, et avec lequel ils auraient voulu se poi-
gnarder et se déchiqueter, et je l'emportai, ce cœur d'un
enfant qu'elle avait dit le mien, dans ma ceinture de
hussard. »

Ici, le chevalier de Mesnilgrand s'arrêta, dans une
émotion qu'ils respectèrent, ces matérialistes et ces
ribauds.

— Et la Pudica ?... — dit presque timidement Rançonnet, qui ne caressait plus son verre.

« Je n'ai plus eu jamais des nouvelles de la Rosalba,
dite la Pudica, — répondit Mesnilgrand. — Est-elle
morte ? A-t-elle pu vivre encore ? Le chirurgien a-t-il
pu aller jusqu'à elle ? Après la surprise d'Alcudia, qui
nous fut si fatale, je le cherchai. Je ne le trouvai pas. Il

avait disparu, comme tant d'autres, et n'avait pas
rejoint les débris de notre régiment décimé.

— Est-ce là tout ? — dit Mautravers. — Et si c'est
là tout, voilà une fière histoire! Tu avais raison, Mesnil,
quand tu disais à Sélune que tu lui rendrais, en une fois,
la petite monnaie de ses quatre-vingts religieuses
violées et jetées dans le puits. Seulement, puisque
Rançonnet rêve maintenant derrière son assiette, je
reprendrai la question où il l'a laissée : Quelle relation
a ton histoire avec tes dévotions à l'église, de l'autre
jour ?...

— C'est juste, — dit Mesnilgrand. — Tu m'y fais
penser. Voici donc ce qui me reste à dire, à Rançonnet et à toi : j'ai porté plusieurs années, et partout,
comme une relique, ce cœur d'enfant dont je doutais;
mais quand, après la catastrophe de Waterloo, il m'a
fallu ôter cette ceinture d'officier dans laquelle j'avais
espéré de mourir, et que je l'eus porté encore quelques
années, ce cœur, — et je t'assure, Mautravers, que
c'est lourd, quoique cela paraisse bien léger, — la
réflexion venant avec l'âge, j'ai craint de profaner un
peu plus ce cœur si profané déjà, et je me suis décidé à
le déposer en terre chrétienne. Sans entrer dans les
détails que je vous donne aujourd'hui, j'en ai parlé à
un des prêtres de cette ville, de ce cœur qui pesait
depuis si longtemps sur le mien, et je venais de le
remettre à lui-même, dans le confessionnal de la
chapelle, quand j'ai été pris dans la contre-allée à bras-
le-corps par Rançonnet. »

Le capitaine Rançonnet avait probablement son
compte. Il ne prononça pas une syllabe, les autres non
plus. Nulle réflexion ne fut risquée. Un silence plus
expressif que toutes les réflexions leur pesait sur la
bouche à tous.

Comprenaient-ils enfin, ces athées, que, quand
l'Eglise n'aurait été instituée que pour recueillir les
cœurs — morts ou vivants — dont on ne sait plus que
faire, c'eût été assez beau comme cela!

— Servez donc le café! — dit, de sa voix de tête, le
vieux M. de Mesnilgrand. — S'il est, Mesnil, aussi fort
que ton histoire, il sera bon.

LA VENGEANCE
D'UNE FEMME

Fortiter.

J'ai souvent entendu parler de la hardiesse de la littérature moderne; mais je n'ai, pour mon compte, jamais cru à cette hardiesse-là. Ce reproche n'est qu'une forfanterie... de moralité. La littérature, qu'on a dit si longtemps l'expression de la société, ne l'exprime pas du tout, — au contraire; et, quand quelqu'un de plus crâne que les autres a tenté d'être plus hardi, Dieu sait quels cris il a fait pousser! Certainement, si on veut bien y regarder, la littérature n'exprime pas la moitié des crimes que la société commet mystérieusement et impunément tous les jours, avec une fréquence et une facilité charmantes. Demandez à tous les confesseurs, — qui seraient les plus grands romanciers que le monde aurait eus, s'ils pouvaient raconter les histoires qu'on leur coule dans l'oreille au confessionnal. Demandez-leur le nombre d'incestes (par exemple) enterrés dans les familles les plus fières et les plus élevées, et voyez si la littérature, qu'on accuse tant d'immorale hardiesse, a osé jamais les raconter, même pour en effrayer! A cela près du petit souffle, — qui n'est qu'un souffle, — et qui passe — comme un souffle — dans le *René* de Chateaubriand, — du religieux Chateaubriand, — je ne sache pas de livre où l'inceste, si commun dans nos mœurs, — en haut comme en bas, et peut-être plus en bas qu'en haut, — ait jamais fait le sujet, franchement abordé, d'un récit qui pourrait tirer de ce sujet des *effets* d'une moralité vraiment

tragique. La littérature moderne, à laquelle le bégueu-
lisme jette sa petite pierre, a-t-elle jamais *osé* les histoires de Myrrha, d'Agrippine et d'Œdipe, qui sont
des histoires, croyez-moi, toujours et parfaitement
vivantes, car je n'ai pas vécu — du moins jusqu'ici —
dans un autre enfer que l'enfer social, et j'ai, pour ma
part, connu et coudoyé pas mal de Myrrhas, d'Œdipes
et d'Agrippines, dans la vie privée et dans le plus beau
monde, comme on dit. Parbleu! cela n'avait jamais
lieu comme au théâtre ou dans l'histoire. Mais, à travers les surfaces sociales, les précautions, les peurs et
les hypocrisies; cela s'entrevoyait... Je connais — et
tout Paris connaît — une Mme Henri III, qui porte en
ceinture des chapelets de petites têtes de mort, ciselées
dans de l'or, sur des robes de velours bleu, et qui se
donne la discipline, mêlant ainsi au ragoût de ses péni-
tences le ragoût des autres plaisirs de Henri III. Or,
qui écrirait l'histoire de cette femme, qui fait des livres
de piété, et que les jésuites croient un homme (joli
détail plaisant!) et même un saint ?... Il n'y a déjà pas
tant d'années que tout Paris a vu une femme, du faubourg Saint-Germain, prendre à sa mère son amant, et,
furieuse de voir cet amant retourner à sa mère qui,
vieille, savait mieux pourtant se faire aimer qu'elle,
voler les lettres très passionnées de cette dernière à cet
homme trop aimé, les faire lithographier et les jeter,
par milliers, du *Paradis* (bien nommé pour une action
pareille) dans la salle de l'Opéra, un jour de première
représentation. Qui a fait l'histoire de cette autre
femme-là ?... La pauvre littérature ne saurait même par
quel bout prendre de pareilles histoires, pour les
raconter.

Et c'est là ce qu'il faudrait faire si on était hardi.
L'Histoire a des Tacite et des Suétone; le Roman n'en
a pas, — du moins en restant dans l'ordre élevé et
moral du talent et de la littérature. Il est vrai que la
langue latine brave l'honnêteté, en païenne qu'elle est,
tandis que notre langue, à nous, a été baptisée avec
Clovis sur les fonts de Saint-Remy, et y a puisé une
impérissable pudeur, car cette vieille rougit encore.
Nonobstant, si on *osait oser*, un Suétone ou un Tacite,

romanciers, pourraient exister, car le Roman est spécialement l'histoire des mœurs, mise en récit et en drame, comme l'est souvent l'Histoire elle-même. Et nulle autre différence que celles-ci : c'est que l'un (le Roman) met ses mœurs sous le couvert de personnages d'invention, et que l'autre (l'Histoire) donne les noms et les adresses. Seulement, le Roman creuse bien plus avant que l'Histoire. Il a un idéal, et l'Histoire n'en a pas : elle est bridée par la réalité. Le Roman tient, aussi, bien plus longtemps la scène. Lovelace dure plus, dans Richardson, que Tibère dans Tacite. Mais, si Tibère, dans Tacite, était détaillé comme Lovelace dans Richardson, croyez-vous que l'Histoire y perdrait et que Tacite ne serait pas plus terrible ?... Certes, je n'ai pas peur d'écrire que Tacite, comme peintre, n'est pas au niveau de Tibère comme modèle, et que, malgré tout son génie, il en est resté écrasé.

Et ce n'est pas tout. A cette défaillance inexplicable, mais frappante, dans la littérature, quand on la compare, dans sa réalité, avec la réputation qu'elle a, ajoutez la physionomie que le crime a pris par ce temps d'ineffables et de délicieux progrès! L'extrême civilisation enlève au crime son effroyable poésie, et ne permet pas à l'écrivain de la lui restituer. Ce serait par trop horrible, disent les âmes qui veulent qu'on enjolive tout, même l'affreux. Bénéfice de la philanthropie! d'imbéciles criminalistes diminuent la pénalité, et d'ineptes moralistes le crime, et encore ils ne le diminuent que pour diminuer la pénalité. Cependant, les crimes de l'extrême civilisation sont, certainement, plus atroces que ceux de l'extrême barbarie par le fait de leur raffinement, de la corruption qu'ils supposent, et de leur degré supérieur d'intellectualité. L'Inquisition le savait bien. A une époque où la foi religieuse et les mœurs publiques étaient fortes, l'Inquisition, ce tribunal qui jugeait la pensée, cette grande institution dont l'idée seule tortille nos petits nerfs et escarbouille nos têtes de linottes, l'Inquisition savait bien que les crimes spirituels étaient les plus grands, et elle les châtiait comme tels... Et, de fait, si ces crimes parlent moins aux sens, ils parlent plus à la pensée; et la pensée, en fin de compte, est ce qu'il y a de plus profond en nous. Il y a donc, pour le romancier, tout un genre de tragique inconnu à tirer de ces crimes, plus intellectuels que physiques, qui semblent moins des crimes à la superficialité des vieilles sociétés matérialistes, parce que le sang n'y coule pas et que le massacre ne s'y fait que dans l'ordre des sentiments et des mœurs... C'est ce genre de tragique dont on a voulu donner ici un échantillon, en racontant l'histoire d'une vengeance de la plus épouvantable originalité, dans laquelle le sang n'a pas coulé, et où il n'y a eu ni fer ni poison; un crime *civilisé* enfin, dont rien n'appartient à l'invention de celui qui le raconte, si ce n'est la manière de le raconter.

Vers la fin du règne de Louis-Philippe, un jeune homme enfilait, un soir, la rue Basse-du-Rempart qui, dans ce temps-là, méritait bien son nom de la Rue Basse, car elle était moins élevée que le sol du boulevard, et formait une excavation toujours mal éclairée et noire, dans laquelle on descendait du boulevard par deux escaliers qui se tournaient le dos, si on peut dire cela de deux escaliers. Cette excavation, qui n'existe plus et qui se prolongeait de la rue de la Chaussée-d'Antin à la rue Caumartin, devant laquelle le terrain reprenait son niveau; cette espèce de ravin sombre, où l'on se risquait à peine le jour, était fort mal hantée quand venait la nuit. Le Diable est le Prince des ténèbres. Il avait là une de ses principautés. Au centre, à peu près, de cette excavation, bordée d'un côté par le boulevard formant terrasse, et, de l'autre, par de grandes maisons silencieuses à portes cochères et quelques magasins de bric-à-brac, il y avait un passage étroit et non couvert où le vent, pour peu qu'il fît du vent, jouait comme dans une flûte, et qui conduisait, le long d'un mur et des maisons en construction, jusqu'à la rue Neuve-des-Mathurins. Le jeune homme en question, et très bien mis du reste, qui venait de prendre ce chemin, lequel ne devait pas être pour lui le droit chemin de la vertu, ne l'avait pris que parce qu'il suivait une femme qui s'était enfoncée, sans hésitation et sans embarras, dans la suspecte noirceur de ce passage. C'était un élégant que ce jeune homme, — un *gant jaune*, comme on disait des élégants de ce temps-là. Il avait dîné longuement au café de Paris, et il était venu, tout en mâchonnant son cure-dents, se placer contre la balustrade à mi-corps de Tortoni (à présent supprimée), et guigner de là les femmes qui passaient le long du boulevard. Celle-là était justement passée plusieurs fois devant lui; et, quoique cette circonstance, ainsi que la mise trop *voyante* de cette femme et le tortillement de sa démarche, fussent de suffisantes étiquettes; quoique ce jeune homme, qui s'appelait Robert de Tressignies, fût horriblement blasé et qu'il revînt d'Orient, — où il avait vu l'animal femme dans toutes les variétés de son espèce et de ses races, — à la cinquième passe de cette déambulante du soir, il l'avait suivie... *chiennement*, comme il disait, en se moquant de lui-même, — car il avait la faculté de se regarder faire et de se juger à mesure qu'il agissait, sans que son jugement, très souvent contraire à son acte, empêchât son acte, ou que son acte nuisît à son jugement : asymptote terrible! Tressignies avait plus de trente ans. Il avait vécu cette niaise première jeunesse qui fait de l'homme le Jocrisse de ses sensations, et pour qui la première venue qui passe est un magnétisme. Il n'en était plus là. C'était un libertin déjà froidi et très compliqué de cette époque positive, un libertin fortement intellectualisé, qui avait assez réfléchi sur ses sensations pour ne plus pouvoir en être dupe, et qui n'avait peur ni horreur d'aucune. Ce qu'il venait de voir, ou ce qu'il avait cru voir, lui avait inspiré la curiosité qui veut aller au fond d'une sensation nouvelle. Il avait donc quitté sa balustrade et suivi... très résolu à pousser à fin la très vulgaire aventure qu'il entrevoyait. Pour lui, en effet, cette femme qui s'en allait devant lui, déferlant onduleusement comme une vague, n'était qu'une fille du plus bas étage; mais elle était d'une telle beauté qu'on pouvait s'étonner que cette beauté ne l'eût pas classée plus haut, et qu'elle n'eût pas trouvé un amateur qui l'eût sauvée de l'abjection de la rue, car, à Paris, lorsque Dieu y plante une jolie femme, le Diable, en réplique, y plante immédiatement un sot pour l'entretenir.

Et puis, encore, il avait, ce Robert de Tressignies, une autre raison pour la suivre que la souveraine beauté que ne voyaient peut-être pas ces Parisiens, si peu connaisseurs en beauté vraie et dont l'esthétique, démocratisée comme le reste, manque particulièrement de hauteur. Cette femme était pour lui une ressemblance. Elle était cet oiseau moqueur qui joue le rossignol, dont parle Byron, dans ses Mémoires, avec tant de mélancolie. Elle lui rappelait une autre femme, vue ailleurs... Il était sûr, absolument sûr, que ce n'était pas elle, mais elle lui ressemblait à s'y méprendre, si se méprendre n'avait pas été impossible... Et il en était, du reste, plus attiré que surpris, car il avait assez d'expérience, comme observateur, pour savoir qu'en fin de compte il y a beaucoup moins de variété qu'on ne croit dans les figures humaines, dont les traits sont soumis à une géométrie étroite et inflexible, et peuvent se ramener à quelques types généraux. La beauté est une. Seule, la laideur est multiple, et encore sa multiplicité est bien vite épuisée. Dieu a voulu qu'il n'y eût d'infini que la physionomie, parce que la physionomie est une immersion de l'âme à travers les lignes correctes ou incorrectes, pures ou tourmentées, du visage. Tressignies se disait confusément tout cela, en mettant son pas dans le pas de cette femme, qui marchait le long du boulevard, sinueusement, et le coupait comme une faux, plus fière que la reine de Saba du Tintoret lui-même, dans sa robe de satin safran, aux tons d'or, cette couleur aimée des jeunes Romaines, et dont elle faisait, en marchant, miroiter et crier les plis glacés et luisants, comme un appel aux armes! Exagérément cambrée, comme il est rare de l'être en France, elle s'étreignait dans un magnifique châle turc à larges raies blanches, écarlate et or; et la plume rouge de son chapeau blanc — splendide de mauvais goût — lui vibrait jusque sur l'épaule. On se souvient qu'à cette époque les femmes portaient des plumes penchées sur leurs chapeaux, qu'elles

appelaient des plumes en *saule pleureur*. Mais rien ne
pleurait en cette femme; et la sienne exprimait bien
autre chose que la mélancolie. Tressignies, qui croyait
qu'elle allait prendre la rue de la Chaussée-d'Antin,
étincelante de ses mille becs de lumière, vit avec surprise tout ce luxe piaffant de courtisane, toute cette
fierté impudente de fille enivrée d'elle-même et des
soies qu'elle traînait, s'enfoncer dans la rue Basse-du-
Rempart, la honte du boulevard de ce temps! Et l'élégant, aux bottes vernies, moins brave que la femme,
hésita avant d'entrer *là-dedans*... Mais ce ne fut guère
qu'une seconde... La robe d'or, perdue un instant dans
les ténèbres de ce trou noir, après avoir dépassé
l'unique réverbère qui les tatouait d'un point lumineux,
reluisit au loin, et il s'élança pour la rejoindre. Il n'eut
pas grand-peine : elle l'attendait, sûre qu'il viendrait;
et ce fut alors qu'au moment où il la rejoignit elle lui
projeta bien en face, pour qu'il pût en juger, son
visage, et lui campa ses yeux dans les yeux, avec toute
l'effronterie de son métier. Il fut littéralement aveuglé
de la magnificence de ce visage empâté de vermillon,
mais d'un brun doré comme les ailes de certains
insectes, et que la clarté blême, tombant en maigre
filet du réverbère, ne pouvait pas pâlir.

— Vous êtes Espagnole ? — fit Tressignies, qui venait
de reconnaître un des plus beaux types de cette race.

— *Si*, — répondit-elle.

Etre Espagnole, à cette époque-là, c'était quelque
chose! C'était une valeur sur la place. Les romans
d'alors, le théâtre de Clara Gazul, les poésies
d'Alfred de Musset, les danses de Mariano Camprubi
et de Dolorès Serral, faisaient excessivement priser les
femmes orange aux joues de grenade, — et, qui se
vantait d'être Espagnole ne l'était pas toujours, mais
on s'en vantait. Seulement, elle ne semblait pas plus
tenir à sa qualité d'Espagnole qu'à toute autre chose
qu'elle aurait fait chatoyer; et, en français :

— Viens-tu ? — lui dit-elle, à brûle-pourpoint, et
avec le tutoiement qu'aurait eu la dernière fille de la
rue des Poulies, existant aussi alors. Vous la rappelez-
vous ? Une immondice!

Le ton, la voix déjà rauque, cette familiarité prématurée, ce tutoiement si divin — le ciel! — sur les lèvres d'une femme qui vous aime, et qui devient la plus sanglante des insolences dans la bouche d'une créature pour qui vous n'êtes qu'un passant, auraient suffi pour dégriser Tressignies par le dégoût, mais le Démon le tenait. La curiosité, pimentée de convoitise, dont il avait été mordu, en voyant cette fille qui était plus pour lui que de la chair superbe, tassée dans du satin, lui aurait fait avaler non pas la pomme d'Eve, mais tous les crapauds d'une crapaudière!

— Pai Dieu! — dit-il, — si je viens! — Comme si elle pouvait en douter! Je me mettrai à la lessive demain, — pensa-t-il.

Ils étaient au bout du passage par lequel on gagnait la rue des Mathurins; ils s'y engagèrent. Au milieu des énormes moellons qui gisaient là et des constructions qui s'y élevaient, une seule maison restée debout sur sa base, sans voisines, étroite, laide, rechignée, tremblante, qui semblait avoir vu bien du vice et bien du crime à tous les étages de ses vieux murs ébranlés, et qui avait peut-être été laissée là pour en voir encore, se dressait, d'un noir plus sombre, dans un ciel déjà noir. Longue perche de maison aveugle, car aucune de ses fenêtres (et les fenêtres sont les yeux des maisons) n'était éclairée, et qui avait l'air de vous raccrocher en tâtonnant dans la nuit! Cette horrible maison avait la classique porte entrebâillée des mauvais lieux, et, au fond d'une ignoble allée, l'escalier dont on voit quelques marches éclairées d'en haut, par une lumière honteuse et sale... La femme entra dans cette allée étroite, qu'elle emplit de la largeur de ses épaules et de l'ampleur foisonnante et frissonnante de sa robe; et, d'un pied accoutumé à de pareilles ascensions, elle monta lestement l'escalier en colimaçon, — image juste, car cet escalier en avait la viscosité... Chose inaccoutumée à ces bouges, en montant, cet abominable escalier s'éclairait : ce n'était plus la lueur épaisse du quinquet puant l'huile qui rampait sur les murs du premier étage, mais une lumière qui, au second, s'élargissait et s'épanouissait jusqu'à la splendeur.

Deux griffes de bronze, chargées de bougies, incrustées dans le mur, illuminaient avec un faste étrange une porte, commune d'aspect, sur laquelle était collée, pour qu'on sût chez qui on entrait, la carte où ces filles mettent leur nom, pour que, si elles ont quelque réputation et quelque beauté, le pavillon couvre la marchandise. Surpris de ce luxe si déplacé en pareil lieu, Tressignies fit plus attention à ces torchères, d'un style presque grandiose, qu'une puissante main d'artiste avait tordues, qu'à la carte et au nom de la femme, qu'il n'avait pas besoin de savoir, puisqu'il l'accompagnait. En les regardant, — pendant qu'elle faisait tourner une clef dans la serrure de cette porte si bizarrement ornée et inondée de lumière, le souvenir lui revint des *surprises* des petites maisons du temps de Louis XV. « Cette fille-là aura lu, — pensa-t-il, — quelques romans ou quelques mémoires de ce temps, et elle aura eu la fantaisie de mettre un joli appartement, plein de voluptueuses coquetteries, là où on ne l'aurait jamais soupçonné... » Mais ce qu'il trouva, la porte une fois ouverte, dut redoubler son étonnement, — seulement dans un sens opposé.

Ce n'était, en effet, que l'appartement trivial et désordonné de ces filles-là... Des robes, jetées çà et là confusément sur tous les meubles, et un lit vaste, — le champ de manœuvres, — avec les immorales glaces au fond et au plafond de l'alcôve, disaient bien chez qui on était... Sur la cheminée, des flacons qu'on n'avait pas pensé à reboucher, avant de repartir pour la campagne du soir, croisaient leurs parfums dans l'atmosphère tiède de cette chambre où l'énergie des hommes devait se dissoudre à la troisième respiration... Deux candélabres allumés, du même style que ceux de la porte, brûlaient des deux côtés de la cheminée. Partout, des peaux de bêtes faisaient tapis par-dessus le tapis. On avait tout prévu. Enfin, une porte ouverte laissait voir, par-dessous ses portières, un mystérieux cabinet de toilette, la sacristie de ces prêtresses.

Mais, tous ces détails, Tressignies ne les vit que plus tard. Tout d'abord, il ne vit que la fille chez laquelle il venait de monter. Sachant où il était, il

ne se gêna pas. Il se mit sans façon sur le canapé,
attirant entre ses genoux cette femme qui avait ôté
son chapeau et son châle, et qui les avait jetés sur
le fauteuil. Il la prit à la taille, comme s'il l'eût bouclée
entre ses deux mains jointes, et il la regarda ainsi de
bas en haut, comme un buveur qui lève au jour, avant
de le boire, le verre de vin qu'il va sabler! Ses impressions du boulevard n'avaient pas menti. Pour un
dégustateur de femmes, pour un homme blasé, mais
puissant, elle était véritablement splendide. La ressemblance qui l'avait tant frappé dans les lueurs mobiles
et coupées d'ombre du boulevard, cette femme l'avait
toujours, en pleine lumière fixe. Seulement, *celle à qui*
elle le faisait penser n'avait pas sur son visage, aux
traits si semblables qu'ils en paraissaient identiques,
cette expression de fierté résolue et presque terrible
que le Diable, ce père joyeux de toutes les anarchies,
avait refusée à une duchesse et avait donnée — pour
quoi en faire? — à une demoiselle du boulevard.
Quand elle eut la tête nue, avec ses cheveux noirs,
sa robe jaune, ses larges épaules dont ses hanches
dépassaient encore la largeur, elle rappelait la
Judith de Vernet (un tableau de ce temps), mais par
le corps plus fait pour l'amour et par le visage plus
féroce encore. Cette férocité sombre venait peut-être
d'un pli qui se creusait entre ses deux beaux sourcils,
qui se prolongeaient jusque dans les tempes, comme
Tressignies en avait vu à quelques Asiatiques, en
Turquie, et elle les rapprochait, dans une préoccupation si continue qu'on aurait dit qu'ils étaient barrés.
Souffletant contraste! cette fille avait la taille de son
métier; elle n'en avait pas la figure. Ce corps de courtisane, qui disait si éloquemment : Prends! — cette
coupe d'amour aux flancs arrondis qui invitait la
main et les lèvres, étaient surmontés d'un visage qui
aurait arrêté le désir par la hauteur de sa physionomie,
et pétrifié dans le respect la volupté la plus brûlante...
Heureusement, le sourire volontairement assoupli de
la courtisane, et dont elle savait profaner la courbure
idéalement dédaigneuse de ses lèvres, ralliait bientôt
à elle ceux que la fierté cruelle de son visage aurait

épouvantés. Au boulevard, elle promenait ce rac-
crochant sourire, étalé impudiquement sur ses lèvres
rouges; mais, au moment où Tressignies la tenait
debout entre ses genoux, elle était sérieuse, et sa tête
respirait quelque chose de si étrangement implacable,
qu'il ne lui manquait que le sabre recourbé aux mains
pour que ce dandy de Tressignies pût, sans fatuité, se
croire Holopherne.

Il lui prit ses mains désarmées, et il s'en attesta la
beauté suzeraine. Elle lui laissait faire silencieusement
tout cet examen de sa personne, et elle le regardait
aussi, non pas avec la curiosité futile ou sordidement
intéressée de ses pareilles, qui, en vous regardant,
vous soupèsent comme de l'or suspect... Evidemment,
elle avait une autre pensée que celle du gain qu'elle allait
faire ou du plaisir qu'elle allait donner. Il y avait dans
les ailes ouvertes de ce nez, aussi expressives que des
yeux et par où la passion, comme par les yeux, devait
jeter des flammes, une décision suprême comme celle
d'un crime qu'on va accomplir. — « Si l'implacabilité de ce visage était, par hasard, l'implacabilité de
l'amour et des sens, quelle bonne fortune pour elle
et pour moi, dans ce temps d'épuisement! » — pensa
Tressignies, qui, avant de s'en passer la fantaisie, la
détaillait comme un cheval anglais... Lui, l'expéri-
menté, le fort critique en fait de femmes, qui avait
marchandé les plus belles filles sur le marché d'Andri-
nople et qui savait le prix de la chair humaine, quand
elle avait cette couleur et cette densité, jeta, pour
deux heures de celle-ci, une poignée de louis dans une
coupe de cristal bleu, posée à niveau de main sur une
console, et qui, probablement, n'avait jamais reçu tant
d'or.

— Ah! je te plais donc?... — s'écria-t-elle audacieusement et prête à tout, sous l'action du geste qu'il
venait de faire; peut-être impatientée de cet examen
dans lequel la curiosité semblait plus forte que le
désir, ce qui, pour elle, était une perte de temps ou
une insolence. — Laisse-moi ôter tout cela, — ajouta-
t-elle, comme si sa robe lui eût pesé, et en faisant
sauter les deux premiers boutons de son corsage...

Et elle s'arracha de ses genoux pour aller dans le
cabinet de toilette d'à côté... Prosaïque détail! voulait-elle *ménager* sa robe ? La robe, c'est l'outil de ces
travailleuses... Tressignies, qui rêvait devant ce visage
l'inassouvissement de Messaline, retomba dans la
plate banalité. Il se sentit de nouveau chez la fille —
la fille de Paris, malgré la sublimité d'une physionomie
qui jurait cruellement avec le destin de celle qui
l'avait. « Bah! — pensa-t-il encore, — la poésie n'est
jamais qu'à la peau avec ces drôlesses, et il ne faut la
prendre que là où elle est. »

Et il se promit de l'y prendre, mais il la trouva aussi
ailleurs, — et là où, certes, il ne se doutait pas qu'elle
fût, la poésie! Jusque-là, en suivant cette femme, il
n'avait obéi qu'à une irrésistible curiosité et à une
fantaisie sans noblesse; mais, quand celle qui les lui
avait si vite inspirées sortit du cabinet de toilette, où
elle était allée se défaire de tous ses caparaçons du
soir, et qu'elle revint vers lui, dans le costume, qui
n'en était pas un, de gladiatrice qui va combattre, il
fut littéralement foudroyé d'une beauté que son œil
exercé, cet œil de sculpteur qu'ont les *hommes à
femmes*, n'avait pas, au boulevard, devinée tout entière,
à travers les souffles révélateurs de la robe et de la
démarche. Le tonnerre entrant tout à coup, au lieu
d'elle, par cette porte, ne l'aurait pas mieux foudroyé...
Elle n'était pas entièrement nue; mais c'était pis!
Elle était bien plus indécente, — bien plus révoltam-
ment indécente que si elle eût été franchement nue.
Les marbres sont nus, et la nudité est chaste. C'est
même la bravoure de la chasteté. Mais cette fille,
scélératement impudique, qui se serait allumée elle-
même, comme une des torches vivantes des jardins de
Néron, pour mieux incendier les sens des hommes,
et à qui son métier avait sans doute appris les plus
basses rubriques de la corruption, avait combiné la
transparence insidieuse des voiles et l'*osé* de la chair,
avec le génie et le mauvais goût d'un libertinage
atroce, car, qui ne le sait ? en libertinage, le mauvais
goût est une puissance... Par le détail de cette toilette,
monstrueusement provocante, elle rappelait à Tres-

signies cette statuette indescriptible devant laquelle il
s'était parfois arrêté, exposée qu'elle était chez tous
les marchands de bronze du Paris d'alors, et sur le
socle de laquelle on ne lisait que ce mot mystérieux :
« Madame Husson ». Dangereux rêve obscène! Le
rêve était ici une réalité. Devant cette irritante réalité,
devant cette beauté absolue, mais qui n'avait pas la
froideur qu'a trop souvent la beauté absolue, Tressignies, *retour de Turquie*, aurait été le plus blasé des
pachas à trois queues qu'il eût retrouvé les sens d'un
chrétien, et même d'un anachorète. Aussi, quand, très
sûre des bouleversements qu'elle était accoutumée à
produire, elle vint impétueusement à lui, et qu'elle lui
poussa, à hauteur de la bouche, l'éventaire des magni-
ficences savoureuses de son corsage, avec le mouvement retrouvé de la courtisane qui tente le Saint
dans le tableau de Paul Véronèse, Robert de Tressignies, qui n'était pas un saint, eut la fringale... de ce
qu'elle lui offrait, et il la prit dans ses bras, cette bru-
tale tentatrice, avec une fougue qu'elle partagea, car
elle s'y était jetée. Se jetait-elle ainsi dans tous les bras
qui se fermaient sur elle ? Si supérieure qu'elle fût
dans son métier ou dans son art de courtisane, elle
fut, ce soir-là, d'une si furieuse et si hennissante
ardeur, que même l'emportement de sens exceptionnels
ou malades n'aurait pas suffi pour l'expliquer. Etait-
elle au début de cette horrible vie de fille, pour la faire
avec une semblable furie ? Mais, vraiment, c'était
quelque chose de si fauve et de si acharné, qu'on aurait
dit qu'elle voulait laisser sa vie ou prendre celle d'un
autre dans chacune de ses caresses. En ce temps-là,
ses pareilles à Paris, qui ne trouvaient pas assez sérieux
le joli nom de « lorettes » que la littérature leur avait
donné et qu'a immortalisé Gavarni, se faisaient appeler orientalement des « panthères ». Eh bien! aucune
d'elles n'aurait mieux justifié ce nom de panthère...
Elle en eut, ce soir-là, la souplesse, les enroulements,
les bonds, les égratignements et les morsures. Tressignies
put s'attester qu'aucune des femmes qui lui étaient
jusque-là passées par les bras ne lui avait donné les
sensations inouïes que lui donna cette créature, folle

de son corps à rendre la folie contagieuse, et pourtant
il avait aimé, Tressignies. Mais, faut-il le dire à la
gloire ou à la honte de la nature humaine ? Il y a dans
ce qu'on appelle le plaisir, avec trop de mépris peut-
être, des abîmes tout aussi profonds que dans l'amour.
Etait-ce dans ces abîmes qu'elle le roula, comme la mer
roule un fort nageur dans les siens ? Elle dépassa, et
bien au-delà, ses plus coupables souvenirs de mauvais
sujet, et même jusqu'aux rêves d'une imagination
comme la sienne, tout à la fois violente et corrompue.
Il oublia tout, — et ce qu'elle était, et ce pour quoi
il était venu, et cette maison, et cet appartement dont
il avait eu presque, en y entrant, la nausée. Positivement, elle lui soutira son âme, à lui, dans son corps,
à elle... Elle lui enivra jusqu'au délire, des sens difficiles à griser. Elle le combla enfin de telles voluptés,
qu'il arriva un moment où l'athée à l'amour, le sceptique à tout, eut la pensée folle d'une fantaisie éclose
tout à coup dans cette femme, qui faisait marchandise de son corps. Oui, Robert de Tressignies, qui avait
presque dans la trempe la froideur d'acier de son
patron Robert Lovelace, crut avoir inspiré au moins
un caprice à cette prostituée, qui ne pouvait être ainsi
avec tous les autres, sous peine de bientôt périr
consumée. Il le crut deux minutes, comme un imbécile,
cet homme si fort! Mais la vanité qu'elle avait allumée,
au feu d'un plaisir cuisant comme l'amour, eut sou-
dainement, entre deux caresses, le petit frisson d'un
doute subit... Une voix lui cria du fond de son être :
« Ce n'est pas toi qu'elle aime en toi! » car il venait
de la surprendre, dans le temps où elle était le plus
panthère et le plus souplement nouée à lui, distraite de
lui et toute perdue dans l'absorbante contemplation
d'un bracelet qu'elle avait au bras, et sur lequel
Tressignies avisa le portrait d'un homme. Quelques
mots en langue espagnole, que Tressignies, qui ne
savait pas cette langue, ne comprit pas, mêlés à ses
cris de bacchante, lui semblèrent à l'adresse de ce
portrait. Alors, l'idée qu'il *posait pour un autre*, —
qu'il était là pour le compte d'un autre, — ce fait,
malheureusement si commun dans nos misérables

mœurs, avec l'état surchauffé et dépravé de nos imaginations, ce dédommagement de l'impossible dans les
âmes enragées qui ne peuvent avoir l'objet de leur
désir, et qui se jettent sur l'apparence, se saisit violemment de son esprit et le glaça de férocité. Dans un de
ces accès de jalousie absurde et de vanité tigre dont
l'homme n'est pas maître, il lui saisit le bras durement,
et voulut voir ce bracelet qu'elle regardait avec une
flamme qui, certainement, n'était pas pour lui, quand
tout, de cette femme, devait être à lui dans un pareil
moment.

— Montre-moi ce portrait! lui dit-il, avec une voix
encore plus dure que sa main.

Elle avait compris; mais, sans orgueil :

— Tu ne peux pas être jaloux d'une fille comme
moi, — lui dit-elle. Seulement, ce ne fut pas le mot de
fille qu'elle employa. Non, à la stupéfaction de Tressignies, elle se rima elle-même en *tain*, comme un cro-
cheteur qui l'aurait insultée. — Tu veux le voir! —
ajouta-t-elle. — Eh bien! regarde.

Et elle lui coula près des yeux son beau bras, fumant
encore de la sueur enivrante du plaisir auquel ils
venaient de se livrer.

C'était le portrait d'un homme laid, chétif, au teint
olive, aux yeux noirs jeunes, très sombre, mais non
pas sans noblesse; l'air d'un bandit ou d'un grand
d'Espagne. Et il fallait bien que ce fût un grand
d'Espagne, car il avait au cou le collier de la Toison-
d'Or.

— Où as-tu pris cela ? — fit Tressignies, qui pensa :
Elle va me faire un conte. Elle va me débiter la séduction d'usage, le roman du *premier*, l'histoire connue
qu'elles débitent toutes...

— Pris! — repartit-elle, révoltée. — C'est bien lui,
POR DIOS, qui me l'a donné!

— Qui lui ? ton amant, sans doute ? — dit Tressignies. — Tu l'auras trahi. Il t'aura chassée, et tu
auras roulé jusqu'ici.

— Ce n'est pas mon amant, — fit-elle froidement,
avec l'insensibilité du bronze, à l'outrage de cette
supposition.

— Peut-être ne l'est-il plus, — dit Tressignies. — Mais tu l'aimes encore : je l'ai vu tout à l'heure dans tes yeux.

Elle se mit à rire amèrement.

— Ah! tu ne connais donc rien ni à l'amour, ni à la haine ? — s'écria-t-elle. — Aimer cet homme! mais je l'exècre! C'est mon mari.

— Ton mari!

— Oui, mon mari, — fit-elle, — le plus grand seigneur des Espagnes, trois fois duc, quatre fois marquis, cinq fois comte, grand d'Espagne à plusieurs grandesses, Toison-d'Or. Je suis la duchesse d'Arcos de Sierra-Leone. »

Tressignies, presque terrassé par ces incroyables paroles, n'eut pas le moindre doute sur la vérité de cette renversante affirmation. Il était sûr que cette fille n'avait pas menti. Il venait de la reconnaître. La ressemblance qui l'avait tant frappé au boulevard était justifiée.

Il l'avait rencontrée déjà, et il n'y avait pas si longtemps! C'était à Saint-Jean-de-Luz, où il était allé passer la saison des bains une année. Précisément, cette année-là, la plus haute société espagnole s'était donné rendez-vous sur la côte de France, dans cette petite ville, qui est si près de l'Espagne qu'on s'y rêverait en Espagne encore, et que les Espagnols les plus épris de leur péninsule peuvent y venir en villégiature, sans croire faire une infidélité à leur pays. La duchesse de Sierra-Leone avait habité tout un été cette bourgade, si profondément espagnole par les mœurs, le caractère, la physionomie, les souvenirs historiques; car on se rappelle que c'était là que furent célébrées les fêtes du mariage de Louis XIV, le seul roi de France qui, par parenthèse, ait ressemblé à un roi d'Espagne, et que c'est là aussi que vint échouer, après son naufrage, la grande fortune démâtée de la princesse des Ursins. La duchesse de Sierra-Leone était alors, disait-on, dans la lune de miel de son mariage avec le plus grand et le plus opulent seigneur de l'Espagne. Quand, de son côté, Tressignies arriva dans ce nid de pêcheurs qui a donné les plus terribles flibus-

tiers au monde, elle y étalait un faste qu'on n'y connaissait plus depuis Louis XIV, et, parmi ces Basquaises
qui, en fait de beauté, ne craignent la rivalité de personne, avec leurs tailles de canéphores antiques et
leurs yeux d'aigue-marine, si pâlement pers, une
beauté qui pourtant terrassait la leur. Attiré par cette
beauté, et d'ailleurs d'une naissance et d'une fortune
à pouvoir pénétrer dans tous les mondes, Robert de
Tressignies s'efforça d'aller jusqu'à elle, mais le
groupe de société espagnole dont la duchesse était la
souveraine, strictement fermé cette année-là, ne
s'ouvrit à aucun des Français qui passèrent la saison
à Saint-Jean-de-Luz. La duchesse, entrevue de loin,
ou sur les dunes du rivage, ou à l'église, repartit sans
qu'il pût la connaître, et, pour cette raison, elle lui
était restée dans le souvenir comme un de ces météores,
d'autant plus brillants dans notre mémoire qu'ils ont
passé et que nous ne les reverrons jamais! Il parcourut
la Grèce et une partie de l'Asie; mais aucune des
créatures les plus admirables de ces pays, où la beauté
tient tant de place qu'on ne conçoit pas le paradis
sans elle, ne put lui effacer la tenace et flamboyante
image de la duchesse.

En bien, aujourd'hui, par le fait d'un hasard étrange
et incompréhensible, cette duchesse, admirée un
instant et disparue, revenait dans sa vie par le plus
incroyable des chemins! Elle faisait un métier infâme;
il l'avait achetée. Elle venait de lui appartenir. Elle
n'était plus qu'une prostituée, et encore de la prostitution la plus basse, car il y a une hiérarchie jusque dans
l'infamie... La superbe duchesse de Sierra-Leone, qu'il
avait rêvée et peut-être aimée, — le rêve étant si près
de l'amour dans nos âmes! — n'était plus... était-ce
bien possible ? qu'une fille du pavé de Paris!!! C'était
elle qui venait de se rouler dans ses bras tout à l'heure,
comme elle s'était roulée probablement, la veille, dans
les bras d'un autre, — le premier venu comme lui, —
et comme elle se roulerait encore dans les bras d'un
troisième demain, et, qui sait ? peut-être dans une heure!
Ah! cette découverte abominable le frappait à la poitrine et au front d'un coup de massue de glace.

L'homme, en lui, qui flambait il n'y avait qu'une minute, — qui, dans son délire, croyait voir courir du feu jusque sur les corniches de cet appartement, embrasé par ses sensations, restait désenivré, transi, écrasé. L'idée, la certitude que c'était là réellement la duchesse de Sierra-Leone, n'avait pas ranimé ses désirs, éteints aussi vite qu'une chandelle qu'on souffle, et ne lui avait pas fait remettre sa bouche, avec plus d'avidité que la première fois, au feu brûlant où il avait bu à pleines gorgées. En se révélant, la duchesse avait emporté jusqu'à la courtisane! Il n'y avait plus ici, pour lui, que la duchesse; mais dans quel état! souillée, abîmée, perdue, une femme à la mer, tombée de plus haut que du rocher de Leucade dans une mer de boue, immonde et dégoûtante à ne pouvoir l'y repêcher. Il la fixait d'un œil hébété, assise droite et sombre, métamorphosée et tragique; de Messaline, changée tout à coup il ne savait en quelle mystérieuse Agrippine, sur l'extrémité du canapé où ils s'étaient vautrés tous deux; et l'envie ne le prenait pas de la toucher du bout du doigt, cette créature dont il venait de pétrir, avec des mains idolâtres, les formes puissantes, pour s'attester que c'était bien là ce corps de femme qui l'avait fait bouillonner, — que ce n'était pas une illusion, — qu'il ne rêvait pas, — qu'il n'était pas fou! La duchesse, en émergeant à travers la fille, l'avait anéanti.

« Oui, — lui dit-il, d'une voix qu'il s'arracha de la gorge où elle était collée, tant ce qu'il avait entendu l'avait strangulé! — je *vous* crois (il ne la tutoyait déjà plus), car je vous reconnais. Je vous ai vue à Saint-Jean-de-Luz, il y a trois ans. »

A ce nom rappelé de Saint-Jean-de-Luz, une clarté passa sur le front qui venait pour lui de s'envelopper, avec son incroyable aveu, dans de si prodigieuses ténèbres. — « Ah! — dit-elle, sous la lueur de ce souvenir, — j'étais alors dans toutes les ivresses de la vie, et à présent... »

L'éclair était déjà éteint, mais elle n'avait pas baissé sa tête volontaire.

« Et à présent ?... — dit Tressignies, qui lui fit écho.

— A présent, — reprit-elle, — je ne suis plus que dans l'ivresse de la vengeance... Mais je la ferai assez profonde, — ajouta-t-elle avec une violence concentrée, — pour y mourir, dans cette vengeance, comme les mosquitos de mon pays, qui meurent, gorgés de sang, dans la blessure qu'ils ont faite. »

Et, lisant sur le visage de Tressignies : « — Vous ne comprenez pas, — dit-elle, — mais je m'en vais vous faire comprendre. Vous savez qui je suis, mais vous ne savez pas tout ce que je suis. Voulez-vous le savoir ? Voulez-vous savoir mon histoire ? Le voulez-vous ? — reprit-elle avec une insistance exaltée. — Moi, je voudrais la dire à tous ceux qui viennent ici! Je voudrais la raconter à toute la terre! J'en serais plus infâme, mais j'en serais mieux vengée.

— Dites-la! » — fit Tressignies, crocheté par une curiosité et un intérêt qu'il n'avait jamais ressentis à ce degré, ni dans la vie, ni dans les romans, ni au théâtre. Il lui semblait bien que cette femme allait lui raconter de ces choses comme il n'en avait pas entendu encore. Il ne pensait plus à sa beauté. Il la regardait comme s'il avait désiré assister à l'autopsie de son cadavre. Allait-elle le faire revivre pour lui ?...

— « Oui, — reprit-elle, — j'ai voulu bien des fois déjà la raconter à ceux qui montent ici; mais ils n'y montent pas, disent-ils, pour écouter des histoires. Lorsque je la leur commençais, ils m'interrompaient ou ils s'en allaient, brutes repues de ce qu'elles étaient venues chercher! Indifférents, moqueurs, insultants, ils m'appelaient menteuse ou bien folle. Ils ne me croyaient pas, tandis que vous, vous me croirez. Vous, vous m'avez vue à Saint-Jean-de-Luz, dans toutes les gloires d'une femme heureuse, au plus haut sommet de la vie, portant comme un diadème ce nom de Sierra-Leone que je traîne maintenant à la queue de ma robe dans toutes les fanges, comme on traînait à la queue d'un cheval, autrefois, le blason d'un chevalier déshonoré. Ce nom, que je hais et dont je ne me pare que pour l'avilir, est encore porté par le plus grand seigneur des Espagnes et le plus orgueilleux de tous ceux qui ont le privilège de rester couverts devant Sa Majesté le Roi,

car il se croit dix fois plus noble que le Roi. Pour le duc
d'Arcos de Sierra-Leone, que sont toutes les plus
illustres maisons qui ont régné sur les Espagnes : Cas-
tille, Aragon, Transtamare, Autriche et Bourbon ?...
Il est, dit-il, plus ancien qu'elles. Il descend, lui, des
anciens rois Goths, et par Brunehild il est allié aux
Mérovingiens de France. Il se pique de n'avoir dans
les veines que de ce *sangre azul* dont les plus vieilles
races, dégradées par des mésalliances, n'ont plus
maintenant que quelques gouttes... Don Christoval
d'Arcos, duc de Sierra-Leone et *otros ducados*, ne
s'était pas, lui, mésallié en m'épousant. Je suis une
Turre-Cremata, de l'ancienne maison des Turre-Cremata d'Italie, la dernière des Turre-Cremata, race qui
finit en moi, bien digne du reste de porter ce nom de
Turre-Cremata (tour brûlée), car je suis brûlée à tous
les feux de l'enfer. Le grand inquisiteur Torquemada,
qui était un Turre-Cremata d'origine, a infligé moins
de supplices, pendant toute sa vie, qu'il n'y en a dans ce
sein maudit... Il faut vous dire que les Turre-Cremata
n'étaient pas moins fiers que les Sierra-Leone. Divisés
en deux branches, également illustres, ils avaient été,
durant des siècles, tout-puissants en Italie et en Espagne.
Au quinzième, sous le pontificat d'Alexandre VI, les
Borgia, qui voulurent, dans leur enivrement de la
grande fortune de la papauté d'Alexandre, s'apparen-
ter à toutes les maisons royales de l'Europe, se dirent
nos parents ; mais les Turre-Cremata repoussèrent cette
prétention avec mépris, et deux d'entre eux payèrent
de leur vie cette audacieuse hauteur. Ils furent, dit-on,
empoisonnés par César. Mon mariage avec le duc de
Sierra-Leone fut une affaire de race à race. Ni de son
côté, ni du mien, il n'entra de sentiment dans notre
union. C'était tout simple qu'une Turre-Cremata
épousât un Sierra-Leone. C'était tout simple, même
pour moi, élevée dans la terrible étiquette des vieilles
maisons d'Espagne qui représentait celle de l'Escurial,
dans cette dure et compressive étiquette qui empêche-
rait les cœurs de battre, si les cœurs n'étaient pas plus
forts que ce corset de fer. Je fus un de ces cœurs-là...
J'aimai Don Esteban. Avant de le rencontrer, mon

mariage sans bonheur de cœur (j'ignorais même que j'en eusse un) fut la chose grave qu'il était autrefois dans la cérémonieuse et catholique Espagne, et qui ne l'est plus, à présent, que par exception, dans quelques familles de haute classe qui ont gardé les mœurs antiques. Le duc de Sierre-Leone était trop profondément Espagnol pour ne pas avoir les mœurs du passé. Tout ce que vous avez entendu dire en France de la gravité de l'Espagne, de ce pays altier, silencieux et sombre, le duc l'avait et l'outrepassait... Trop fier pour vivre ailleurs que dans ses terres, il habitait un château féodal, sur la frontière portugaise, et il s'y montrait, dans toutes ses habitudes, plus féodal que son château. Je vivais là, près de lui, entre mon confesseur et mes caméristes, de cette vie somptueuse, monotone et triste, qui aurait écrasé d'ennui toute âme plus faible que la mienne. Mais j'avais été élevée pour être ce que j'étais : l'épouse d'un grand seigneur espagnol. Puis, j'avais la religion d'une femme de mon rang, et j'étais presque aussi impassible que les portraits de mes aïeules qui ornaient les vestibules et les salles du château de Sierra-Leone, et qu'on y voyait représentées, avec leurs grandes mines sévères, dans leurs garde-infants et sous leurs buscs d'acier. Je devais ajouter une génération de plus à ces générations de femmes irréprochables et majestueuses, dont la vertu avait été gardée par la fierté comme une fontaine par un lion. La solitude dans laquelle je vivais ne pesait point sur mon âme, tranquille comme les montagnes de marbre rouge qui entourent Sierra-Leone. Je ne soupçonnais pas que sous ces marbres dormait un volcan. J'étais dans les limbes d'avant la naissance, mais j'allais naître et recevoir d'un seul regard d'homme le baptême de feu. Don Esteban, marquis de Vasconcellos, de race portugaise, et cousin du duc, vint à Sierra-Leone ; et l'amour, dont je n'avais eu l'idée que par quelques livres mystiques, me tomba sur le cœur comme un aigle tombe à pic sur un enfant qu'il enlève et qui crie ... Je criai aussi. Je n'étais pas pour rien une Espagnole de vieille race. Mon orgueil s'insurgea contre ce que je sentais en présence de ce dangereux Esteban, qui s'emparait

de moi avec cette révoltante puissance. Je dis au duc
de le congédier sous un prétexte ou sous un autre,
de lui faire au plus vite quitter le château..., que je
m'apercevais qu'il avait pour moi un amour qui
m'offensait comme une insolence. Mais don Christoval
me répondit, comme le duc de Guise à l'avertissement
que Henri III l'assassinerait : « Il n'oserait ! » C'était
le mépris du Destin, qui se vengea en s'accomplissant.
Ce mot me jeta à Esteban... »

Elle s'arrêta un instant ; — et il l'écoutait, parlant
cette langue élevée qui, à elle seule, lui aurait affirmé,
s'il avait pu en douter, qu'elle était bien ce qu'elle
disait : la duchesse de Sierra-Leone. Ah ! la fille du
boulevard était alors entièrement effacée. On eût juré
d'un masque tombé, et que la vraie figure, la vraie
personne, reparaissait. L'attitude de ce corps effréné
était devenue chaste. Tout en parlant, elle avait pris
derrière elle un châle, oublié au dos du canapé, et elle
s'en était enveloppée... Elle en avait ramené les plis
sur ce sein *maudit* — comme elle l'avait nommé, —
mais auquel la prostitution n'avait pu enlever la perfection de sa rondeur et sa fermeté virginale. Sa voix
même avait perdu la raucité qu'elle avait dans la
rue... Etait-ce une illusion produite par ce qu'elle
disait ? mais il semblait à Tressignies que cette voix
était d'un timbre plus pur, — qu'elle avait repris sa
noblesse.

« Je ne sais pas, — continua-t-elle, — si les autres
femmes sont comme moi. Mais cet orgueil incrédule
de don Christoval, ce dédaigneux et tranquille : « Il
n'oserait ! » en parlant de l'homme que j'aimais,
m'insulta pour lui, qui, déjà, dans le fond de mon être,
avait pris possession de moi comme un Dieu. —
Prouve-lui que tu oseras ! » — lui dis-je, le soir même,
en lui déclarant mon amour. Je n'avais pas besoin de le
lui dire. Esteban m'adorait depuis le premier jour qu'il
m'avait vue. Notre amour avait eu la simultanéité de
deux coups de pistolet tirés en même temps, et qui
tuent... J'avais fait mon devoir de femme espagnole
en avertissant don Christoval. Je ne lui devais que ma
vie, puisque j'étais sa femme, car le cœur n'est pas libre

d'aimer ; et, ma vie, il l'aurait prise très certainement,
en mettant à la porte de son château don Esteban,
comme je le voulais. Avec la folie de mon cœur
déchaîné, je serais morte de ne plus le voir, et je m'étais
exposée à cette terrible chance. Mais puisque lui, le
duc, mon mari, ne m'avait pas comprise, puisqu'il se
croyait au-dessus de Vasconcellos, qu'il lui paraissait
impossible que celui-ci élevât les yeux et son hommage
jusqu'à moi, je ne poussai pas plus loin l'héroïsme
conjugal contre un amour qui était mon maître... Je
n'essaierai pas de vous donner l'idée exacte de cet
amour. Vous ne me croiriez peut-être pas, vous non
plus... Mais qu'importe, après tout, ce que vous pen-
serez ! Croyez-moi, ou ne me croyez pas ! ce fut un
amour tout à la fois brûlant et chaste, un amour cheva-
leresque, romanesque, presque idéal, presque mystique.
Il est vrai que nous avions vingt ans à peine, et que
nous étions du pays des Bivar, d'Ignace de Loyola et
de sainte Thérèse. Ignace, ce chevalier de la Vierge,
n'aimait pas plus purement la Reine des cieux que ne
m'aimait Vasconcellos ; et moi, de mon côté, j'avais
pour lui quelque chose de cet amour extatique que
sainte Thérèse avait pour son Epoux divin. L'adultère,
fi donc ! Est-ce que nous pensions que nous pouvions
être adultères ? Le cœur battait si haut dans nos poitrines, nous vivions dans une atmosphère de sentiments si transcendants et si élevés, que nous ne sention_
en nous rien des mauvais désirs et des sensualités des
amours vulgaires. Nous vivions en plein azur du ciel :
seulement ce ciel était africain, et cet azur était du feu.
Un tel état d'âmes aurait-il duré ? Etait-ce bien possible qu'il durât ? Ne jouions-nous pas là, sans le
savoir, sans nous en douter, le jeu le plus dangereux
pour de faibles créatures, et ne devions-nous pas être
précipités, dans un temps donné, de cette hauteur
immaculée ?... Esteban était pieux comme un prêtre,
comme un chevalier portugais du temps d'Albu-
querque ; moi, je valais assurément moins que lui,
mais j'avais en lui et dans la pureté de son amour une
foi qui enflammait la pureté du mien. Il m'avait dans
son cœur, comme une madone dans sa niche d'or, —

avec une lampe à ses pieds, — une lampe inextinguible.
Il aimait mon âme pour mon âme. Il était de ces rares
amants qui veulent grande la femme qu'ils adorent.
Il me voulait noble, dévouée, héroïque, une grande
femme de ces temps où l'Espagne était grande. Il aurait
mieux aimé me voir faire une belle action que de valser
avec moi souffle à souffle! Si les anges pouvaient
s'aimer entre eux devant le trône de Dieu, ils devraient
s'aimer comme nous nous aimions... Nous étions
tellement fondus l'un dans l'autre, que nous passions
de longues heures ensemble et seuls, la main dans la
main, les yeux dans les yeux, pouvant tout, puisque
nous étions seuls, mais tellement heureux que nous ne
désirions pas davantage. Quelquefois, ce bonheur
immense qui nous inondait nous faisait mal à force
d'être intense, et nous désirions mourir, mais l'un avec
l'autre ou l'un pour l'autre, et nous comprenions alors
le mot de sainte Thérèse : *Je meurs de ne pouvoir mourir!*
ce désir de la créature finie succombant sous un amour
infini, et croyant faire plus de place à ce torrent
d'amour infini par le brisement des organes et la mort.
Je suis maintenant la dernière des créatures souillées;
mais, dans ce temps-là, croirez-vous que jamais les
lèvres d'Esteban n'ont touché les miennes, et qu'un
baiser déposé par lui sur une rose, et repris par moi, me
faisait évanouir ? Du fond de l'abîme d'horreur où je
me suis volontairement plongée, je me rappelle à
chaque instant, pour mon supplice, ces délices divines
de l'amour pur dans lesquelles nous vivions, perdus,
éperdus, et si transparents, sans doute, dans l'innocence
de cet amour sublime, que don Christoval n'eut pas
grand-peine à voir que nous nous adorions. Nous
vivions la tête dans le ciel. Comment nous apercevoir
qu'il était jaloux, et de quelle jalousie! De la seule dont
il fût capable : de la jalousie de l'orgueil. Il ne nous
surprit pas. On ne surprend que ceux qui se cachent.
Nous ne nous cachions pas. Pourquoi nous serions-nous
cachés ? Nous avions la candeur de la flamme en plein
jour qu'on aperçoit dans le jour même, et, d'ailleurs, le
bonheur débordait trop de nous pour qu'on ne le vît
pas, et le duc le vit! Cela creva enfin les yeux à son

orgueil, cette splendeur d'amour! Ah! Esteban avait *osé!* Moi aussi! Un soir nous étions comme nous étions toujours, comme nous passions notre vie depuis que nous nous aimions, tête à tête, unis par le regard seul; lui, à mes pieds, devant moi, comme devant la Vierge Marie, dans une contemplation si profonde que nous n'avions besoin d'aucune caresse. Tout à coup, le duc entra avec deux noirs qu'il avait ramenés des colonies espagnoles, dont il avait été longtemps gouverneur. Nous ne les aperçûmes pas, dans la contemplation céleste qui enlevait nos âmes en les unissant, quand la tête d'Esteban tomba lourdement sur mes genoux. Il était étranglé! Les noirs lui avaient jeté autour du cou ce terrible lazo avec lequel on étrangle au Mexique les taureaux sauvages. Ce fut la foudre pour la rapidité! Mais la foudre qui ne me tua pas. Je ne m'évanouis point, je ne criai pas. Nulle larme ne jaillit de mes yeux. Je restai muette et rigide, dans un état sans nom d'horreur, d'où je ne sortis que par un déchirement de tout mon être. Je sentis qu'on m'ouvrait la poitrine et qu'on m'en arrachait le cœur. Hélas! ce n'était pas à moi qu'on l'arrachait : c'était à Esteban, à ce cadavre d'Esteban qui gisait à mes pieds, étranglé, la poitrine fendue, fouillée, comme un sac, par les mains de ces monstres! J'avais ressenti, tant j'étais par l'amour devenue lui, ce qu'aurait senti Esteban s'il avait été vivant. J'avais ressenti la douleur que ne sentait pas son cadavre, et c'était cela qui m'avait tirée de l'horreur dans laquelle je m'étais figée quand ils me l'avaient étranglé. Je me jetai à eux : « A mon tour! » leur criai-je. Je voulais mourir de la même mort, et je tendis ma tête à l'infâme lacet. Ils allaient la prendre. — « On ne *touche pas à la reine* », fit le duc, cet orgueilleux duc qui se croyait plus que le Roi, et il les fit reculer en les fouettant de son fouet de chasse. « Non! vous vivrez, Madame, me dit-il, mais pour *penser toujours* à ce que vous allez voir... » Et il siffla. Deux énormes chiens sauvages accoururent.

« Qu'on fasse manger, — dit-il, le cœur de ce traître à ces chiens! » — Oh! à cela, je ne sais quoi se redressa en moi :

« — Allons donc, venge-toi mieux! — lui dis-je.
— C'est à moi qu'il faut le faire manger!

« Il resta comme épouvanté de mon idée... « Tu
l'aimes donc furieusement ? » — reprit-il. — Ah! je l'aimais d'un amour qu'il venait d'exaspérer. Je l'aimais à
n'avoir ni peur ni dégoût de ce cœur saignant, plein
de moi, chaud de moi encore, et j'aurais voulu le
mettre dans le mien, ce cœur... Je le demandai à genoux,
les mains jointes! Je voulais épargner, à ce noble cœur
adoré, cette profanation impie, sacrilège... J'aurais
communié avec ce cœur, comme avec une hostie.
N'était-il pas mon Dieu ?... La pensée de Gabrielle
de Vergy, dont nous avions lu, Esteban et moi, tant
de fois l'histoire ensemble, avait surgi en moi. Je l'en-
viais!... Je la trouvais heureuse d'avoir fait de sa
poitrine un tombeau vivant à l'homme qu'elle avait
aimé. Mais la vue d'un amour pareil rendit le duc atro-
cement implacable. Ses chiens dévorèrent le cœur
d'Esteban devant moi. Je le leur disputai; je me battis
avec ces chiens. Je ne pus le leur arracher. Ils me cou-
vrirent d'affreuses morsures, et traînèrent et essuyèrent
à mes vêtements leurs gueules sanglantes. »

Elle s'interrompit. Elle était devenue livide à ces
souvenirs... et, haletante, elle se leva d'un mouvement
forcené, et, tirant à elle un tiroir de commode par sa
poignée de bronze, elle montra à Tressignies une robe
en lambeaux, teinte de sang à plusieurs places :

« Tenez! — dit-elle, — c'est là le sang du cœur de
l'homme que j'aimais et que je n'ai pu arracher aux
chiens! Quand je me retrouve seule dans l'exécrable
vie que je mène, quand le dégoût m'y prend, quand la
boue m'en monte à la bouche et m'étouffe, quand le
génie de la vengeance faiblit en moi, que l'ancienne
duchesse revient et que la fille m'épouvante, je m'en-
tortille dans cette robe, je vautre mon corps souillé
dans ses plis rouges, toujours brûlants pour moi, et j'y
réchauffe ma vengeance. C'est un talisman que ces
haillons sanglants! Quand je les ai autour du corps,
la rage de le venger me reprend aux entrailles, et je me
retrouve de la force, à ce qu'il me semble, pour une
éternité! »

Tressignies frémissait, en écoutant cette femme effrayante. Il frémissait de ses gestes, de ses paroles, de sa tête, devenue une tête de Gorgone : il lui semblait voir autour de cette tête les serpents que cette femme avait dans le cœur. Il commençait alors de comprendre — le rideau se tirait! — ce mot *vengeance*, qu'elle disait tant, — qui lui flambait toujours aux lèvres!

« La vengeance! oui, — reprit-elle, — vous comprenez, maintenant, ce qu'elle est, ma vengeance! Ah! je l'ai choisie entre toutes comme on choisit de tous les genres de poignards celui qui doit faire le plus souffrir, le cric dentelé qui doit le mieux déchirer l'être abhorré qu'on tue. Le tuer simplement cet homme, et d'un coup! je ne le voulais pas. Avait-il tué, lui, Vasconcellos avec son épée, comme un gentilhomme? Non! il l'avait fait tuer par des valets. Il avait fait jeter son cœur aux chiens, et son corps au charnier peut-être! Je ne le savais pas. Je ne l'ai jamais su. Le tuer, pour tout cela? Non! c'était trop doux et trop rapide! Il fallait quelque chose de plus lent et de plus cruel... D'ailleurs, le duc était brave. Il ne craignait pas la mort. Les Sierra-Leone l'ont affrontée à toutes les générations. Mais son orgueil, son immense orgueil était lâche, quand il s'agissait de déshonneur. Il fallait donc l'atteindre et le crucifier dans son orgueil. Il fallait donc déshonorer son nom dont il était si fier. Eh bien! je me jurai que, ce nom, je le tremperais dans la plus infecte des boues, que je le changerais en honte, en immondice, en excrément! et pour cela je me suis faite ce que je suis, — une fille publique, — la fille Sierra-Leone, qui vous a raccroché ce soir!... »

Elle dit ces dernières paroles avec des yeux qui se mirent à étinceler de la joie d'un coup bien frappé.

« — Mais, — dit Tressignies, — le sait-il, lui, le duc, ce que vous êtes devenue?...

— S'il ne le sait pas, il le saura un jour, — répondit-elle, avec la sécurité absolue d'une femme qui a pensé à tout, qui a tout calculé, qui est sûre de l'avenir. — Le bruit de ce que je fais peut l'atteindre d'un jour à l'autre, d'une éclaboussure de ma honte! Quelqu'un des hommes qui montent ici peut lui cracher au visage

le déshonneur de sa femme, ce crachat qu'on n'essuie
jamais; mais ce ne serait là qu'un hasard, et ce n'est
pas à un hasard que je livrerais ma vengeance! J'ai
résolu d'en mourir pour qu'elle soit plus sûre; ma mort
l'assurera, en l'achevant. »

Tressignies était dépaysé par l'obscurité de ces
dernières paroles; mais elle en fit jaillir une hideuse
clarté :

« Je veux mourir où meurent les filles comme moi,
— reprit-elle. — Rappelez-vous!... Il fut un homme,
sous François Ier, qui alla chercher chez une de mes
pareilles une effroyable et immonde maladie, qu'il
donna à sa femme pour en empoisonner le roi, dont
elle était la maîtresse, et c'est ainsi qu'il se vengea de
tous les deux... Je ne ferai pas moins que cet homme.
Avec ma vie ignominieuse de tous les soirs, il arrivera
bien qu'un jour la putréfaction de la débauche saisira
et rongera enfin la prostituée, et qu'elle ira tomber par
morceaux et s'éteindre dans quelque honteux hôpital!
Oh! alors, ma vie sera payée! — ajouta-t-elle, avec
l'enthousiasme de la plus affreuse espérance; — alors,
il sera temps que le duc de Sierra-Leone apprenne
comment sa femme, la duchesse de Sierra-Leone, aura
vécu et comment elle meurt! »

Tressignies n'avait pas pensé à cette profondeur dans
la vengeance, qui dépassait tout ce que l'histoire lui
avait appris. Ni l'Italie du XVIe siècle, ni la Corse de
tous les âges, ces pays renommés pour l'implacabilité
de leurs ressentiments, n'offraient à sa mémoire un
exemple de combinaison plus réfléchie et plus terrible
que celle de cette femme, qui se vengeait à même elle,
à même son corps comme à même son âme! Il était
effrayé de ce sublime horrible, car l'intensité dans les
sentiments, poussée à ce point, est sublime. Seulement,
c'est le sublime de l'enfer.

« Et quand il ne le saurait pas, — reprit-elle encore,
redoublant d'éclairs sur son âme, — moi, après tout,
je le saurais! Je saurais ce que je fais chaque soir, — que
je bois cette fange, et que c'est du nectar, puisque
c'est ma vengeance!... Est-ce que je ne jouis pas, à
chaque minute, de la pensée de ce que je suis ?... Est-ce

qu'au moment où je le déshonore, ce duc altier, je n'ai
pas, au fond de ma pensée, l'idée enivrante que je le
déshonore ? Est-ce que je ne vois pas clairement dans
ma pensée tout ce qu'il souffrirait s'il le savait ?... Ah !
les sentiments comme les miens ont leur folie, mais
c'est leur folie qui fait le bonheur ! Quand je me suis
enfuie de Sierra-Leone, j'ai emporté avec moi le portrait du duc, pour lui faire voir, à ce portrait, comme si
ç'avait été à lui-même, les hontes de ma vie ! Que de
fois je lui ai dit, comme s'il avait pu me voir et m'entendre : « Regarde donc ! regarde ! » Et quand l'horreur
me prend dans vos bras, à tous vous autres, — car
elle m'y prend toujours : je ne puis pas m'accoutumer
au goût de cette fange ! — j'ai pour ressource ce bracelet, — et elle leva son bras superbe d'un mouvement
tragique ; — j'ai ce cercle de feu, qui me brûle jusqu'à
la moelle et que je garde à mon bras, malgré le supplice
de l'y porter, pour que je ne puisse jamais oublier
le bourreau d'Esteban, pour que son image excite mes
transports, — ces transports d'une haine vengeresse,
que les hommes sont assez bêtes et assez fats pour
croire du plaisir qu'ils savent donner ! Je ne sais pas ce
que vous êtes, vous, mais vous n'êtes certainement
pas le premier venu parmi tous ces hommes ; et cependant vous avez cru, il n'y a qu'un instant, que j'étais
encore une créature humaine, qu'il y avait encore une
fibre qui vibrait en moi ; et il n'y avait en moi que l'idée
de venger Esteban du monstre dont voici l'image ! Ah !
son image, c'était pour moi comme le coup de l'éperon,
large comme un sabre, que le cavalier arabe enfonce
dans le flanc de son cheval pour lui faire traverser le
désert. J'avais, moi, des espaces de honte encore plus
grands à dévorer, et je m'enfonçais cette exécrable
image dans les yeux et dans le cœur, pour mieux bondir
sous vous quand vous me teniez... Ce portrait, c'était
comme si c'était lui ! c'était comme s'il nous voyait par
ses yeux peints !... Comme je comprenais l'envoûte-
ment des siècles où l'on envoûtait ! Comme je comprenais le bonheur insensé de planter le couteau dans le
cœur de l'image de celui qu'on eût voulu tuer ! Dans
le temps que j'étais religieuse, avant d'aimer cet

Esteban qui a pour moi remplacé Dieu, j'avais besoin
d'un crucifix pour mieux penser au Crucifié; et, au
lieu de l'aimer, je l'aurais haï, j'eusse été une impie,
que j'aurais eu besoin du crucifix pour mieux le blasphémer et l'insulter! Hélas! — ajouta-t-elle, changeant
de ton et passant de l'âpreté des sentiments les plus
cruels aux douceurs poignantes d'une incroyable mélancolie, — je n'ai pas le portrait d'Esteban. Je ne le vois
que dans mon âme... et c'est peut-être heureux, —
ajouta-t-elle. — Je l'aurais sous les yeux qu'il relèverait
mon pauvre cœur, qu'il me ferait rougir des indignes
abaissements de ma vie. Je me repentirais, et je ne
pourrais plus le venger!... »

La Gorgone était devenue touchante, mais ses yeux
étaient restés secs. Tressignies, ému d'une tout autre
émotion que celles-là par lesquelles jusqu'ici elle l'avait
fait passer, lui prit la main, à cette femme qu'il avait
le droit de mépriser, et il la lui baisa avec un respect
mêlé de pitié. Tant de malheur et d'énergie la lui
grandissaient : « Quelle femme! pensait-il. Si, au lieu
d'être la duchesse de Sierra-Leone, elle avait été la
marquise de Vasconcellos, elle eût, avec la pureté et
l'ardeur de son amour pour Esteban, offert à l'admiration humaine quelque chose de comparable et d'égal
à la grande marquise de Pescaire. Seulement, — ajouta-
t-il en lui-même, — elle n'aurait pas montré, et personne n'aurait jamais su, quels gouffres de profondeur
et de volonté étaient en elle. » Malgré le scepticisme de
son époque et l'habitude de se regarder faire et de se
moquer de ce qu'il faisait, Robert de Tressignies ne
se sentit point ridicule d'embrasser la main de cette
femme perdue; mais il ne savait plus que lui dire. Sa
situation vis-à-vis d'elle était embarrassée. En jetant
son histoire entre elle et lui, elle avait coupé, comme
avec une hache, ces liens d'une minute qu'ils venaient
de nouer. Il y avait en lui un inexprimable mélange
d'admiration, d'horreur, et de mépris; mais il se serait
trouvé de très mauvais goût de faire du sentiment ou
de la morale avec cette femme. Il s'était souvent moqué
des moralistes, sans mandat et sans autorité, qui
pullulaient dans ce temps-là, où, sous l'influence de

certains drames et de certains romans, on voulait se donner des airs de relever, comme des pots de fleurs renversés, les femmes qui tombaient. Il était, tout sceptique qu'il fût, doué d'assez de bon sens pour savoir qu'il n'y avait que le prêtre seul — le prêtre du Dieu rédempteur — qui pût relever de pareilles chutes... et, encore croyait-il que, contre l'âme de cette femme, le prêtre lui-même se serait brisé. Il avait en lui une implication de choses douloureuses, et il gardait un silence plus pesant pour lui que pour elle. Elle, toute à la violence de ses idées et de ses souvenirs, continua :

« Cette idée de le déshonorer, au lieu de le tuer, cet homme pour qui l'honneur, comme le monde l'entend, était plus que la vie, ne me vint pas tout de suite... Je fus longtemps à trouver cela. Après la mort de Vasconcellos, qu'on ne sut peut-être pas dans le château, dont le corps fut probablement jeté dans quelque oubliette avec les noirs qui l'avaient assassiné, le duc ne m'adressa plus la parole, si ce n'est brièvement et cérémonieusement devant ses gens, car la femme de César ne doit pas être soupçonnée, et je devais rester aux yeux de tous l'impeccable duchesse d'Arcos de Sierra-Leone. Mais, tête à tête et entre nous, jamais un seul mot, jamais une allusion ; le silence, ce silence de la haine, qui se nourrit d'elle-même et n'a pas besoin de parler. Don Christoval et moi, nous luttions de force et de fierté. Je dévorais mes larmes. Je suis une Turre-Cremata. J'ai en moi la puissante dissimulation de ma race qui est italienne, et je me bronzais, jusque dans les yeux, pour qu'il ne pût pas soupçonner ce qui fermentait sous ce front de bronze où couvait l'idée de ma vengeance. Je fus absolument impénétrable. Grâce à cette dissimulation, qui boucha tous les jours de mon être par lesquels mon secret aurait pu filtrer, je préparai ma fuite de ce château dont les murs m'écrasaient, et où ma vengeance n'aurait pu s'accomplir que sous la main du duc, qui se serait vite levée. Je ne me confiai à personne. Est-ce que jamais mes duègnes ou mes caméristes avaient osé lever leurs yeux sur mes yeux pour savoir ce que je pensais ? J'eus d'abord le projet d'aller à Madrid; mais, à Madrid, le duc était tout-puissant, et le filet de toutes les polices se serait refermé sur moi à son premier signal. Il m'y aurait facilement reprise, et, reprise une fois, il m'aurait jetée dans l'*in-pace* de quelque couvent, étouffée là, tuée entre deux portes, supprimée du monde, de ce monde dont j'avais besoin pour me venger!... Paris était plus sûr. Je préférai Paris. C'était une meilleure scène pour l'étalage de mon infamie et de ma vengeance; et, puisque je voulais qu'un jour tout cela éclatât comme la foudre, quelle bonne place que cette ville, le centre de tous les échos, à travers laquelle passent toutes les nations du monde! Je résolus d'y vivre de cette vie de prostituée qui ne me faisait pas trembler, et d'y descendre impudemment jusqu'au dernier rang de ces filles perdues qui se vendent pour une pièce de monnaie, fût-ce à des goujats! Pieuse comme je l'étais avant de connaître Esteban, qui m'avait arraché Dieu de la poitrine pour s'y mettre à la place, je me levais souvent la nuit sans mes femmes, pour faire mes oraisons à la Vierge noire de la chapelle. C'est de là qu'une nuit je me sauvai et gagnai audacieusement les gorges des sierras. J'emportai tout ce que je pus de mes bijoux et de l'argent de ma cassette. Je me cachai quelque temps chez des paysans qui me conduisirent à la frontière. Je vins à Paris. Je m'y attelai, sans peur, à cette vengeance qui est ma vie. J'en suis tellement assoiffée, de cette fureur de me venger, que parfois j'ai pensé à affoler de moi quelque jeune homme énergique et à le pousser vers le duc pour lui apprendre mon ignominie; mais j'ai fini toujours par étouffer cette pensée, car ce n'est pas quelques pieds d'ordure que je veux élever sur *son* nom et sur ma mémoire : c'est toute une pyramide de fumier! Plus je serai tard vengée, mieux je serai vengée... »

Elle s'arrêta. De livide, elle était devenue pourpre. La sueur lui découlait des tempes. Elle s'enrouait. Etait-ce le coup de la honte ?... Elle saisit fébrilement une carafe sur la commode, et se versa un énorme verre d'eau qu'elle lampa.

« Cela est dur à passer, la honte! — dit-elle; — mais

il faut qu'elle passe ! J'en ai assez avalé depuis trois mois, pour quelle puisse passer !

— Il y a donc trois mois que ceci dure ? — (il n'osait plus dire quoi) fit Tressignies, avec un vague plus sinistre que la précision.

— Oui, — dit-elle, — trois mois. Mais qu'est-ce que trois mois ? — ajouta-t-elle. — Il faudra du temps pour cuire et recuire ce plat de vengeance que je lui cuisine, et qui lui paiera son refus du cœur d'Esteban qu'il n'a pas voulu me faire manger... »

Elle dit cela avec une passion atroce et une mélancolie sauvage. Tressignies ne se doutait pas qu'il pût y avoir dans une femme un pareil mélange d'amour idolâtre et de cruauté. Jamais on n'avait regardé avec une attention plus concentrée une œuvre d'art qu'il ne regardait cette singulière et toute-puissante artiste en vengeance, qui se dressait alors devant lui... Mais quelque chose, qu'il était étonné d'éprouver, se mêlait à sa contemplation d'observateur. Lui qui croyait en avoir fini avec les sentiments involontaires et dont la réflexion, au rire terrible, mordait toujours les sensations, comme j'ai vu des charretiers mordre leurs chevaux pour les faire obéir, sentait que dans l'atmosphère de cette femme il respirait un air dangereux. Cette chambre, pleine de tant de passion physique et barbare, asphyxiait ce civilisé. Il avait besoin d'une gorgée d'air et il pensait à s'en aller, dût-il revenir.

Elle crut qu'il partait. Mais elle avait encore des côtés à lui faire voir dans son chef-d'œuvre.

« — Et cela ? — fit-elle, avec un dédain et un geste retrouvé de duchesse, en lui montrant du doigt la coupe de verre bleu qu'il avait remplie d'or.

— Reprenez cet argent, — dit-elle. — Qui sait ? Je suis peut-être plus riche que vous. L'or n'entre pas ici. Je n'en accepte de personne. Et, avec la fierté d'une bassesse qui était sa vengeance, elle ajouta : « Je ne suis qu'une fille à cent sous. »

Le mot fut dit comme il était pensé. Ce fut le dernier trait de ce sublime à la renverse, de ce sublime infernal dont elle venait de lui étaler le spectacle, et dont certainement le grand Corneille, au fond de son âme tragique, ne se doutait pas! Le dégoût de ce dernier mot donna à Tressignies la force de s'en aller. Il rafla les pièces d'or de la coupe et n'y laissa que ce qu'elle demandait. « Puisqu'elle le veut! dit-il, je pèserai sur le poignard qu'elle s'enfonce, et j'y mettrai aussi ma tache de boue, puisque c'est de boue qu'elle a soif. » Et il sortit dans une agitation extrême. Les candélabres inondaient toujours de leur lumière cette porte, si commune d'aspect, par laquelle il était déjà passé. Il comprit pourquoi étaient plantées là ces torchères, quand il regarda la carte collée sur la porte, comme l'enseigne de cette boutique de chair. Il y avait sur cette carte en grandes lettres :

LA DUCHESSE D'ARCOS
DE SIERRA-LEONE

Et, au-dessous, un mot ignoble pour dire le métier qu'elle faisait.

Tressignies rentra chez lui, ce soir-là, après cette incroyable aventure, dans une situation si troublée qu'il en était presque honteux. Les imbéciles — c'est-à-dire à peu près tout le monde — croient que rajeunir serait une invention charmante de la nature humaine; mais ceux qui connaissent la vie savent mieux le profit que ce serait. Tressignies se dit avec effroi qu'il allait peut-être se retrouver trop jeune... et voilà pourquoi il se promit de ne plus mettre le pied chez la duchesse, malgré l'intérêt, ou plutôt à cause de l'intérêt que cette femme inouïe lui infligeait. « Pourquoi, se dit-il, retourner dans ce lieu malsain d'infection, au fond duquel une créature de haute origine s'est volontairement précipitée ? Elle m'a conté toute sa vie, et je peux imaginer sans effort les détails, qui ne peuvent changer, de cette horrible vie de chaque jour. » Telle fut la résolution de Tressignies, prise énergiquement au coin du feu, dans la solitude de sa chambre. Il s'y calfeutra quelque temps contre les choses et les distractions du dehors, tête à tête avec les impressions et les souvenirs d'une soirée que son esprit ne pouvait s'empêcher de savourer, comme un poème étrange et tout-puissant auquel il n'avait rien lu de comparable, ni dans Byron, ni dans Shakespeare, ses deux poètes favoris. Aussi passa-t-il bien des heures, accoudé aux bras de son fauteuil, à feuilleter rêveusement en lui les pages toujours ouvertes de ce poème d'une hideuse énergie. Ce fut là un lotus qui lui fit oublier les salons de Paris, — sa patrie. Il lui fallut même le coup de collier de sa volonté pour y retourner. Les irréprochables duchesses qu'il y retrouva lui semblèrent manquer un peu d'accent... Quoiqu'il ne fût pas une bégueule, ce Tressignies, ni ses amis non plus, il ne leur dit pas un seul mot de son aventure, par un sentiment de délicatesse qu'il traitait d'absurde, car la duchesse ne lui avait-elle pas demandé de raconter à tout venant son histoire, et de la faire rayonner aussi loin qu'il pourrait la faire rayonner ?... Il la garda pour lui, au contraire. Il la mit et la scella dans le coin le plus mystérieux de son être, comme on bouche un flacon de parfum très rare, dont on perdrait quelque chose en le faisant respirer. Chose étonnante, avec la nature d'un homme comme lui! ni au Café de Paris, ni au cercle, ni à l'orchestre des théâtres, ni nulle part où les hommes se rencontrent seuls et se disent tout, il n'aborda jamais un de ses amis sans avoir peur de lui entendre raconter, comme lui étant arrivé, l'aventure qui était la sienne; et, cette chose qui pouvait arriver faisait surgir en lui une perspective qui, dans les dix premières minutes d'une conversation, lui causait un léger tremblement. Nonobstant, il se tint parole, et non seulement il ne retourna pas rue Basse-du-Rempart, mais au boulevard. Il ne s'appuya plus, comme le faisaient les autres *gants jaunes*, les lions du temps, contre la balustrade de Tortoni. « Si je revoyais flotter sa diable de robe jaune, se disait-il, je serais peut-être encore assez bête pour la suivre. » Toutes les robes jaunes qu'il rencontrait le faisaient rêver... Il aimait à présent les robes jaunes, qu'il avait toujours détestées. « Elle m'a dépravé le goût », se disait-il, et c'est ainsi que le dandy se moquait de l'homme. Mais ce que Mme de Staël, qui les connaissait, appelle quelque part *les pensées du Démon*, était plus fort que l'homme et que le dandy. Tressignies devint sombre. C'était dans le monde un homme d'un

esprit animé, dont la gaieté était aimable et redoutable
— ce qu'il faut que toute gaieté soit dans ce monde, qui
vous mépriserait si, tout en l'amusant, vous ne le
faisiez pas trembler un peu. Il ne causa plus avec le
même entrain... « Est-il amoureux ? » disaient les com-
mères. La vieille marquise de Clérembault, qui croyait
qu'il en voulait à sa petite-fille, sortie tout chaud du
Sacré-Cœur et romanesque comme on l'était alors, lui
disait avec humeur : « Je ne puis plus vous sentir quand
vous prenez vos airs d'Hamlet. » De sombre, il passa
souffrant. Son teint se plomba. « Qu'a donc M. de Tressignies ? » disait-on, et on allait peut-être lui découvrir
le cancer à l'estomac de Bonaparte dans la poitrine,
quand, un beau jour, il supprima toutes les questions
et inquisitions sur sa personne en bouclant sa malle
en deux temps, comme un officier, et en disparaissant
comme par un trou.

Où allait-il ? Qui s'en occupa ? Il resta plus d'un an
parti, puis il revint à Paris, reprendre le brancard de
sa vie de mondain. Il était un soir chez l'ambassadeur
d'Espagne, où, ce soir-là, par parenthèse, le monde
le plus étincelant de Paris fourmillait... Il était tard.
On allait souper. La cohue du buffet vidait les salons.
Quelques hommes, dans le salon de jeu, s'attardaient
à un whist obstiné. Tout à coup, le partner de Tressignies, qui tournait les pages d'un petit portefeuille
d'écaille sur lequel il écrivait les paris qu'on faisait
à chaque *rob*, y vit quelque chose qui lui fit faire le
« Ah ! » qu'on fait quand on retrouve ce qu'on oubliait.

« — Monsieur l'ambassadeur d'Espagne, — dit-il
au maître de la maison, qui, les mains derrière son dos,
regardait jouer, — y a-t-il encore des Sierra-Leone à
Madrid ?

— Certes, s'il y en a ! — fit l'ambassadeur. —
D'abord, il y a le duc, qui est de pair avec tout ce qu'il
y a de plus élevé parmi les Grandesses.

— Qu'est donc cette duchesse de Sierra-Leone qui
vient de mourir à Paris, et qu'est-elle au duc ? — reprit
alors l'interlocuteur.

— Elle ne pourrait être que sa femme, répondit
tranquillement l'ambassadeur. Mais, il y a presque

deux ans que la duchesse est comme si elle était morte.
Elle a disparu, sans qu'on sache pourquoi ni comment
elle a disparu : — la vérité est un profond mystère!
Figurez-vous bien que l'imposante duchesse d'Arcos de
Sierra-Leone n'était pas une femme de ce temps-ci,
une de ces femmes à folies, qu'un amant enlève.
C'était une femme aussi hautaine pour le moins que
le duc son mari, qui est bien le plus orgueilleux des
ricos hombres de toute l'Espagne. De plus, elle était
pieuse, pieuse d'une piété quasi monastique. Elle n'a
jamais vécu qu'à Sierra-Leone, un désert de marbre
rouge, où les aigles, s'il y en a, doivent tomber
asphyxiés d'ennui de leurs pics! Un jour, elle en a
disparu et jamais on n'a pu retrouver sa trace. Depuis
ce temps-là, le duc, un homme du temps de Charles
Quint, à qui personne n'a jamais osé poser la moindre
question, est venu habiter Madrid, et n'y a pas plus
parlé de sa femme et de sa disparition que si elle n'avait
jamais existé. C'était, en son nom, une Turre-Cremata,
la dernière des Turre-Cremata, de la branche d'Italie.
— C'est bien cela, — interrompit le joueur. Et il
regarda ce qu'il avait écrit sur un des feuillets de son
calepin d'écaille. — Eh bien! — ajouta-t-il solennellement, — monsieur l'ambassadeur d'Espagne, j'ai
l'honneur d'annoncer à Votre Excellence que la
duchesse de Sierra-Leone a été enterrée ce matin, et,
ce dont assurément vous ne vous douteriez jamais,
qu'elle a été enterrée à l'église de la Salpêtrière, comme
une pensionnaire de l'établissement! »
A ces paroles, les joueurs tournèrent le nez à leurs
cartes et les plaquèrent devant eux sur la table, regardant tour à tour, effarés, celui-là qui parlait et l'ambassadeur.
« — Mais oui! — dit le joueur, qui *faisait son effet*,
cette chose délicieuse en France! — Je passais par là,
ce matin, et j'ai entendu le long des murs de l'église
un si majestueux tonnerre de musique religieuse, que
je suis entré dans cette église, peu accoutumée à de
pareilles fêtes... et que je suis tombé de mon haut, en
passant par le portail, drapé de noir et semé d'ar-
moiries à double écusson, de voir dans le chœur le plus

resplendissant catafalque. L'église était à peu près vide.
Il y avait au *banc des pauvres* quelques mendiants, et
çà et là quelques femmes, de ces horribles lépreuses de
l'hôpital qui est à côté, du moins de celles-là qui ne
sont pas tout à fait folles et qui peuvent encore se
tenir debout. Surpris d'un pareil personnel auprès d'un
pareil catafalque, je m'en suis approché, et j'ai lu, en
grosses lettres d'argent sur fond noir, cette inscription
que j'ai, ma foi! copiée, de surprise et pour ne pas
l'oublier :

CI-GIT

SANZIA-FLORINDA-CONCEPTION

DE TURRE-CREMATA,

DUCHESSE D'ARCOS DE SIERRA-LEONE

FILLE REPENTIE,

MORTE A LA SALPÊTRIÈRE, LE...

REQUIESCAT IN PACE!

Les joueurs ne songeaient plus à la partie. Quant à
l'ambassadeur, quoiqu'un diplomate ne doive pas plus
être étonné qu'un officier ne doive avoir peur, il sentit
que son étonnement pouvait le compromettre :

« — Et vous n'avez pas pris de renseignements ?...
— fit-il, comme s'il eût parlé à un de ses inférieurs.

— A personne, Excellence, — répondit le joueur. —
Il n'y avait que des pauvres; et les prêtres, qui peut-
être auraient pu me renseigner, chantaient l'office.
D'ailleurs, je me suis souvenu que j'aurais l'honneur
de vous voir ce soir.

— Je les aurai demain », fit l'ambassadeur. Et la
partie s'acheva, mais coupée d'interjections, et chacun
si préoccupé de sa pensée, que tout le monde fit des
fautes parmi ces forts *whisteurs*, et que personne ne
s'aperçut de la pâleur de Tressignies, qui saisit son
chapeau et sortit, sans prendre congé de personne.

Le lendemain, il était de bonne heure à la Salpêtrière. Il demanda le chapelain, — un vieux bonhomme
de prêtre, — lequel lui donna tous les renseignements
qu'il lui demanda sur le n° 119 qu'était devenue la
duchesse d'Arcos de Sierra-Leone. La malheureuse
était venue s'abattre où elle avait prévu qu'elle s'abat-

trait... A ce jeu terrible qu'elle avait joué, elle avait gagné la plus effroyable des maladies. En peu de mois, dit le vieux prêtre, elle s'était cariée jusqu'aux os... Un de ses yeux avait sauté un jour brusquement de son orbite et était tombé à ses pieds comme un gros sou... L'autre s'était liquéfié et fondu... Elle était morte — mais stoïquement — dans d'intolérables tortures... Riche d'argent encore et de ses bijoux, elle avait tout légué aux malades, comme elle, de la maison qui l'avait accueillie, et prescrit de solennelles funérailles. « Seulement, pour se punir de ses désordres, — dit le vieux prêtre, qui n'avait rien compris du tout à cette femme-là, — elle avait exigé, par pénitence et par humilité, qu'on mît après ses titres, sur son cercueil et sur son tombeau, qu'elle était une FILLE... REPENTIE.

— Et encore, ajouta le vieux chapelain, dupe de la confession d'une pareille femme, par humilité, elle ne voulait pas qu'on mît « repentie ».

Tressignies se prit à sourire amèrement du brave prêtre, mais il respecta l'illusion de cette âme naïve.

Car il savait, lui, qu'elle ne se repentait pas, et que cette touchante humilité était encore, après la mort, de la vengeance !

TABLE

LES DIABOLIQUES

GF Flammarion

13/08/183805-VIII-2013 – Impr. MAURY Imprimeur, 45330 Malesherbes.
N° d'édition L.01EHPN000609.N001. – août 2013 – Printed in France.